新潮文庫

蒼き狼

井上 靖著

新潮社版

1612

蒼《あお》き狼《おおかみ》

一章

西紀一一六二年のことである。黒竜江《こくりゆうこう》はその上流に於《おい》て、オノン、ケルレンの二つの支流に岐《わか》れるが、その流域の草原地帯や森林地帯*に居住する遊牧民モンゴルの聚落《しゆうらく》の首長の幕舎（包《パオ》）に、一人の男児が生まれた。産婦はホエルンと呼ばれる、まだ二十歳を幾つも出ない若い美貌《びぼう》の女性であった。時たまたまこの聚落の男たちは、この地方で長く相争って来た他部落のタタル族*との合戦のために全部出払っていたので、聚落の何百という幕舎の中に居るのは、老人か女子供ばかりであった。

ホエルンは、男児の誕生を部落から十里程離れた戦線に居る夫のエスガイのもとに報じるために、一人の老いた下僕《げぼく》を幕舎から送り出した。ホエルンは夫への使者を出してから、改めて自分の腹から出たばかりの嬰児《えいじ》の顔に眼を当てた。嬰児は襤褸布《ぼろきれ》の中に転がされてあった。嬰児を取り上げた女たちも開かすことのできなかったその左の手指は相変らず固く握りしめられたままになっていた。ホエルンは自分の産んだ子の四肢《しし》が完全であるかどうかを確かめようとする母親の持つ本能的な執拗《しつよう》さで、その握りしめられた左掌《ひだりて》を何とかして開かせようと思った。それは少しの粗暴さも許されぬ、非常に繊細な注意を要する仕事であった。ホエルンは時折、嬰児の掌から手を離すと、幕舎の上をごうごうと吹き過ぎて行く風の音を聴いた。風は大河の流れのようにあるボリュームを持った物体として、東から西へと地軸を揺り動かしながら移動して行くのが感じられた。風の流れが絶えると、その度にホエルンは自分が身を横たえている幕舎と対《む》い合っている漆黒の夜空の高さを思い出し、そこに無数の星が鏤《ちりば》められて、その一つ一つが冷たい光をもって輝いている様を眼に浮かべた。が、やがて次の風が吹き荒れて来ると、星を刺繍《ししゅう》した黒い布地は吹きまくられ、星はちりぢりに四散して、あとは天地を埋める風の音だけになった。風が吹こうと、星空が幕舎に覆《おお》いかぶさろうと、孰《いず》れにしてもホエルンは、自分がいまひどく小さくて貧しい幕舎の中に居るという思いを持っていることには変りなかった。

この自分たちが大自然の中の無力な小さい点であるという思いは、牧草を求めて転々とし、定住する家屋も、定住する土地も持たない遊牧民たちの誰《だれ》もが必ず心の底のどこかに持っていて、いかなる行動もいかなる考えをも、結局はその根底に於てそれを支配する民族の呪文《じゅもん》のようなものであったが、この夜のホエルンの場合は、そうした寄辺《よるべ》のない孤独な思いを一層強める他の理由を持っていた。この夜のホエルンには幕舎を透《とお》して夜空は一層高く見え、幕布を揺り動かす風の力は一層狂暴なものに感じられた。

母になった許《ばか》りのホエルンは、いま二つのことに心を傷《いた》めていた。一つは自分が産んだ嬰児が、充分に夫エスガイを満足させるような完全な体軀《たいく》を持ったものであるかどうかということ、それからもう一つは、嬰児が夫エスガイを充分納得させるように彼に似た眼鼻立ちを持っているかどうかということであった。

併《しか》し、この二つの心配事のうちの一つは、やがてホエルンの心から取除かれることができた。嬰児は母親の掌の中で、それまでそこに預けていた自分の小さい手指を、恰《あたか》もそれが自分の意志ででもあるかのように自分で開いたのである。嬰児は髀石《ひせき》*（獣骨の玉）の形をした血の塊りを、勲章でも握りしめるように確《しっか》りと握りしめていたのであった。

もう一つの心配事である生まれたばかりの嬰児の顔容《かおかたち》については、ホエルンはその嬰児が夫エスガイの子であるといういかなる証拠も確信も、そこからは得ることができなかった。嬰児はエスガイに似ているようでもあり、似ていないようでもあった。それと同様に、ホエルンのこうした悩みのもととなっている、もう一人の男の顔にもまた、似ているとも似ていないとも言えなかった。はっきり言えば、嬰児は誰にも似ていなかった。ただ一人、自分が体内から出た母親だけに似ていたのである。

ホエルンはエスガイが嬰児の誕生を知って、それに対していかなる気持を持つか、全く想像はつかなかった。エスガイは、妻の妊娠に対するに、終始この部族の勇者が例外なく持っている寡黙《かもく》と無表情とをもってしていた。悦《よろこ》んでいるのか、怒っているのか、その内心の感情は、一切本人以外の何人も窺《うかが》い知ることは出来なかった。併し、嬰児の出生を報告することによって、ホエルンはそれに対する夫の言葉を初めて聞くことが出来る筈《はず》であった。例え殺せという言葉が彼の口から出たとしても、さして不思議とすることではなかった。

エスガイの許《もと》に遣わされた老僕は次の日の夕方幕舎へ戻《もど》って来た。そして彼は若き母親にエスガイが嬰児のために選んだ鉄木真《テムジン》という名前を伝えた。ホエルンはそれを聞いて出産後初めて安堵《あんど》の色を面《おもて》に浮かべた。少なくとも、夫エスガイが、自分の産んだ子供に対してその存在を呪《のろ》うほどの憎しみを持っていないということだけは判《わか》ったからである。併しそれ以外のことは、やはり一切不明であった。何故《なぜ》なら、老僕の話によれば、鉄木真という名の謂《い》われは、ホエルンにとって如何《いか》ようにも解釈される意味を持ったものであったからである。

「わしがエスガイ様の陣に到着した時は、丁度タタル部族をさんざんにやっつけて戦《せん》捷《しょう》の宴を張っている時だった。篝火《かがりび》の傍には敵の首領株の者が二人捕虜にされて縛られていた。酒宴も半ばと思われる頃《ころ》、その首領の一人は引き出されて首を刎《は》ねられたが、エスガイ様はこんどの戦捷を記念する意味で、その首領の名テムジンを生まれた子につけよとの仰《おお》せじゃった」*

老僕はそう語った。戦捷を記念するという意味をそのまま素直にとればそれでもよかったが、併しその名が首を刎ねた敵方の首領の名であると判ってみると、ホエルンとしてはそこに何か釈然としないものがあるのを感じないわけには行かなかった。エスガイが嬰児の出生を悦んでいるか、憎んでいるかは、依然としてホエルンには謎《なぞ》であった。

併し、兎《と》に角《かく》こうして、母親さえその父親をはっきりと知らぬ一人の嬰児は、鉄木真と名付けられ、モンゴル部族の一人の頭領の長子として帳幕の中に生い育つ運命をここに与えられたわけであった。

ホエルンはそれから何日間かを、産後の病患のために高熱に苦しみながら生死の間をさ迷った。そして熱がとれて漸《よう》く一命を取りとめたと判った時、彼女の弱々しい眼が初めて捉《とら》えたものは、夫エスガイが嬰児鉄木真を抱き上げて立っている姿であった。

ホエルンがエスガイの妻となったのは、その時から十カ月程前のことであった。ホエルンはオルクヌウト部族*の出であったが、メルキト部族*の若者に掠奪《りゃくだつ》され、メルキトの聚落に拉致《らち》されて行く途中、オノン河畔に於て、エスガイの手に依《よ》って二重の掠奪を受け、ついにエスガイの妻となったのである。ホエルンはメルキト部族の若者にも十数回に亙《わた》って犯されていたので、エスガイの妻となってからの出産ではあったが、生まれた子が二人の男性の孰《いず》れを父とするかを決めることはできなかったのである。

ホエルンは鉄木真を抱いている夫の横顔に眼を当て続けていた。エスガイは通常エスガイ・バガトル*（勇者エスガイ）と呼ばれ、豪胆と勇武とをもって鳴り、他部族から怖《おそ》れられている人物であった。そのエスガイの精悍《せいかん》な横顔からは、心の内側のいかなる思念の欠片《かけら》をも覗《のぞ》き見ることはできなかったが、ホエルンは夫が鉄木真を自分の大きな腕の中に抱きとっているということで、さすがに吻《ほっ》とする思いを持った。そしてその吻とする思いは次第にはっきりと自分でも説明できない強い感動に変って行き、それがホエルンの頬《ほお》を涙で濡《ぬ》らした。

当時モンゴル部族が生活を営んでいた中国の万里の長城以北の地、所謂塞外《いわゆるさいがい》の地には、何種族かの遊牧民族が各地に屯《たむろ》していた。この地は東方を興安嶺《こうあんれい》に依って、西方をサヤン、唐努《タンヌ》、アルタイ、天山の諸山脈によって大きく遮《さえぎ》られ、南方は万里の長城に依って中国に、戈壁《ゴビ》の大不毛地に依って西域に隣接していた。また北方はバイカル湖付近を境として、シベリヤの底知れぬ無人地帯へと呑《の》み込まれている。そしてこの大山脈と沙漠《さばく》と無人荒蕪《こうぶ》の地に囲まれた広大な高原には六本の河が流れていた。オノン、インゴダ、ケルレンの三河は合して黒竜江となってオホーツク海に注ぎ、トウラ、オルコン、セレンガ河の三流はいずれもバイカル湖にはいっている。これらの二水脈はみな中部の高原地帯から発し、その流域は草原地帯や森林地帯を形成していて、往古から各種の遊牧民族がここに興《おこ》り亡《ほろ》んでいた。匈奴《きょうど》*も、柔然《じゅうぜん》*も、突厥《とっけつ》*も、回鶻《ウイグル》*もこの地を根拠地として、唯一《ゆいいつ》の出口である南方へ勢力を張ろうとしたので、中国の歴代の為政者たちは万里の長城を構築して、北方遊牧民の寇略《こうりゃく》に備えなければならなかったのである。

モンゴルがいつの頃からこの地に移り住んだかは不明であるが、八世紀前後には他の諸聚落と共に突厥の勢力下に、八世紀中葉は突厥に替った回鶻に隷属《れいぞく》し、九世紀以後は回鶻に替った韃靼《だったん》*の支配下にあった。併し、韃靼が衰えた以後は、それぞれ聚落をなして頭髪と皮膚の色と多少の習俗とを異にした幾つかの血の違った民族がそれぞれ聚落をなして広大な高原のあちこちの草原地帯にばら撒《ま》かれ、一年中畜群と婦女と牧草の奪い合いに明け暮れていた。

鉄木真の生まれた十二世紀の中葉には、モンゴル部の他に、キルギス、オイラト、メルキト、タタル、ケレイト、ナイマン、オングートといった諸部族がこの蒙古《もうこ》高原地帯の住民たちで、その中でモンゴルとタタルの二部族がこの高原地帯に於《お》ける諸聚落の指導権を握ろうとして、絶えず小戦闘を繰返していた。鉄木真の生まれたのは、この二部族の闘争の最中であったのである。

こうした異部族間の闘争の他に、同一部族内に於てもそれぞれ、仲間の利益のために烈《はげ》しい闘争を繰返していた。モンゴル部族も幾つかの氏族に分れ、各氏族は独立した聚落をもって、ともすれば拮抗《きっこう》しがちであったが、エスガイの属するボルジギン氏族は昔から一応モンゴルの本家筋に当る家柄《いえがら》となっており、全モンゴル部族の支配者とも呼ぶべき汗《カン》（主権者）を何人かその中から出していた。第一代目の汗は鉄木真の曾祖父《そうそふ》にあたるカブルで、この人物がそれまで統一なくばらばらになっていたモンゴルの諸聚落を曲りなりにも一つに纏《まと》め、部落全体の利益のために他部落に当る体制を調えたのであった。二代目の汗にはタイチュウト氏族のアムバカイがなったが、三代目はまたボルジギン氏族に移り、エスガイの叔父クトラが汗となり、現在エスガイが四代目の汗になっているといった状態であった。

鉄木真はこうした情勢下の蒙古高原にあって、モンゴル部族の頭領の幕舎の中に生い育って行った。ホエルンは、鉄木真を産んでから二年おいてカサルを、更に二年おいてカチグンを産んだ。いずれも男児であった。鉄木真は四歳の時にこれらの二人の弟を持つにいたったわけであるが、この他に更に父エスガイが他の女に産ませた一歳違いのベクテル、二歳違いのベルグタイの二人の弟を持っていた。鉄木真は幕舎の中で、これらの同腹、異腹の弟たちと一緒に生い育った。エスガイは子供たちには頗《すこぶ》る公平であった。五人の子供たちをいつも平等に取扱い、誰か一人を特別に可愛《かわい》がるというようなことはなかった。これはまたホエルンも同じことだった。彼女は自分が腹を傷めた三人の子供も、他の女に出来た二人の子供も、些《いささ》かも区別するようなことはしなかった。ホエルンは夫が鉄木真に対して特別な扱いをしなかったように、彼女も亦《また》夫が他の女に産ませた子供たちを特別扱いにしなかった。そうした点から見れば、ホエルンは聡明《そうめい》な女であると言うことができた。

鉄木真が六歳の時、ホエルンはもう一人の子供のテムゲを産んだ。六歳の鉄木真は同じ年齢の子供より躰《からだ》が一廻《ひとまわ》り大きく、腕力も強かったが、めったに口をきかないむっつりした子供であった。極くたまにしか喧嘩《けんか》をしなかったが、喧嘩をすると思いきった事をした。いつも相手の憎まれ口を眼を光らせながら黙って聞いていて、相手が喋《しゃべ》ることがなくなったと知ると、一言も口から出さないでいきなり襲撃した。相手を押し倒して、馬乗りになって石で殴りつけるとか、砂の中に頭を突っ込んで足で踏みつけるとか、やることは荒っぽかった。そうした攻撃の仕方には、どことなく残酷なものがあって、それを止めに来た大人たちの眼には、鉄木真は気心の判らない、可愛げのない子供に映った。そんな時大人たちは、鉄木真を自分等と同じ年齢の人間のように錯覚し、大人でも咎《とが》めるようにいつも鉄木真の方ばかりを叱《しか》った。

併し、そうした時を除けば、鉄木真は単に無口で目立たない子供であるに過ぎなかった。鉄木真は自分が年長だったので、母のホエルンを幼い弟たちに譲らねばならず、ホエルンの膝《ひざ》や腕に纏いつくということはなかったが、やはり少しでも母に近いところに座を取りたい気持は、他の子供たちと変りはなかった。

鉄木真が、初めて自分の部族の祖先の話やその伝承に耳を傾けたのは、七歳の時であった。遠縁に当る人物にブルテチュ・バガトルという老人があった。バガトル（勇者）の呼称を持っているくらいだから、ブルテチュは若い時は勇者であったに違いなかったが、その頃は頬にも顎《あご》にも白い髯《ひげ》を蓄えた子供好きの柔和な老人であった。この老人は優れた記憶力を持っていて、時折親族縁者の者たちがエスガイの幕舎に集まる時など、何代も何代も前の祖先のことをみなに話して聞かせた。自分がその人物を実際に見知ってでもいるように、その人物の容貌《ようぼう》風姿から性格まで詳しく話し、聞く者を倦《あ》かせなかった。

ブルテチュ・バガトルは人が集まりさえすれば、必ず自分の頭に詰込んであるものを糸でも手繰《たぐ》り出すように引張り出す役割を忠実に勤めた。それで、彼の話のある部分は多勢の者にすっかり覚えられていたが、併し、誰もブルテチュのようにうまくは話せなかったし、また彼のように際限もない程の長い話を頭にしまい込むことなど思いもよらなかった。

ブルテチュが語り出そうとする時、人々は口々に自分が記憶していることを先きに口から出そうとした。

——バタチカン、バタチカンの子がタマチャ、タマチャの子がゴリチャル・メルゲン、ゴリチャル・メルゲンの子がアウジャン・ボログル、アウジャン・ボログルの子がサリ・カチャウ、サリ・カチャウの子がエケ・ニドン、エケ・ニドンの子がセム・ソチ。

こんな風に一人が自分たちの祖先の代々の当主の名を口にしてここで詰まると、他の誰かがそのあとを続けた。

——セム・ソチの子がカルチュ、カルチュの子がボルジギタイ・メルゲン、ボルジギタイ・メルゲンはモンゴルジン・ゴアという美しい妻を持ち、その二人の間に出来た子が、トロゴルチン・バヤン、トロゴルチン・バヤンはボロクチン・ゴアというこれも美しい妻を持ち、他に若党ボロルダイ・スヤルビと二頭の駿馬《しゅんめ》ダイル、ボロを持った。

一番記憶のいい者も大抵この辺で詰まった。これからあとは、つまり妻の他に二頭の馬と若党を持った十代目の当主トロゴルチン・バヤン（富者トロゴルチン）以降はやたらに子沢山になり、記憶しなければならぬ人物は急に樹枝状に大きく拡《ひろ》がり、もはやブルテチュの非凡な記憶力に俟《ま》つ以外仕方がなかったのである。ブルテチュは人々が詰まると満足そうに皺《しわ》の多い顔に笑みを浮かべ、そしてそこからゆっくりと話し出した。勿論《もちろん》ブルテチュの話はモンゴル家の歴代当主の名前を単に羅列《られつ》するだけではなかった。

「トロゴルチン・バヤンと細君のボロクチン・ゴアはえらく仲のええ夫婦じゃった。あんまり仲がよすぎたので、一つ眼玉の子ができた。そこでドワ・ソホル（盲人ドワ）と名を付けた。一つの眼は額の真ん中に縦についていたが、これがまたよく利《き》く目玉で、嘘《うそ》のような話だが三日行程*の向うまで見ることができた。ドワ・ソホルのあとはドブン・メルゲン（能射者ドブン）が生まれた。やがて二人はいきのいい若者になった。ある時兄弟は狩りに出たが、ドワ・ソホルは平原を見渡して、遠くをええ女《おな》子《ご》が通っている、嫁に行くところらしい。明日あたりここを通るから、ここへ来た時かっぱらって、ドブン・メルゲンよ、お前の嫁にするがいいと言った。ドブン・メルゲンは本当にしなかったが、翌日その場所へ行って待っていると、本当に嫁入りの娘を真ん中にした一団がやって来た。若者は弓を引き、刀を揮《ふる》って、彼等に襲いかかった。アラン・ゴア（美女アラン）がドブン・メルゲンの妻になったのはこうした経緯じゃ。二人の間にはすぐ二人の子供が生まれた。兄がベルグネテイ、弟がブグネテイ。それぞれベルグネット氏、ブグネット氏の祖先になるわけじゃ。さて、アラン・ゴアを手に入れたドブン・メルゲンだが、この人は惜しいことに若くして妻と二人の子供を残してみまかった。併し、アラン・ゴアは二人の子供を育てながら、次々と三人の子供を産んだ。夫はなくても幾らでも子供はできる。と言って、アラン・ゴアは貞淑な女だから、決して男などは作らぬ。どうして子が出来たかと言うと、いつも妊娠する前に、天の一角から光が射《さ》して来て天窓からはいり、アラン・ゴアの躰の白い肌《はだ》に触れる。こうして生まれたのがブク・カタギ、ブカト・サルジ、ボドンチャル・モンカク、それぞれカタギン氏、サルジカット氏、ボルジギン氏の祖先じゃ。ボドンチャル・モンカクの流れを汲《く》むわれわれボルジギン氏族の者の躰には、だから、美女アランの血と天の光が入り混じってはいっているわけじゃ」

こうした調子であった。そしてボドンチャル以降の歴代の勇士の武勇談を、ブルテチュは次第に詳しく、次第に生き生きと物語った。ボドンチャル以降、現当主エスガイまで十代あって、語るべきことが沢山あったので、とても一晩では語り尽すことはできなかった。

七歳の鉄木真《テムジン》には、一つ眼のドワ・ソホルの話だけが印象的で、その他のことはたいして興味も惹《ひ》かなければ、よく理解もできなかった。それよりも、部族全体の何かの大きな集会の時、ブルテチュもその一員となって何人かの古老たちが、幕舎の前の広場でモンゴルの源流に関する伝承を祈禱《きとう》のような形で唱和することがあったが、その時聞く祈禱の文句の内容の方が、鉄木真にはずっと面白《おもしろ》かった。

――上天より命《みこと》ありて生まれたる蒼《あお》き狼《おおかみ》ありき。その妻なる惨白《なまじろ》き牝鹿《めじか》ありき。大いなる湖を渡りて来ぬ。オノン河の源なるブルカン嶽《だけ》に営盤《いえい》して生まれたるバタチカンありき。*

それはそうした唱和で始まる短い文句で、間もなく煩瑣《はんさ》な儀式の中に吸収されてしまうものであったが、ここに唱《うた》われる狼と牝鹿の交配によって最初の祖先バタチカンが生まれたという伝承は、ボルジギン氏、タイチュウト氏とを問わず、全モンゴル人の心に、それが語られる度にいつも異様な感動を呼び起すものであった。人々はみなこの話を信じていた。大いなる湖というのはずっと西方にあるもので、逞《たくま》しい狼はそこを神の命に依って渡って来、優しく美しい牝鹿を妻としたというのである。ブルカン嶽というのは部族民の誰《だれ》一人知らぬ者のない山であった。モンゴル部の者はどこへ幕舎を移動しようと、生まれてからずっと毎日のようにこのブルカン嶽を仰いで育って来たのである。

鉄木真も、この蒼き狼の話から大きい感動を受けた。鉄木真は自分が狼と牝鹿の子孫であるということに満足であり、そうではない他部族のことを思うと、そうした他部族の者が哀れにも卑《いや》しくも思われた。要するに鉄木真は、自分の体内に狼と牝鹿の血が流れていることに大きい誇りを感じたのであった。

鉄木真がブルテチュを交えた何人かの古老の不可思議な唱和を聞いたことは、彼の幼少時代に於ける一番大きい出来事であった。勿論、古老たちの唱和する言葉の意味は、七歳の鉄木真の頭では理解し難《がた》く、母のホエルンに依ってその意味を説明されたものであったが、鉄木真は古老たちが唱和している間、その低く厳かな歌声の中に大きく逞しい狼と、優しく美しい牝鹿の幻影を見ていた。狼は鋭い眼を持っていた。その眼は遠眼の利くドワ・ソホルのそれより遥《はる》かに遠くを見得る眼であり、それはそこに現われる何ものをも捉えて離さぬ、怖れというものを全く知らぬ眼であった。いかなるものにも立ち向かう攻撃精神と、自分の欲するいかなるものをも自分のものとする強い意志を、その冷たい眼の光は持っている。体軀《たいく》は全く攻撃のためにつくられたものである。きりっと立った耳は、千里の遠くの物音をも聞き逃すことなく、その躰を構成している一片の骨も、一片の筋肉も、敵を屠《ほふ》るための目的にそぐわぬものはない。細く強靱《きょうじん》な四肢《しし》は、必要とあらば雪原を駈《か》け、強風の中を走り、岩を攀《のぼ》り、宙を跳ぶ。

その狼の直《す》ぐ傍《そば》には、美しい毛皮で包まれた華奢《きゃしゃ》な体軀を持った牝鹿がつき添っている。鹿は栗色《くりいろ》の毛並に白い斑点《はんてん》を散らし、口許《くちもと》も白い毛で覆《おお》われている。狼とは違って優しい眼を持っている。併《しか》し、彼女はその眼を絶えずくるくると動かして全身を神経にして、自分の愛する夫を外敵から守ろうとしている。鹿は自分を美しく見せることによって狼に奉仕すると共に、瞬時たりとも警戒の心を解くことなくして、また夫に仕えている。風による木の葉のそよぎ一つにも、油断なくその方へ長い顔を向ける。攻撃心というものは凡《およ》そその片鱗《へんりん》をも持ち合わせてはいないが、防禦《ぼうぎょ》の態勢は完《かん》璧《ぺき》である。

この全く異った二つの生きものは、いずれも鉄木真の小さい心を魅するに充分な美しさを具《そな》えていたのである。そしてその二つの美しい生きものから最初の祖先バタチカンが生まれ、狼と牝鹿の血は長い歳月にわたって多勢の祖先たちの躰を流れ流れて、いま自分の体内をも流れているのである。

この話を知ってから鉄木真は、ブルテチュの語るいかなる話も、――それを鉄木真は次第に自分自身の頭で理解するようになって行ったが――もはやそこからは何の魅力も見出《みいだ》さなかった。鉄木真は、ブルテチュがボルジギン氏族の者の躰の中に美女アランの血と、天から射し込んで来た光が混じり合っているという話を何回もするのを聞いたが、語り手が誇りやかに話すその話も狼と牝鹿の話に較《くら》べれば、遥かにつまらない魅力ないものに思われた。自分たちボルジギン氏族の者が他のモンゴル人より天の光のために優れているということは、勿論鉄木真にとっても嬉《うれ》しくないことはなかったが、併し、全モンゴル人の血の中に等しく頒《わ》け与えられている狼と牝鹿の血の方が、鉄木真にはずっと素晴らしいことに感じられた。それを支えているものは全モンゴルという大きな拡がりを持った台《うてな》であった。

鉄木真が八歳になった春、ホエルンはまた一人の子供を産んだ。こんどは女児でテムルンと名付けられた。鉄木真はこの時初めて、テムルンの体内にもまた狼と牝鹿の血が流れているのであろうかという疑問を内部に含んだある感慨に打たれた。狼と牝鹿の血は、カサル、カチグン、テムゲの三人の同腹の弟たちの躰にも、またベクテル、ベルグタイの異腹の弟たちの躰にも流れている筈《はず》で、それが彼等に流れているということにはいささかの不思議な気持も持たなかったが、妹テムルンの場合だけは何か納得できない気持があった。

このテムルンが出生した時鉄木真が思いがけずぶつかった戸惑いは、それから八歳の鉄木真に大人も子供も含めてなべて女というものを、それまでとは違った眼で見させるようになった。女には牝鹿の血は流れているかも知れなかったが、狼の血が流れていようとはどうしても考えられなかった。鉄木真はある時ホエルンにそのことを糺《ただ》してみたが、

「男も女も何が変りがありますか。モンゴルの人たちは男も女も、みんな先祖の血を受け継いでいます」

ホエルンの答えはこうであった。鉄木真には母親のそうした答えは甚《はなは》だ不満足であった。鉄木真は突き飛ばせばすぐに蹣跚《よろめ》き、殴りつければすぐ倒れて泣き出す女というものを、自分たち男と同一に考えるのは納得の行かないことであった。一緒にすることは厭《いや》だった。戦闘にも出て行けぬ弱者が、どうして天の命に依《よ》って西方の湖を渡って来た狼の血を承《う》けついでいると言えるであろうか。

鉄木真は女の子たちとは決して遊ばなかった。遊ばないばかりか、よほどの用事で

もない限り口もきかなかった。弱い者への軽蔑《けいべつ》というより、弱者でありながら同じモンゴル人の血の所有を主張していることに対する反感と、憤懣《ふんまん》が、八歳の少年の心に根を張っていたのである。

この時期から、鉄木真の眼は急に自分の周囲のものを見るといった見方で見るようになって行った。躰の発育も他の少年たちに較べると早かったが、無口で荒っぽい少年は精神的にもそれに劣らず早熟であった。

鉄木真は沢山のことを知ろうとし、実際にまた沢山のことを知った。父のエスガイや母のホエルンの交わす会話に、これまでと別段変化があろう筈はなかったが、それらのものはいまや鉄木真にとっては全く別のものになった。鉄木真は二人の会話から、自分たちのボルジギン氏族がいかなる家系と歴史を持っているか、そしてまたボルジギン氏族の者たちがモンゴル部族の中でいかなる地位を占めているか、更に広くモンゴル部族が蒙古《もうこ》高原の住民たちの中でいかなる立場に立っているか、そうしたことを知ることができた。それからまた、聚落《しゅうらく》の男女の会話からも、聚落の小集会や部族の大集会に於《お》ける部落民たちの言動からも、実に多くのことを、海綿が水を吸い取るように少年の感受性は吸い取って行った。鉄木真は少年から大人へと心も躰も移行しつつあったのである。

鉄木真は先ず同じモンゴル部族の中で、自分の属するボルジギン氏族が父エスガイの代からタイチュウト氏族と兎角《とかく》うまくゆかず、事毎《ことごと》に反目し合っていることを知った。もともとタイチュウト氏族は、ボルジギン氏族に属していたが、アムバカイが二代目の汗《カン》になった時より独立して別に聚落を持ち、タイチュウト氏を称するようになったもので、両氏族の間は謂《い》わば主家と分家の関係にあった。併し、エスガイが汗となる頃《ころ》からアムバカイの子供たちはタイチュウト氏族として次第に勢力を張って、他の多くの氏族を自己の傘下《さんか》に収めるようになり、現在は兎角エスガイの命令に服さないことが多く、モンゴル部内の悶着《もんちゃく》のすべてはここに根差していた。

モンゴル部にはタイチュウト氏のほかにも尚《なお》幾つかの氏族があったが、いまはボルジギン氏かタイチュウト氏かの孰《いず》れかに属し、全モンゴル部族は表面はエスガイを汗として一つに纏《まと》まっていたが、実情は二つの陣営に岐《わか》れていると言ってよかった。

モンゴル部内がこのような情勢であるところへ、更に他部族との小さい抗争が絶えなかったので、エスガイは毎日を忙しく送っていた。他部族で最も大きい勢力を持っているものはタタル族で、モンゴルとタタルは昔から犬猿《けんえん》もただならぬ関係にあった。

蒙古高原に於ける一番大きい問題は、昔から各部族を一丸とした部族連合体を結成することにあった。同じ蒙古高原に生活する遊牧民族として、連合体の結成はお互いが平和に生活する上にも、更に大きい高原の隣国である金*や西夏*や回鶻《ウイグル》に対する問題を処理する場合にも、絶対に必要なものであった。この蒙古高原の諸民族の連合体の結成を一番望んでいないのは、長城を境として高原に隣接している金国であった。高原に散在する少数勢力が合して一つの大きい勢力となることは、金国にとっては決して悦《よろこ》ぶべきことではなかった。金国は高原に連合体の結成の機運が動くとみるや、常に策謀をもってそれを摘み取り、高原の諸部族を常に対立状態に置くことに力を尽して来ていた。

モンゴル部の最初の汗カブルも、二代目のアムバカイも、三代目のクトラも、そして現在のエスガイも、常に連合体を結成する志を持っていたが、それはいつも金の謀略に踊らされるタタル族のために邪魔されていた。カブルはすんでのところで金の使者に依って毒殺される目にあっていたし、アムバカイはタタル人の手によって金国に送られそこで処刑され、クトラも、そしてその六人の兄弟の大部分も、タタル族との闘いに生命を落していた。つまり鉄木真の曾祖《そうそ》父《ふ》も、祖父の兄弟たちの多くも、タタルとの闘いに生命を喪《うしな》っていたのである。

鉄木真が生まれた時の合戦で、エスガイは初めてタタル族に大きい打撃を与えることができ、それ以後両部族間には比較的平穏な状態が保たれていたが、併し、両部族の抗争は、背後に金国がある限りいつかは再び爆発すべき性質のものであった。

少年の鉄木真はモンゴル部族の敵として、タタル族と金国のあるのを知ったのであった。鉄木真はタタルという名前も、長城の向う側にある金という大国の名前も、共に不気味な悪魔の名として心に刻みつけた。

ある時エスガイは幕舎の中で酒を飲みながら、

「タイチュウトをやっつけ、タタルをやっつけるまでは、俺《おれ》はなかなか死ねぬわい」

とそんなことを口走ったことがあった。その時それを聞いていた鉄木真は、なぜ父親がタイチュウトとタタルの次に金という名を挙げなかったか訝《いぶか》しく思った。それでその疑問を口に出して言うと、エスガイは、

「金をやっつけるのは大変なことだ。いまの蒙古高原の諸部族を全部糾合できた場合を考えても、兵力は二十万にはなるまい。それに反して、金はそれに何十倍かする強い軍隊を持ち、兵隊たちは一人一人、お前などが想像もできない優れた武器を持っている」

そう言って笑った。そして仇敵《きゅうてき》との闘いのことは打ち切って、長城の向うの金という国やそのまた向うの宋《そう》という国のことを話してくれた。そこでは巨大な城郭に囲まれた地域に人々は都市を形成して住んでおり、一生動かすことのない土や板で造った

家屋を構えている。人々はそれぞれ専門の仕事を持ち、商人は店舗を造って商品を売り、百姓は土地を耕作して農作物を作り、役人は役所に通って諸事百般の仕事を司《つかさど》り、兵隊は武器を持って毎日戦闘の訓練に明け暮れている。そしてその城郭の中には大きな寺や役所が石で造られて天に聳《そび》え立っている。

鉄木真は本当にそんな夢のような国があるのかと思った。もっともっと詳しく知りたかった。

鉄木真は、父にいろいろなことを根掘り葉掘り訊《き》いた。併し、エスガイ自身、自分の眼でそれを見たわけではなかったので、それ以上詳しく話すことは出来なかった。

そうしたことがあってから、鉄木真はある時宋や金という国のことを、ブルテチュに訊いたことがあった。何でも知っているブルテチュなら、あるいはいろいろなことを話してくれるかも知れないと思った。すると記憶のいい老人は、

「厭《いや》な国じゃがな」

と前置きして、鉄木真の知りたいことには触れず、いかに厭な国であるかの例証として、金国で処刑されたアムバカイ汗のことを話してくれた。

「アムバカイ汗はタタル人の手で捕えられて金国の王の許《もと》へ送られ、そこで、何と木の驢馬《ろば》に釘付《くぎづ》けにされ、生きながらにして皮を剝《は》がされ、その躰をこま切れにされて

しまったのじゃ。アムバカイ汗は気丈なお人じゃったによって、死ぬ時一緒に行った下僕《げぼく》のブルカチに、生あって国へ帰らば伝えよ。――汝《なんじ》ら、十本の手の指の爪《つめ》が全部擦り切れ、更に十本の指全部を失うとも、必ず我がために仇《あだ》を報ぜよ。――こう言われたのじゃ。ブルカチは逃れて国に帰り、そのことをみなに話した。みんな泣いた。お前の父も泣いた。わしも泣いた」

そのブルカチは既に死んでしまっていたが、鉄木真はその小柄《こがら》な老人を何年か前母の膝《ひざ》の傍で見たことがあった。その話の中に登場して来る人物が、鉄木真にも見覚えのある人物であっただけに、アムバカイ汗の悲劇は殊更《ことさら》鉄木真の心に真実感をもって迫り、それを暗く救いのないもので充《み》たした。金という国が父のエスガイさえ報復を諦《あきら》めているくらい、大きい手の届かない国であるということが、鉄木真には無念に思われた。金という国は鉄木真にとっては一度眼にしてみたいいろいろな夢を持った未知の大国であると共に、自分たちの二代前の汗を虐殺《ぎゃくさつ》した不倶戴天《ふぐたいてん》の仇敵の国でもあった。十本の指、十個の爪が失《な》くなっても、なお復讐《ふくしゅう》のために闘わなければならぬ国であった。

九歳の夏、エスガイは妻ホエルンの希望で、将来鉄木真の妻になるべき娘を求めるために、鉄木真を連れてホエルンの郷里であるオルクヌウト部族の聚落への旅に上った。

鉄木真にとっては最初の旅であった。九年間見て来た風景とは全く違った風景の中に、鉄木真ははいって行った。勿論《もちろん》季節によってモンゴル部族は幕舎を各地に移動してはいたが、常にそこはブルカン嶽《だけ》の山麓《さんろく》であり、オノン、ケルレン両河の河畔であって、その移動する半径は自然の条件によって決められた一定範囲内に限られたものであった。鉄木真は同じ種類の樹木によって造られている密林と、同じ色彩を持つ草原しか知らなかった。ところが、こんどの旅は鉄木真の眼前に全く異った地形と風景を展開して行った。一行は十数人で、いずれも馬に乗り、食糧を積んだ十数頭の駱駝《らくだ》を引き連れていた。一行は樹木の鬱蒼《うっそう》とした渓谷《けいこく》をケルレン河に沿って下り、途中から河を離れて草原を過ぎたり、岩石の多い丘陵を攀《よ》じたり、砂礫《されき》と沙漠《さばく》の地を進んだりした。湖は方々にあった。鉄木真には毎日の行程が楽しかった。急がぬ旅だったので、一行は途中で魚を釣《つ》ったり、鳥や兎《うさぎ》を獲《と》ったりした。

ホエルンの出た部落へ行き着かぬうちに、一行は旅行の行程を狂わす一つの予期しなかった出来事にぶつかった。それは一行がチクルグ、チェクチェルの二つの山の間を過ぎる時、オンギラト部族の首領デイ・セチェンの一団と会ったことであった。二つの部族の首領は、初対面ではあったが、直ぐ打解けて語ることができた。デイ・セチェンは一行の旅の目的が何であるかを知ると、一行にオルクヌウト部落へ行くことを変更して、自分たちオンギラト部族の聚落に来るように勧めた。

「わしは貴方《あなた》の子息鉄木真が気に入った。幸いわしにはボルテという娘がある。将来似合の夫婦になるだろう」

デイ・セチェンは恰幅《かっぷく》のいい躰《からだ》を少し反《そ》らすようにして、穏やかな言葉で言った。エスガイは屈託なく話す他部族の首領の人柄《ひとがら》に好感を持っていたし、それにオンギラト部族が富裕であることはかねがね聞き知っていたので、すぐその話に乗って行った。モンゴル部にとっても、オンギラト部と婚姻関係を結ぶことは決して損な取引ではなかった。

話が纏まると、二つの集団は一緒になって、そこから少し道を変えて興安嶺《こうあんれい》の南麓の草原地帯へと向かった。オンギラト部族は蒙古高原の諸部族の中では一番長城に近い地域を領していて、その点金国文化もはいり易《やす》く、高原の住民の中では一番高い文化生活を営んでいた。

オンギラトの牧地は、モンゴル部のそれに較べるとずっと素晴らしかった。ゆるく傾斜している草原は見渡す限りどこまでも明るく続いており、放牧してある羊や馬の数も遥かに多かった。デイ・セチェンの幕舎も亦《また》、エスガイのそれとは比較にならぬ程大きく豪奢《ごうしゃ》だった。調度もすべて垢《あか》ぬけて立派だったし、倉庫の中に積み込まれてある獣皮、毛皮の類も豊富であり、そしてまたそうした物資と交換して得たと思われる品物に到《いた》っては、どれも鉄木真父子《おやこ》の眼を驚かせるものばかりであった。漆塗《うるしぬり》の什《じゅう》器《き》類もあれば、精巧な武器も、武具もあり、美しい装飾品もあった。象牙《ぞうげ》も玉もあった。鉄木真はこれに較べれば自分たちモンゴル部の幕舎がいかに貧しく、見すぼらしいかを思い知らされないわけには行かなかった。

ボルテは鉄木真より一歳年上の十歳であった。彼女を一眼見てエスガイは気に入ったし、鉄木真にもまたそのすくすくと生い育った大柄な少女は美しく見えた。皮膚は白く茶色がかった頭髪には光沢があった。鉄木真は幼時から〝黒い韃靼《だったん》〟に対して、〝白い韃靼〟*と呼ばれる民族があることを聞かされていたが、オンギラトへ来て初めてその話が嘘《うそ》でなかったことを知った。

デイ・セチェンは三日に亙《わた》って一行を歓待したあと、鉄木真だけ暫《しばら》くここに留まって、この部族民と親しくなることを希望した。この場合もエスガイは二つ返事でデイ・セチェンの申出を承諾した。鉄木真は異部族の中に生活することは気が重かったが、しかし、それに依って得るものもまた多いことを知ると、彼は素直に父の言葉に従い、デイ・セチェンの幕舎に留まることにした。

エスガイの一行はやがてブルカン嶽の山麓を目指して帰って行ったが、鉄木真はその日から全く新しい言葉と新しい風習の中で、新しい生活を始めることになった。

鉄木真は九歳の秋から十三歳の春までを、このデイ・セチェンの幕舎で送った。自分の将来の妻であるボルテという少女に対しては何の関心も持たなかったが、ここに於ける生活のすべてのものに対して、鉄木真は少年とは思われぬ異常なまでの関心を示した。この部族は他部族の劫略《ごうりゃく》に備えて少数の特別に訓練された若者を持っていた。若者たちは馬をよく乗りこなし、弓に長じていた。そして毎日のように畜群を襲撃者から護《まも》るために草原に散開して行く訓練と、騎乗で半弓をひく練習をしていた。鉄木真はデイ・セチェンに頼んで、自分もまたその武装した集団の中の一人に加えて貰《もら》った。

併《しか》し鉄木真がこの滞留期間に得た一番大きいものは、金という大国に対する認識であった。時折長城を越えて金国の商人たちがこの聚落へ駱駝《らくだ》を伴ってやって来た。それらの商人の口から、鉄木真は決してオノン河の上流に居る限り知ることのできない、金国に関するいろいろの知識を身につけることができた。その知識の中で一番鉄木真を驚かせたものは、金国もその向うの宋国も、一人の権力者によって統一され、その権力者の命令のもとに手足の如《ごと》く動く軍隊を持っているということであった。

郷里ボルジギンの聚落から、血縁に当るムンリクという三十歳ぐらいの男が、エスガイの急使として、オンギラトの聚落へ鉄木真を迎えにやって来たのは、鉄木真十三歳の春であった。ムンリクの言うことははっきりしなかったが、父エスガイが久しぶりに鉄木真に会いたいということであった。デイ・セチェンはこの急な申出に何か釈然としないもののあるのを感じたが、再びすぐ戻《もど》って来るという条件で、鉄木真の帰郷を許した。

鉄木真はムンリクと共に夜を日についで、高原に馬を駈《か》けさせた。ムンリクから知らされたことは父エスガイの死であった。エスガイは旅先で旅行者の礼として、タタル族の一氏族の酒宴につらなり、*その陰謀にあって毒を盛られ、三日間苦しみながら馬を駈けさせて自分の幕舎に辿《たど》り着いたが、ついに絶命してしまったということだった。エスガイは一生を宿敵タタルとの戦闘に賭《か》け、漸《ようや》くにしてタタル族に大きい打撃を与え、この十二、三年の平静な生活をかち得たのであったが、ついに最後は彼等の報復を受ける運命を持ったわけであった。

鉄木真はこのことをムンリクから知らされた時、父エスガイの死を悲しむというよりは、それに対して大きい憤《いきどお》りを感じた。エスガイが十三年前タタル族と闘って大捷《たいしょう》を得た時、相手をそのまま放置せず、こんどのような事件の起る根源を徹底的に除くべきであったのである。男という男は一人残らず息の根をとめてしまい、女子供は尽《ことごと》く下婢《かひ》として部落に吸収すべきであった。その処置を怠ったことに対する当然の神の見せしめを父エスガイは受けたのである。

十三歳の鉄木真は、それでなくても見劣りのする聚落が、エスガイの喪のために一層暗く惨《みじ》めに沈んで見えるボルジギンの根拠地へ帰って来た。

鉄木真はムンリクと共に何百かの幕舎（包《パオ》）が並んでいる間を、ゆっくりと馬を歩ませた。どの幕舎の中も人気《ひとけ》はなく静まり返っていた。やがて鉄木真は自分の幕舎の前で馬を降りると、正面の入口から内部へはいって行った。入口近くに急に見違える程躰《からだ》の大きくなった異腹の弟ベルグタイとベクテルが立っているのが判《わか》ったが、どういうものか天窓から光線ははいっていず、内部は暗く陰鬱《いんうつ》な空気が漂っていた。鉄木真は内部の暗さに眼が慣れるまで、暫く入口に立っていた。やがて奥の正面に腰を降ろしている母ホエルンと、その周囲にいる肉親の四人の弟妹たちの姿が、次第にはっきりと眼に映って来ると、鉄木真はその方へ近寄って行った。

「貴方《あなた》の父エスガイは亡《な》くなった。これから一家の柱として、鉄木真にはここに居て貰わねばならぬ」

鉄木真はホエルンの口から出る最初の言葉を聞いた。鉄木真は黙っていた。すると、ホエルンは、そのことにその時気付いたように、

「ムンリクを呼び入れておくれ」

と言った。ホエルンはムンリクに長途の労を犒《ねぎら》うつもりらしかったが、入口に立っていたベルグタイが、

「ムンリクは馬に乗って帰って行った」

と言った。その言葉でホエルンは一瞬はっとしたようだったが、ベルグタイの言葉が真実であるか否《いな》かを確かめるために、自分で座を立って幕舎から出て行った。

やがてホエルンは戻って来ると、七人の子供たちを集めて、

「今日からは、いまここに居る者だけが味方だ。お互いに力を併せて生きて行かなければならぬ」

と言った。エスガイの葬儀から既に何日か経《た》っており、ホエルンはもはや一滴の涙も見せなかった。十一歳の弟のカサルの言うところによれば、母の涙の源泉は既に涸《か》れてしまっていたのであった。

鉄木真は母と弟たちの口から短い間に沢山の驚くべきことを聞いた。エスガイの死と共に、これからは実権がタイチュウト氏族に移るという予想からボルジギン氏族の

間に動揺が起り、殆《ほとん》ど全部の者がタイチュウト氏族の方へ通じる機運にあること。従ってまた、エスガイのあとの汗《カン》もタイチュウト氏族の間から選出されるに違いないということ。それからエスガイの何人かの妾《しょう》たちが、これまでの嫉妬《しっと》の恨みから正妻ホエルンを除《の》け者にして、自分たちだけで勝手にエスガイの霊を祀《まつ》る儀式*を行なってしまったということ。それからまたボルジギンの近親の者たちまでが日一日とホエルンに近付かなくなり、この二、三日前からは全く姿を見せなくなったこと。あるいはまた聚落の者たちは毎日のように集会を開いているが、急に無力になったホエルン一家には声もかけなくなったこと。

そうしたことを、鉄木真は黙って聞いていた。鉄木真は先刻自分が部落にはいって来た時、どの幕舎も無人のように静かだったことの意味を悟った。それは彼等が集会を開いて、何事かを取り決めている時間だったのである。鉄木真は自分たち一家が今日こういう日を迎えたのは、こうなるように出来ていた原因というものを持っていたのだと考えた。

ボルジギン氏族には、エスガイの歿後《ぼつご》、エスガイに替って一族を指揮する一人の有力者もなかった。そうした人物の無いことはエスガイがそのような人物を作っておかなかったことである。これは単にボルジギン氏族に限らず、タイチュウト氏族に於《お》いても、また他の氏族に於ても同様であった。部落民は一人の権力者のもとに集まり、そこで統一されるが、その権力者が亡くなれば、自分たちの利益のために他の権力者を探してそこに集まらねばならなかった。そうしたことが、全モンゴルの間に何代も何代もの昔から行われて来ていた。組織というものを持たない集団の在り方であった。

また権力者の歿後、権力者の遺族の者が悲惨な境遇に落ちることも、これまた当然なことであった。権力者に依って加えられた圧力の恨みは、遺族のものに対してその鬱憤《うっぷん》が晴らされねばならなかった。そうそううまい汁《しる》ばかり吸わせておくわけにはゆかない——これはモンゴル部族民の間で何事の場合に依らず頻繁《ひんぱん》に使われ、極く自然に納得されている言葉であった。彼等の考え方に依れば、それはなべて人間を公平に押しならす天の意志でもあったのである。

鉄木真は自分が三年半過したオンギラト族のデイ・セチェンの場合を考えてみた。オンギラトの場合は違っていた。その集団に組織のないことは同じであったが、その頭領の地位に就くのはデイ・セチェンの家の者に限られていた。それだけの実力をデイ・セチェンの家は財宝という形で持っていた。デイ・セチェンはいかなる同族よりも富んでいた。デイ・セチェンが自分の娘聟《むすめむこ》である鉄木真を離したがらなかったのは、彼が後継者たる男児を持っていないことのためであった。

鉄木真は長く父がボルジギン氏族の長として住まった幕舎の中を見廻《みまわ》した。他の部落民のそれと違うところは、多少幕舎が広く大きいということだけで、その中に詰まっているものはたいして変りのないものばかりであった。特別高価なものが詰まっているわけでも、物が豊富にあるわけでもなかった。他部族から掠奪《りゃくだつ》した物はすぐ平等に頒《わ》けられ、頭領としての特別な取分はなかった。要するにここには階級というものはなく、従って特別の富者も特別の貧者もなく、ただなべて等しく貧しかったのである。

鉄木真はホエルンに、多少の怒りを含めた冷たい口調で、

「すべて当然なことが、当然な道順を踏んで起ったまでのことなのだ」

と言った。それは既に少年の言葉ではなかった。父亡きあと、一家の長としての責任を負った男の声であった。鉄木真は続けて言った。

「タイチュウトの連中は、恐らくわれわれをこの儘《まま》にはしておかぬだろう。われわれ一家の悲惨は水が低きにつくように、もう少し悲愴《ひそう》の度を加えてから、そこに初めて落着くだろう」

この鉄木真の言葉で、カサルが涸れてしまったといった母ホエルンの涙の泉からは、再び新しい涙が湧《わ》き出した。そしてこんどは本当にその源泉が涸れ果ててしまうまで、

ホエルンは噎《むせ》び泣き続けた。母が余り長く泣くので、ベクテルとベルグタイは弓を持って狩りに出かけ、カチグンとテムゲは遊びに行き、五歳のテムルンはいつか眠ってしまった。

鉄木真は自分の横でカサルだけが自分と同じように母の姿を見詰めたまま黙って立っているのを見て、

「お前は今日から俺《おれ》の忠実な家来になれ、一切の俺の命令に背《そむ》いてはならぬ。その替り、俺はお前がこの家で俺の次に権力を持つことを認める。ベクテルとベルグタイと争う時は、二人で協力して当るのだ。俺が若《も》し倒れるようなことがあったら、俺に替ってお前がこの家の采配《さいはい》を揮《ふる》うのだ」

と、宣言するようにカサルに言った。鉄木真の言葉を耳に入れて、ホエルンは泣くのをやめ、ちょっと顔を上げたが、すぐまた姿勢をもとの状態に戻した。鉄木真はカサルに諾否の返答を求めた。するとカサルは、男としては少し優しすぎる鉄木真より整っている顔を興奮で上気させながら、

「よし、その取り決めに同意する」

と言った。鉄木真もまた興奮していた。彼にとってはこの誓約は頗《すこぶ》る厳粛なものであった。生を享《う》けてからこれ程厳粛な瞬間を持ったことはないと言ってもよかった。

鉄木真は自分が弱い女である母を援《たす》けて一家を背負って行くために、孤立無援のわが家に一つの秩序を作り、体制を布《し》き、階級を作ったのである。鉄木真にこうした決意をなさしめたのは、勿論《もちろん》一家を支えて行かなければならなくなった責任感にあったが、もう一つは、三年半の間に自分を凌《しの》ぐように大きく逞《たくま》しく育った異腹の二人の弟、ベクテル、ベルグタイに対する警戒でもあった。鉄木真は久しぶりで幕舎にはいって来た時、そこに立っていた二人の弟たちと顔を合わせたが、その時彼等から受取ったものは、必ずしも肉親としての愛情ある眼つきではなかった。弟というよりも、鉄木真は何となくそこに二人の敵を見出《みいだ》した気持であった。

鉄木真が予言したより一層悪い状態は、それから程なくしてやって来た。二カ月程経ったある朝、戸外が騒然としているので鉄木真は眼を覚まして幕舎の外へ立ち出てみた。暁方《あけがた》の薄ら明りの中で、部落の男女たちが何百という幕舎を畳み、それぞれ家財道具を馬や駱駝《らくだ》に積む作業に懸命になっているのを鉄木真は見た。聚落《しゅうらく》全部の移動がいま行われようとしているのであった。鉄木真はいつか自分の傍にホエルンが立っているのを知った。ホエルンは口から言葉を出すことも忘れて呆然《ぼうぜん》としていた。

鉄木真は母をそこへ残して、近親者の幕舎の一つへ行って、彼等が何処《どこ》へ行こうとしているのかを訊《たず》ねた。すると鉄木真が声をかけた一人の男は、

「タイチュウトの首領の命令で新しい牧地へ移動するのだ」

と答えた。夏を間近に控えて聚落が移動することには何の不思議もなかったが、それがタイチュウト氏族の首領の命令によって行われるということと、そのことが鉄木真の幕舎には伝えられていないということに問題があった。鉄木真はすぐ、自分たちが聚落から除け者にされ、打棄《うちす》てられようとしていることを知った。エスガイは歿したが、新しい汗はまだ選出されていない以上、聚落の動き一切はエスガイの長子である鉄木真に相談さるべき筋合のものであった。それが、一言の挨拶《あいさつ》もないのみならず、自分たち一家はここに打棄てて行かれようとしている。

鉄木真はそのやり方を烈《はげ》しく口から出して非難したが、誰《だれ》も子供と侮《あなど》って相手にしようとはしなかった。怒りに躰を震わせながら鉄木真が己《おの》が幕舎の方へ歩みを返そうとした時、鉄木真の眼の中に、白馬の尾を巻きつけた一本の禿黒《とく》*（旗）を持って馬に跨《また》がった母ホエルンの姿がはいって来た。ホエルンは汗の権力の象徴である旗を掲げて、勝手に牧地を移動しようとする部落民の行動を阻止しようとしているのである。併し、鉄木真は、そうした母の行動が結局何の意味をも持たないことを知っていた。彼は母を応援もしなければ、思い止まらせることもしなかった。

鉄木真は幕舎に帰り、その前に立ったまままそれから長い間、部落民の慌《あわただ》しい動きを見ていた。母は広場の西南隅《せいなんぐう》に馬を停《と》めていた。時々母の翳《かざ》している禿黒の毛は突き上げられるように高く風で宙に翻《ひるがえ》った。禿黒は遠く小さく見えた。

やがて広場のあちこちに置かれていた駱駝と馬の小さい集団は統制なく個々に動き出した。幕舎一つの小さい固まりもあれば、二つか三つの幕舎が寄り合った小集団もあった。それらは半歳住み慣れた土地を棄て、ホエルンが禿黒を翳している辺りから急に傾いている傾斜地の向うへと姿を消して行った。従ってホエルンの翳している旗は、恰《あたか》もそれは集団が広場から出て行くその出口を標示してでもいるように見えた。広場を充《み》たしていた人間と生物は次第にその数を減らし、やがてホエルン母子の幕舎だけがそこに残された。

鉄木真は最後の集団が斜面の向うに姿を消してしまった時、急にがらんとして見えて来た広場の向う側からこちらに近寄って来るホエルンの姿を見た。相変らず禿黒を真直《まっす》ぐに立てて馬に跨がっているホエルンは、近付くにつれてその顔色の蒼《あお》いのが判った。ホエルンは極度に緊張しているために烈しい表情をしており、鉄木真には今までの如何《いか》なる場合の母親より、そんな母の姿が健気《けなげ》に美しく見えた。

「ムンリクも行った。ヤムルデも、ソルカン・シラも行ってしまった」

ホエルンは馬から降りると、夫エスガイが存命中親しい交りを持った人々の名を一つづつ口に出して言った。その人々の名の中には、記憶力のいい老人ブルテチュ・バガトルの名もあった。

その日の夕方、ボルジギン氏族の中での最年長者で、ムンリクの父親であるチャラカが、手負った躰を馬に乗せてやって来た。彼は馬から降りるとすぐ、その場に昏倒《こんとう》した。傷はかなりの深傷《ふかで》で、槍《やり》で背を刺されていた。事情は判らなかったが、ホエルン母子はチャラカを幕舎の中へ運び入れて介抱をした。

チャラカは二、三日するとどうやら口がきけるまでになった。彼の語るところによると、彼だけが最後までホエルン母子を棄てて行くことに異議を唱え、部落民が移動を開始してからも、彼はこのことをタイチュウト氏族の重だった者に説き廻《まわ》ったということであった。その時タイチュウト氏族の首領株の一人トドエン・ギルテは、

「深い水は乾いた。光る石は砕けた。エスガイは死んだのだ。汝《なんじ》、何を吐《ぬ》かすか」

と言うや、いきなり持っていた槍でチャラカの背を突き刺したというのである。

チャラカ老人はそれから三日生きていて、水ばかり飲んで死んだ。鉄木真は父の死に際して見せなかった涙を、その時初めてボルジギン氏族の産んだただ一人の勇者チャラカの死のために流した。ホエルンが心配するほど、鉄木真は号泣した。鉄木真は、落ち目になった自分たち一家のために示してくれたチャラカの忠誠に対して、もはや

報いるいかなる術《すべ》もないことを思い、それが口惜《くや》しかったのである。

それからのホエルン母子《おやこ》の生活は悲惨を極めたものだった。母と、鉄木真を頭とする七人の兄妹は一個の幕舎と僅《わず》かの羊と馬を持っているだけであった。それに幕舎が孤立しているために、食糧も衣料も交換して得る相手はなかった。

ホエルン母子を棄てたボルジギン氏族は、タイチュウト氏族と一緒になって、数日の行程を要するオノン河の下流の草原地帯に新しい聚落を造り、タイチュウト氏族の主権者タルクタイがモンゴル部族の汗《カン》の地位にも併せ就いたが、そうしたことは一切ホエルン母子の耳にははいらなかった。

鉄木真は飢えずに生きて行くために、家族の誰《だれ》をも遊ばせておかなかった。ホエルンは幼いテムルンを連れて毎日のように野草を取りにオノン河を上流へ上流へと溯《さかのぼ》って行ったり、杜梨《やまなし》の実を拾いに山の中へ深く分け入ったりした。幕舎の前の畑には、韮《にら》と辣韮《らっきょう》を作った。六人の男の子たちは毎日手分けをして羊を追うために牧場に出て行き、少しでも暇ができると魚を釣《つ》りに行ったり狩りに出たりした。

この時期に鉄木真が一番頭を悩ましたのは、異腹の弟のベクテルとベルグタイがいつも一組になって一緒に行動し、なかなか鉄木真の命令に服さないことであった。二人共瓜《うり》二つの顔を持っており、体軀《たいく》は大きく、力も強く、性質は粗野であった。

エスガイが亡《な》くなってから一年経《た》った翌年の春、鉄木真はことごとにこの二人の弟と衝突した。鉄木真の同腹の弟カサルは鉄木真との誓約を守って鉄木真には従順であったが、非力でもあり、気立も優しかったので、実際に異腹の弟たちに対抗するとなると、余り頼み甲斐《がい》のある部下ではなかった。あとの二人の弟カチグンとテムゲはまだ十歳と八歳で、これまた頼みにできる相手ではなかった。鉄木真はよく自分の獲物を二人の弟たちに奪われた。彼等が正面切って要求して来ると、筋道は通らないと知りながら、彼等の要求を満たしてやらなければならなかった。

ある時鉄木真はカサルと一緒に釣りに行ったが、その時カサルは鯡に異様な光を持っているソゴスンという魚を釣り上げた。これを見たベクテルとベルグタイは、早速それをカサルから取り上げようと企《たくら》み、渡すまいとするカサルとそれを応援する鉄木真との、二人ずつの激しい争いになった。結局鯡の光る魚はベクテルとベルグタイの手に渡った。

この事件を鉄木真はホエルンに訴えた。するとホエルンは悲しそうに顔を歪《ゆが》め、

「お前たちはどうしてこういうことになったのであろう。兄弟たちが相争うようでは、どうしてタイチュウトに対する報復を望めよう。今の私たちには影より他に友はなく、

馬の尾より他に鞭《むち》とてないのに」

と言った。この母の言葉は、鉄木真の心に沁《し》み徹《とお》った。併《しか》し、母の言葉は鉄木真にはタイチュウト氏族に対する恨みを新たに思い出させると共に、ベクテルとベルグタイの二人を決して今までのように放置しておいてはならぬという決意を強固にさせたのであった。

その翌日の朝、鉄木真はベクテルを幕舎の外に呼び出して、日頃《ひごろ》の言動をなじり、それを改めるように申し渡した。併し、忽《たちま》ちにして二人の間には口論が闘わされた。

「お前は母ホエルンの子ではないのだ。優しいホエルンをこれ以上悲しませる権利がどこにあるか」

鉄木真が言うと、ベクテルはそれに対し、

「お前こそ、父エスガイの子ではない。俺も、ベルグタイも、カサルも、カチグンも、テムゲも、テムルンもエスガイの子だが、お前だけは違う。俺は知っているのだ。部落の誰もが知っていた。知らないのは当のお前だけだ。お前の躰にはメルキトの血が流れているのだ。お前はただホエルンの躰を借りて、この家に生まれて来たのに過ぎないのだ」

と言った。

「そんなことがあるか」

「嘘《うそ》だと思うなら母に訊《き》いてみろ。お前を産んだお前の母が一番よくそれを知っている筈《はず》だ。もしお前が訊くのが厭《いや》なら、それを自分の胸に訊いてみろ。父エスガイはお前を少しも愛してはいなかった筈だ。そう言えば思いあたるだろう」

このベクテルの言葉は、鉄木真がそれを耳にした瞬間にそれを理解するには、余りにも多くのものをその内部に抱き過ぎていた。それは耳許《みみもと》を烈しく過ぎる暴風雨のようなものであった。

「何をでたらめなことを言うか」

鉄木真は相手の言うことを全く受けつけないで言った。併し、その声には、相手を威圧する響きは失われていた。相手の言葉を信じはしなかったが、それに依《よ》って烈しい打撃を受けていることだけは事実だった。ベクテルは鉄木真に対して最後のとどめを刺すように言った。

「俺は今日から一切お前の命令には服さない。兄として認めたくはない。エスガイの血を持った俺がこの幕舎の命令者なのだ」

そう言い棄てると、ベクテルは鉄木真の傍を離れてどこかへ歩み去って行った。鉄木真は自分への反抗を堂々と宣言して去って行ったベクテルの背後姿《うしろすがた》を暫《しばら》く見守っていたが、この時鉄木真の心の中に忽然《こつぜん》と、この弟を生かしてはおけないという気持が湧《わ》き起った。この幕舎の平和を乱し、自分に刃向かう者は、何人であろうと除かなければならないのだ。

鉄木真はカサルを呼ぶと、ベクテルがどこへ行ったかを見て来るように命じた。暫くすると、カサルは帰って来て、ベクテルが程遠からぬ山の上で、九匹の葦毛《あしげ》の馬を番していると告げた。

鉄木真は自分で弓を持ち、カサルにも弓を持つことを命じた。そして二人は一緒に幕舎を出た。鉄木真は山の麓《ふもと》へ来ると、カサルにベクテルを射殺する決意のほどを打明けた。さすがにカサルは一瞬顔色を変え、驚愕《きょうがく》の眼を瞠《みは》ったが、やがてそれが鉄木真の命令であることを知ると、それに協力することを誓った。

二人はベクテルを挟《はさ》み打ちにするように、それぞれ山の斜面の反対側から登って行き、同時に矢を番《つが》えて小山の頂きに立っているベクテルを狙《ねら》った。

ベクテルは二人に気付き、二人が自分に対していま何を為《な》そうとしているかを知ると、いきなり地面に坐《すわ》って、不貞腐《ふてくさ》った態度で、

「お前らは俺を殺すつもりだな。こうなったら仕方がない。さあ、射《う》て」

そう言い放ってから、

「カサルよ、先きに矢を放せ。その矢で死のう。メルキトの輩の矢で息を引きとりたくはない」

と言った。ベクテルの言葉が終るか終らぬうちに、鉄木真の手許からも、カサルの手許からも、矢は放たれた。二本の矢は共にベクテルの胸板に前と背後から突き刺さり、微《かす》かに揺れて停まった。次々に何本かの矢がベクテルを襲った。カサルの矢は尽《ことごと》くベクテルの胸に留まり、鉄木真の矢は尽く背中に立った。針鼠《はりねずみ》のようになってベクテルは息絶えた。

二人が幕舎に戻《もど》ると、ホエルンはすぐ、

「お前たちはいま何をして来たのか。その顔色は何か」

と、平生とは全く異った烈しい口調で訊いた。鉄木真は、ベクテルはいま小山の上に居るが、再びここへは戻って来ることはないだろうと言った。すると、ホエルンの顔はみるみるうちに変って行き、ああ！　と一言低い呻《うめ》き声を発すると、鉄木真を睨《にら》みつけ、

「お前は数少ない味方の一人を殺した、胞衣《えな》を咬《か》む狗《いぬ》のように、崖《がけ》を衝《つ》く合卜蘭《カブラン》*のように、怒りを抑えることのできぬ獅子《しし》のように、生きたままの動物を呑《の》む大蛇《おろち》のように、自分の影を衝く海清《かいせい》*のように、声なしに呑む出喇合《チユラカ》*のように、子駱駝《らくだ》を後脚より

咬む駱駝のように」

ここでホエルンは語を切った。語を切ったというより、興奮がホエルンより言葉を取り上げたのであった。が、やがてまたホエルンは前より一層烈しい語気で言葉を続けた。

「お前らは殺した。掛け替えのない味方の一人を殺してしまった。頭口《そこな》を害う山犬のように、その子を追いかねてその子を啖《くら》う鴛鴦《えんおう》のように、その臥処《ふしど》を動かせば襲いかかる豺狼《さいろう》のように、捕えためらわざる虎《バルス》のように、妄《みだ》りに衝く巴嚕思《バルウス》*のように」

ここまで言って、ホエルンはその場に倒れた。鉄木真は人間がこのように烈しく怒るものだということを知らなかった。ホエルンの言い方をもってすれば、荒れに荒れて終ることを知らぬ暴風雨のように、ホエルンは怒りに怒って倒れたのであった。

鉄木真はこの時まで、ベクテルの片割れであるベルグタイを生かしておく気はなかったが、母の怒りでその殺意を翻した。鉄木真はカサルに、

「ベルグタイは生かしておこう」

と囁《ささや》いた。今や同盟者を失《な》くしたベルグタイは、母の言う重要な味方にならぬものでもなかった。カサルは母の怒り方に呆然《ぼうぜん》としていたが、やがて鉄木真の言葉に気付くと、

「ベルグタイにはいいところがある。約束をすると決して破らぬ」

忠実な家臣は自分の意見を述べた。

ベクテルの死骸《しがい》は、母の命で鉄木真とカサルが小山の麓に葬《ほうむ》った。

ホエルンは三カ月というもの毎日のようにその場所へ出掛けて行った。鉄木真は併し、自分の行為をさして間違ったものとは思っていなかった。ベクテルが居なくなってから幕舎の生活は目立って和《なご》やかなものになった。兄弟の間には口論一つ起ることはなかった。ベルグタイは同盟者が居なくなると人間が変ったように温和《おとな》しくなり、カサルが言ったように一度約束したことはいかなることがあっても、それを必ず果した。

ベクテルが死んでから、日が経《た》つにつれ、鉄木真はベクテルが最後に口から出した言葉を思い出すようになった。それはベクテルの恨みの執念ででもあるかのように、鉄木真の耳許に纏《まと》いついて離れなかった。――カサルよ、先きに矢を放せ。俺《おれ》はメルキトの輩の矢で息を引きとりたくない。

鉄木真は何回も何回もその言葉を思い出した。ベクテルは逃れられないと知った最後の瞬間、厭《いや》がらせを言ったに違いないと思ったが、併し、それにしては念が入っている感じだった。

この言葉を思い出すと一緒に、鉄木真はいつも同じその日の朝ベクテルが自分にぶつけた言葉を思い出した。自分がエスガイの子でなくて、メルキト人の子だということはどういうことであるか。母はホエルンだが、父はエスガイではないということはどういう意味であるか。それからまた、エスガイが自分を愛していなかったということはどういうことであるか。

ベクテルがぶつけた沢山の言葉の中で、鉄木真の心に一番深い爪跡《つめあと》を残したものがあったとすれば、それはベクテルが最後に言った、エスガイが自分を愛していなかったという言葉であった。

鉄木真は時折、自分でも知らないうちに、亡き父エスガイの自分に対する言動の一つ一つを、仔細《しさい》に心に思い浮かべている自分を発見した。そしてエスガイの自分に対する短い言葉にも、些細《ささい》な動作にも、たとえば眼の動かし方一つにしても、そこから何かの意味を索《さぐ》り出そうとした。それは精神的には孤独を、肉体的には強度の疲労を要求する作業であった。そしてそうした仕事に疲れ果てた鉄木真は、エスガイの自分に対する言動には、あるいは他の弟妹たちに対するものとは違ったものがあったかも知れないと思った。そう思い始めると、父エスガイは生前の鉄木真が知っているエスガイとは全く違った人物として、鉄木真の前に大きく不気味に立ちはだかって来た。

そのようにして思いつめて行くと、自分が九歳の時からオンギラト族の中に預けられたということも、全く異った意味を持ったものになった。あるいは初めから父は自分をあの他種族の聚落《しゅうらく》に棄てるつもりだったのではなかったか。父が死んだので自分は再び帰って来ることになったが、若《も》し父が死なないで生きているとしたら、自分は永久にあの興安嶺《こうあんれい》に近い聚落に打棄てられていなければならなかったのではないか。

十五歳の正月を迎えるころから、鉄木真はそれでなくても無口な上に一層むっつりとした口をきかない少年になって行った。鉄木真も他の弟たちも、ホエルンの作る韮《にら》や辣韮《らっきょう》で疲れを知らぬ頑丈《がんじょう》な体軀《たいく》をつくり上げて行ったが、併し、若い頭領は幕舎の中に於《お》ける限り、いつも片隅《かたすみ》の方に一人で居ることが多かった。

鉄木真は自分の疑念を糺《ただ》す人物が近くに居ないことが残念だった。母のホエルンに訊けば、あるいはたちどころにはっきりする問題かも知れなかったが、鉄木真としては自分の出生の秘密*を母に糺す気にはならなかった。ベクテルを殺した時、ホエルンが自分たちに見せたあの狂暴な怒りに再び触れそうな気がした。自分が母に対《むか》って発する言葉のうちには、ホエルンの心を刺戟《しげき》して再びあの狂乱状態の中に彼女を陥《おとし》いれるものを持っているように思われた。

鉄木真にとって、自分の躰《からだ》を流れているものがモンゴルの血でなくて、メルキトのそれであるという仮定ほど残酷なものはなかった。鉄木真は自分がどうしてもエスガイの子でなくてはならなかった。エスガイの子でないということは、祖父バルタン・バガトルとも、曾祖父《そうそふ》カブルとも、その前のトムビナイ・セチェン（聡明者《そうめいしゃ》トムビナイ）とも、またその前のベシングル・トクシンとも、更にずっと前の勇者ハビチとも、美女アランと天の光の子であるボドンチャル・モンカクとも、更に溯《さかのぼ》って一つ眼のドワ・ソホルとも、富者トロゴルチンとも、また更に何代も何代も前のエケ・ニドンとも、サリ・カチャウとも、そしてモンゴルの最初の人である太祖バタチカンとも、ひいてはその父である西方の大きな湖を渡って来た蒼《あお》き狼《おおかみ》とも、惨白《なまじろ》き牝鹿《めじか》とも、自分は何の関係もないことになってしまう。かりそめにもそのようなことがあってはならなかった。

鉄木真は自分が太古の狼とも牝鹿とも無関係であることを考えると、必ず眼の前が真暗になるような絶望感に襲われた。鉄木真は物心のついたばかりの幼時からモンゴルの源流の伝承の中に生きて来ており、それは鉄木真の過去のすべてを作り上げて来ていると共に、またこれからの長い未来をも作り上げて行くものであった。いま自分の躰からモンゴルの血を取り上げられることは、過去の一切を否定することであると共に、未来の何事をも否定されることであった。鉄木真は自分がこれまで何のために生きて来たのか判《わか》らなくなると共に、これから何のために生きて行くか判らなくなった。自分の血液の中には一滴の狼の血も、牝鹿の血も流れていないのであろうか。多くの勇者や能射手や聡明者を産んだ二つの美しい生きものの血の流れとは、自分は無縁だというのであろうか。カサルも、カチグンも、テムゲも、そして弱者である女のテムルンも、そしてまた異腹の弟ベルグタイまでがモンゴルの血を持っているのに、自分だけはその頒《わ》け前に与《あずか》っていないというのか。鉄木真は何日も何日も思い悩んだ果てに、いつもその疑惑を取るに足らぬものとして、思惟《しい》の向うへ無理矢理に押しやった。是が非でも自分はモンゴルの一員でなければならなかったからである。

十五歳の夏、そうした鉄木真に一つの小さい出来事がやって来た。その頃《ころ》幕舎をオノン河の中流の右岸の草地に営んでいたが、ある日牧地から家へ帰ろうとしていた鉄木真は、高原の果てを一人の貧しげな男が歩いて行くのを見かけた。聚落の一族と別れて以来、年に二回か三回程しか人間の姿を見掛けていないので、鉄木真は人懐《ひとなつか》しさの気持から、用心しながらもその男の方へ馬を進ませて行った。男は意外にも鉄木真も顔を知っているボルジギン氏族の者で、鉄木真は幼時その子供たちと自分の幕舎の中で遊んだ記憶があった。

その男はまじまじと鉄木真を頭のてっぺんから爪先《つまさき》まで見つめていたが、

「やはりお前はエスガイの息子、鉄木真に相違ないな」

と、念を押すように言った。十五歳の鉄木真は僅《わず》かの間に、それほど見事な若者に成長していたのである。鉄木真にとって相手は、自分たち母子を見棄てて行った恨みのある一族の一人であったが、いま自分を見上げている貧しい身なりをした窶《やつ》れた小男に、鉄木真は旧知の同族に会った懐しさを感じこそすれ、さして憎しみの気持は抱かなかった。

「どうして食ってる？」

相手は訊いた。聚落を離れて全く孤立した幕舎に於《おい》て生活することだけでも考えられぬのに、このように頑丈な体軀を作り上げたということが、その男には解《げ》せぬもののようであった。鉄木真はこの時、男の口からタイチュウト氏族出の汗《カン》タルクタイのもとで、ボルジギン氏族の者が決して幸福に暮しているのではないことを知った。

男が話を終ってそのまま立ち去ろうとした時、鉄木真は自分でも制御できない気持から、思わず、

「待て」

と叫んだ。鉄木真は長い間取り憑《つ》かれていた自分の出生の秘密を、或《あ》るいはこの男が解決してくれるかも知れぬと思ったからである。

「俺はエスガイの子か？　言ってくれ」

鉄木真は振り返った男に訊《たず》ねた。男は鉄木真の意外な質問に瞬間戸惑った風であったが、ややあって、

「そうさな」

とあいまいな返事をした。併し鉄木真の険しい表情に接すると再び口を開いて、

「それは誰《だれ》にも判るめえ。母親のホエルンだけが知っていることだ。だが、そんなことはどうだっていいじゃねえか。俺のおふくろはタタルの奴《やつ》に二度も連れて行かれている。弟の方は父親の子だが、俺の方は誰の子かわかったもんじゃねえ。ボルジギンでも、タイチュウトでも、みんな女は一回や二回は奪《と》ったり奪られたりしているからな」

と言った。

「ボルジギンの連中は、俺の父親を誰だと言っている？」

鉄木真は真剣だった。

「そうさな。――大体、お前の母親はエスガイがメルキトの奴からかっぱらって来たものだから、お前の父親はエスガイでなければメルキトだろう。そんなことは自分の好きな方にすればいいんだ。どうしても知りたけりゃ五十になるまで待つことだな。

争われないもので、五十になるとみんな自分の親がはっきりして来る。メルキトは早く老《ふ》けて手癖が悪くなるし、ケレイトの奴は頭が禿《は》げ上って吝嗇《りんしょく》になる」

「モンゴルは？」

若者は摑《つか》みかからんばかりの形相《ぎょうそう》で言った。

「モンゴルは狼になる」

男は言った。狼になるということは具体的にどういうことか判らなかったが、鉄木真はもはやそれを問い糺そうとはしなかった。狼になるということは、早く老けて手癖が悪くなるとか、頭が禿げ上って吝嗇になるとかというようなこととは、それの持っている意味が全く違っているようであった。狼になるという言い方の中には、幼い時から鉄木真が感じ取っている、勿論《もちろん》、それははっきりしたものではなかったが、兎《と》も角《かく》、モンゴルの血の秘密と言えるようなものがあった。その意味では、一人の寠《みすぼら》しいボルジギン氏族の男の返答は正しいものと思われた。その他のいかなる言い方も、モンゴルの血を間違いなく説明することはできないに違いなかった。

鉄木真は肝心の自分の出生については何も知ることができなかったが、そのことは諦《あきら》めて男を放免した。鉄木真はただ、五十になったら狼になりたいものだと思った。

鉄木真にとって、ボルジギン氏族の男に会ったことは、会わなかったよりいいことであった。鉄木真はその男と別れて幕舎へ帰る途中、決してこれから自分は母ホエルンには自分の父親が誰であるかを訊ねることはしまいと心に誓った。そうした質問の矢をホエルンに放つことは、ただ母親を困惑させ、悲しませるだけで、たった一つのこともいい状態にはなるまいと思われた。若《も》し母が、自分の父をメルキト人だと言ったら、自分は一体どうなるであろう。いまの自分を支えているものは総《すべ》て崩れ去ってしまうことになる。反対に自分の血がモンゴルのそれであると言いきかされたとしても、それは単なる気休めにしかならないであろう。ホエルンは言っていいことと悪いことを知っている筈である。一番大切なことは、窶しい男が言ったように、自分がエスガイの子であり、従ってモンゴルの血を享《う》けついでいると信じることであった。

鉄木真はその夜家へ帰ると、昼間同族の一人に会ったことを告げ、ボルジギン氏族の連中が決して幸福ではないということを、母や弟妹に語った。

「もう少しの辛抱だ。お前たちさえ立派な大人になれば、ボルジギンの人たちもまた先きを争ってわたしたちの方へついて来るだろう」

ホエルンは言った。鉄木真は口にこそ出さなかったが、仇敵《きゅうてき》タイチュウトをやっつけ、ボルジギンの聚落を取り返し、昔のようにそれを傘下《さんか》に収めるために、自分が成年になるのを待っている気持はなかった。そんなのん気な気持ではなかった。鉄木真は一日も早く狼にならなければならなかった。それはボルジギン氏族のためでもあり、ホエルンや弟妹たちのためでもあると同時に、自分自身のためでもあった。泥棒《どろぼう》にも吝嗇にもなってはならなかった。髪の毛が茶色になっても、禿げてもならなかった。他種族のいかなるものにも似てはならなかった。鉄木真は他の何ものか、つまり狼にならねばならなかったのである。そうすることによって、鉄木真は己れがエスガイの子であり、モンゴルの血の継承者であることを自分自身のために立証しなければならなかったのである。

二章

一族の者の全部から打ち棄《す》てられた悲運の中に、ホエルン母子《おやこ》はブルカン嶽《だけ》の北麓《ほくろく》の小さい幕舎で、いつか二年の歳月を送った。鉄木真《テムジン》は十六歳になった。体軀《たいく》は亡《な》き父エスガイの壮年期より一廻《ひとまわ》り大きく、骨格は遥《はる》かに頑丈《がんじょう》であった。余程の用事がない限りめったに口を利《き》かない程無口であったが、家族の者たちは鉄木真を中心にしてよく纏《まと》まり、いささかの風波もたたない生活を送った。仕事のことでも、家事のことでも、鉄木真は絶対の権利を持っていて、あらゆることに命令者であった。自分一人の考えで決まらないことがあると、十四歳になった弟のカサルに相談した。カサルは鉄木真が決めた、鉄木真に次ぐこの家の権力者であった。

カサルは幼時に持っていた穏健な性格をそのまま持ち続け、すべてに対して非常に慎重であって、兄鉄木真のよき補佐役を勤めていた。カサルは鉄木真から相談を受けて、自分でも考えが纏まらないような場合は、鉄木真に対する返答は即座にはしないで、自分と同年の異腹の弟ベルグタイに相談し、二人の間で纏まった意見を兄のところへ持って来た。ベルグタイは鉄木真を凌《しの》ぐ程の見事な体格を持っており、多少粗野なところはあったが、小さいことに拘泥《こだわ》らず、どことなく優しいところがあったので、十二歳のカチグン、十歳のテムゲ、一番年下の八歳の妹テムルンたちからも、正系の兄のように慕われていた。要するに、ホエルン母子の一家は、貧しく孤独ではあったが、家族七人の者が、鉄木真を中心に心を一にして、平和に生計を樹《た》てていたのである。

家の中で、母ホエルンの位置は特殊であった。鉄木真はどんなこともホエルンには相談せず一切自分の判断で処理した。時にはホエルンが口出しして、自分の考えを述べることがあり、そんな時、鉄木真は母の言うことをよく聞いてはいたが、それに依《よ》って自分の考えを左右されるようなことはなかった。意見だけは聞きおくといったところがあった。それでいて、鉄木真は母をないがしろにしているわけではなかった。母を一番労《いたわ》り、鳥獣の肉でも一番上等の部分を母に与え、また寝具にしろ、衣服にしろ、珍しいものが手にはいった場合は、真っ先にそれを母に提供した。ただ、仕事や家の運営に関する問題については、完全に母の発言権を認めなかったのである。従って、いかなる場合でも、ホエルンは鉄木真に対する忠告者であるか、批判者であるかしかなかった。自分がこうしたいと思っても、鉄木真の同意を得なければ、たとえ寝台一つでも動かすことはできなかった。

併《しか》し、こうした鉄木真の採ったやり方はやはり賢明であったのである。母ホエルンが若《も》しあらゆることに嘴《くちばし》を容《い》れて、彼女の意志が少しでも物事を変えさせるようなことがあったとしたら、決して家の中はうまく行かなかった筈《はず》である。ベルグタイは異腹の弟であったし、幾らホエルンがベルグタイに対して、他の子供たちと同様な愛情を持っていたとしても、そこにある二人の特殊な関係というものは消滅するわけではなかった。依然としてベルグタイはホエルンにとっては継子《ままこ》であり、ホエルンはベルグタイにとっては継母《ままはは》であった。いついかなる場合、ホエルンがベルグタイに対して愛情の分配の不公平を示さないものでもなかったし、またそうしたことがない場合でも、ベルグタイが自分勝手にホエルンに対して疑心暗鬼の念を抱かないものでもなかった。

兄弟の関係の複雑さはこれに留まらなかった。鉄木真自身が全くベルグタイと同じ立場にあった。鉄木真の心の中で、自分がエスガイの子供であるかどうかという疑念は決して消え去ってはいなかった。一度、射殺した弟ベクテルに依って投げつけられた疑問は、一生墓場まで背負って行かねばならぬものであった。カサル、カチグン、テムゲ、テムルンの四人の弟妹たちと同様に、ホエルンの体内から出て来たことは間違いなかったが、併し、父親は違っていないとは言えないのである。母親としては同じ自分の腹から産んだ子供たちであるとしても、併し、そこにどのような愛情の在り方の違いがあるかも知れなかった。それは鉄木真の想像を絶した微妙複雑な問題であったが、鉄木真自身そうしたことで自分の心を煩《わずら》わされるのは厭《いや》だった。母ホエルンからあらゆることに対する権利*を取り上げてしまうことに依って、すべてはうまく行く筈であった。

ホエルンは鉄木真のそうしたやり方に対して、少しも不服は感じていなかった。自分は充分に子供たちから大切にされ、愛情を持たれていたし、すべてが鉄木真の采配《さいはい》のもとに動いて行くことに寧《むし》ろ母親として悦《よろこ》びさえ感じていた。ホエルンの眼には、六人の子供たちが充分に信頼できる人間として映っていた。

ホエルンは鉄木真が時々幕舎の隅《すみ》で自分一人の思いに浸っている時間を持つことがあるように、彼女も亦《また》、時に決して誰《だれ》にも覗《のぞ》かせたことのない心の内側にはいり込んで、自分一人の時間を持つことがあった。長い時間ではなく、極く短い時間であったが、ふいにそうした秘密の淵《ふち》にのめり込むことがあったのである。一体、鉄木真は誰に似ているのであろう。エスガイか、チレドか？　チレドというのは、メルキト部族の一人の男の名であった。

ホエルンは鉄木真が二人の男の孰《いず》れの子であるか判《わか》らなかった。成人したら、どちらかに似ていることで、それは判明する筈であったが、鉄木真は幼い時そうであったように、現在に至るも二人の男の孰れにも似た徴候を示さなかった。強《し》いて探せば、大きな体軀を少し猫背《ねこぜ》にして幕舎の入口をはいって来るような時は、どこかにエスガイの躰《からだ》のこなし方がそっくり伝わっているのではないかと思われることがあった。また、これはただ一度のことであったが、烈《はげ》しい暴風雨が吹き荒れた夜、幕舎の外で雨に叩《たた》かれながら、幕舎が吹き飛ばされないように補強作業に懸命になって弟たちを指図している鉄木真の声を聞いた時、ホエルンはそこにエスガイが居るのではないかと思った。鉄木真の呶《ど》鳴《な》り声は幕舎の入口で風と雨の吹き荒《すさ》ぶ闇《やみ》を見詰めているホエルンの耳に、断続的に届いていた。

併し、鉄木真の性格はどこもエスガイには似ていなかった。エスガイは勇者としての死をも恐れぬ強い性格の中に、どこかに優しさというか、人のよさというか、ふいに自分の主張を引込めて相手に譲る弱さがあった。そうした弱さの故《ゆえ》に、エスガイは多勢の部族の者たちから慕われ、生きている間あれだけの大世帯をたいしたもめ事も起させないで持ち堪《こた》えることができたのであった。鉄木真の性格には、エスガイの持つそうした面を見出《みいだ》すことができなかった。そしてエスガイの持たなかった冷酷とも言える冷静さを持っており、いったん自分の考えを主張し出したら、いかなる場合でも決して相手に譲らぬ強さを持っていた。

鉄木真は、併し、メルキトの男にはもっと似ていなかった。メルキトの男は小柄《こがら》で、容貌《ようぼう》にも躰つきにも敏捷《びんしょう》なものを着けていたが、鉄木真の方は総体にもっと大まかであった。顔も似ていなければ、躰つきも、そして性格も似ていなかった。

ただ、一度だけこういうことがあった。鉄木真が異腹の弟ベクテルを射殺した時、ホエルンの怒濤《どとう》のような叱責《しっせき》を浴びながら、鉄木真は一言も弁解しないでむっつりとして立っていたが、その時ホエルンは、無意識のうちに自分の前にメルキトの若者を置いていたのであった。自分の前に立っているのはメルキトの若者、チレドに他ならなかったのである。一夜突風のようにやって来て、オルクヌウト部落から自分を奪い、一言半句の言葉をも口から出さないで自分を犯し、あとは連日殴打《おうだ》しては自分を犯し続けたメルキトの若者が、そこには居たのである。彼の行為を貫いているものは、彼が自分の望むものを己《おの》がものにしたいという欲望であり、その欲望のためには、いかなる手段も選ばないということであった。

ホエルンは鉄木真がベクテルを射殺したことで怒りに怒ったが、その時失神するまで口から発射し続けた烈しい非難の言葉は、そこに残忍なメルキトの若者が立っていたからである。彼女の前に彼女と対していたのは、鉄木真ではなくチレドであったのである。

興奮から覚めて我に返った時、ホエルンは自分を襲った一つの考えを恐ろしいものに思った。鉄木真の体内にメルキトの血が流れているようなことがあっていいであろうか。併し、そうした鉄木真に対する母親としての見方を、ホエルンはすぐ向うへ押し遣《や》ってしまった。ただ、この時のことがホエルンの胸にかなりはっきりした爪跡《つめあと》を残したことだけは事実であった。

鉄木真が十六歳になった年の夏、このボルジギン氏族の汗《カン》の遺族たちの生活を、根《こん》柢《てい》から揺すぶった一つの事件があった。タイチュウト氏族の指揮者タルクタイが三百名を率いて、突如鉄木真の幕舎を急襲して来たことである。

鉄木真はいつかこの事あるを予期していた。事件が起る一カ月程前、タイチュウト氏族の許《もと》にあって惨《みじ》めな生活をしているボルジギン氏族の男の一人がやって来て、鉄木真の幕舎へ突然顔を出した。近くまで狩猟にやって来たが、ホエルン母子《おやこ》がいかなる生活をしているか、旧知に対する懐《なつか》しさの気持もあってわざわざ訪ねて来たものらしかった。本来なら自分たちを見棄てて行った恨みある敵の片割れであったが、自分たちを案じてわざわざ訪ねて来たということに依って、ホエルン一家の者は、この男に対する怨恨《えんこん》の気持をなくした。男は獲物の三分の一を置いてすぐ帰って行ったが、その短い訪問の間に、タイチュウトの権力者タルクタイが、鉄木真に対して害心を持っていることを告げた。この年の正月、部族の集まりがあった時、タルクタイは酒を飲みながら、

「雛《ひな》どもの羽根は伸び、小羊どもも、それぞれ生い立ったことだろう。エスガイの餓鬼共めの息の根を止めるのは今のうちだ。空を飛ぶように羽根が伸び、沙漠《さばく》を走り廻るように足が逞《たくま》しくなられたら事は面倒だ」

と言っていたということであった。

こうしたことがあったので、鉄木真は一朝事あった場合に備えて、近くの林の中に、

木の枝を組み合わせた砦《とりで》を作り、夜は幕舎の周囲に羊や馬たちを配して、敵の襲来を知るようにした。

夏の初めの月の明るい晩であった。生きものたちのただならぬ叫声を聞いて、ホエルン母子はいっせいに寝床を離れた。幕舎を出ると、矢が広場の畜群の中に落ちているのが見えた。鉄木真は一家の者を引き連れて広場を横切って砦のある林へと走った。タイチュウトの者たちがいずれも馬上から矢を放ちながら、広い斜面のはるか下の方から駈《か》け上がって来るのが見えた。

鉄木真はこのような大部隊の来襲を予想していなかった。こちらは僅《わず》か数人のことではあるし、せいぜい五、六十人の者が抜刀してなだれ込んで来るぐらいに思っていたので、すっかり勝手が違って戸惑った。鉄木真は母ホエルンと戦闘能力のない三人の弟妹、カチグン、テムゲ、テムルンを林の中の崖《がけ》の割れ目の中に匿《かく》し、それからカサル、ベルグタイと三人で砦に拠《よ》って、襲撃者たちと弓を射合った。

併し、勝敗は初めから決まっていた。僅かの矢が残り少なくなると、鉄木真は二人の弟に、母と幼い弟たちを連れて密林の中へ逃げ込み、生命を全《まっと》うするように命じた。

「彼等が多勢で来襲して来たのは、この草原を再び自分のものにしたいためだ。生命を全うしたらブルカン嶽の北へ出ろ、ここには近寄るな」

そう鉄木真は言った。そして彼は母と弟妹たちを逃すため、自分だけ砦に拠って矢を放ち、最後の一本を放ち終ると、自分もまた馬に跨《また》がってテルグネ嶽と呼ばれている山の麓《ふもと》一帯を埋めている密林の中へ逃げ込んだ。

鉄木真は森の中で三日間を過した。タイチュウトの連中が逃走者を探しているのか、その三日の間に何回か馬のいななきを聞いた。四日目に鉄木真は馬をひいて森を出ようとしたが、その時どういうものか馬の鞍《くら》が腹帯したまま外れて地面に落ちた。不吉に思って、鉄木真は更に三日山中で過した。そして再び森を出ようとしたが、この時は道を幕舎ほどの大きさの白い石が塞《ふさ》いでいたので、また森を出ることを思いとどまって、更に三日間山中にひそんだ。併し、食物がなく飢餓が迫っていたので、鉄木真は三度森を出ることを決心した。白い巨石は依然として道を塞いでおり、その周囲を廻ろうとしたが地盤は崩れていた。

鉄木真はこんども不吉なものを感じたが、このままここに留まっても餓死するだけのことだと思って、思いきって断崖《だんがい》を伝わって森を出た。そして森を出たところで、鉄木真はそこに見張っていたタイチュウト氏族の者に捕えられた。

鉄木真は縛されたまま、そこから程遠くないところにあるタイチュウトの新しい移住地に連れて行かれた。オノン河の河畔であった。

鉄木真は一抱え程もある大きな材木を肩の上に載せ、そこに両手を縛されたまま、何百という幕舎の散らばっている聚落《しゅうらく》の中を歩かされた。そこには鉄木真の知っている顔が沢山あった。ボルジギン氏族の者たちであった。男たちも女たちも複雑な表情で、曾《かっ》て彼等の汗であったエスガイの息子の見事に成長した岩のように筋肉の盛り上がっている半裸体の姿に眼を遣《や》った。言葉をかける者はなかった。鉄木真は自分たちの同族が決して幸福でないことを、たまたま会った二人の男たちから聞かされていたが、そのことが嘘《うそ》でないことを知った。幕舎は貧しく、その前に立っている者の表情は、男も女もみな暗かった。

鉄木真はタイチュウトの首領が自分を殺す意志を持っていないことを感じた。若《も》し殺すつもりならば、同族の前を引き廻すようなことはしないであろうと思った。それはどう考えても、百害あって一利ないことであった。鉄木真は自分が何日かこうして責苦に遭い、その果てに縛を解かれてタルクタイの許に引き出され、彼への忠誠を誓わせられるのではないかと思った。

鉄木真はその夜聚落の端の広場に立たせられていた。見張りの者は一人きりだった。聚落の者全部が頭領の幕舎の前の広場に集まって酒宴を開いていた。鉄木真は自分が背負っている材木の一端で見張りの者の頭を突き、相手が地面に昏倒《こんとう》するのを見ると、すぐそこを逃れた。月の明るい夜であった。鉄木真は材木を背負った自分の異様な影が地面を嘗《な》めるのを見ながら、夢中でオノン河の河岸に沿って走った。そして走り疲れると、自分の躰を厄介《やっかい》な荷物と共に河岸の茂みの中にひそめた。

間もなく、鉄木真は、事件を知ったタイチュウトの者たちが口々に何か喚《わめ》きながら自分を探しているのを知った。声は河岸と、それを縁とする広い草原の到《いた》るところから聞えていた。人声も、人の跫音《あしおと》も、鉄木真の匿れている場所の近くを何回も過ぎた。何回目かの時、鉄木真は発見されることを怖《おそ》れて水際《みぎわ》の茂みの中にずるずると躰を滑り込ませて行った。

突然、声が頭上で起った。

「その目に火があり、その面に光がある。厄介なものを持っているためにタイチュウトの頭領に嫉《ねた》まれ、怖ろしがられるのだ。じっとしておれ、たれにも告げはせぬ」

鉄木真はその嗄《しわが》れた声に聞き覚えがあった。鉄木真は躰半分を水中に浸したまま息を詰めていた。そしていまの声の主は、ソルカン・シラという男に違いないと思った。エスガイの生存中、よく家へ訪ねて来たことがあったが、決して笑うことのない不愛想な男で、そのために子供たちからは好感を持たれたことのない人物であった。

鉄木真はそれからなおも長いことそこにひそんでいた。そして全く捜索者たちの自分を探している気配が無くなってから、厄介な荷物を背負ったまま水際から這《は》い出して来た。長いこと水平に伸ばしたまま縛されている両腕は、すっかり感覚を失って痺《しび》れていた。鉄木真はこの恰好《かっこう》ではどこへも逃げることのできないことを思った。オノン河を泳ぐこともできなかったし、夜を徹して歩いたところで、何程も行かないうちに夜が明けてしまうだろう。

鉄木真は、自分を見逃してくれたソルカン・シラの幕舎へ忍び込むことが、いま自分の取るべき最上の道ではないかと思った。多少の危険はあったが、そうすることを決心すると、鉄木真は再び人目につかないように注意しながら、タイチュウトの聚落を目指して進んだ。

ソルカン・シラの家は曾てエスガイの配下にあった時、馬乳酒を作ることを生業としていて、ソルカン・シラが終夜馬のなま乳を大甕《おおがめ》に移してはそれを攪拌《かくはん》していたことを鉄木真は覚えていた。そして、いまもおそらく同じ生業を営んでいるに違いないと思い、鉄木真は馬乳酒を掻《か》き廻《まわ》す音を頼りに深夜の聚落を歩き廻った。そして彼はついにソルカン・シラの幕舎を見付け出すことができた。

ソルカン・シラは半裸体になって、鉄木真と同年のチンベ、二つ違いのチラウンの二人の子供に手伝わせて、大甕の内部の液体をその中に突込んだ板で掻き廻していた。

鉄木真が幕舎の内部へはいって行くと、ソルカン・シラはひどく驚いて、

「何でまたこんなところへ引返して来た。早く母や弟たちのところへ行けと、わしは言った筈だ」

と言った。明らかに迷惑そうな表情であった。すると、背が低いくせに頭が目立って大きい兄のチンベは、ませた口調で、

「もうここへはいって来てしまったのだ。今さらどうなるものでもない。助けるよりほか仕方ないだろう」

そう父に諭《さと》すように言った。すると、やぶ睨《にら》みの弟のチラウンは、焦点のはっきりしない目玉を大きく瞠《みは》ったまま、以前鹿《しか》の小指の爪《つめ》を鉄木真から貰《もら》ったことがあると、父へとも兄へともなく言って、鉄木真の傍へ近寄って来た。鉄木真より二つ年少なだけであったが、鉄木真の肩までぐらいしかなかった。兄弟共に背は低かった。

チラウンが何のために近寄って来たか鉄木真は最初判らなかったが、彼は間もなく自分の縛されている腕の一つが自由になるのを知った。チラウンが鉄木真の躰をすっかり自由にし終るまで、ソルカン・シラは難しい顔をしたまま、大甕の傍に突立っていた。

鉄木真の躰から外された手枷《てかせ》はチンベの手で火の中にくべられた。そこへカダアン

という十歳ぐらいの女の子が、どこからともなく姿を現わした。兄たちに似て、この妹も亦《また》ひどく背が低かった。

「利口な娘よ。この事は生きている人間に言うではないぞ。さ、このエスガイの総領息子の世話をしてやれ」

ソルカン・シラは稚《おさな》い顔をした女児に命じた。事ここに至っては仕方がないと言った面持《おもも》ちだった。カダアンはすぐ食物を持って来てそれを鉄木真に与え、一言も口から出さないで彼に外へ出ることを促した。カダアンについて鉄木真が幕舎を出ると、カダアンは彼を導いて裏の方へ廻り、羊毛が山のように積み込まれた車のところへやって来て、それを指差した。父親が利口な娘よというだけあって利潑《りはつ》な子供らしかった。

鉄木真はすぐ羊毛の中にもぐり込んだ。そして顔と手だけを夜気に曝《さら》して食物を食べ終ると、あとはすっぽりと羊毛の中に身を埋め、外部からは見えないようにした。羊毛で全身を包むと、うだるような熱さが鉄木真を襲ったが、烈しい疲労が間もなく彼を深い眠りに落し入れた。

翌日一日、鉄木真はそこに匿れていた。そして夜が来て初めて、チンベの合図によってそこから這い出した。鬣《たてがみ》が黒く、肌《はだ》が青黄色をしている牝馬が用意されてあった。

鞍はついていなかったが、小羊の肉を焙《あぶ》った食糧をいっぱい詰めた大きな皮桶《かわおけ》が馬体に振り分けにしてかけられてあった。

「この馬は仔《こ》を産まないから返さなくていい」

チンベは言って、弓と二本の矢を鉄木真に手渡した。鉄木真が立ち去ろうとする時ソルカン・シラが出て来て、

「俺《おれ》たち親子まで危ない目に遭わせやがったな。不死身な小僧め、どんなことがあっても俺たちのことは言うでないぞ。早く行け」

と言った。

鉄木真は聚落を出るまで注意してゆっくりと馬を歩ませ、聚落を出ると同時に馬を疾駆させた。考えてみると、九死に一生を得て漸《ようや》くにして死地を脱したわけであったが、鉄木真は命拾いをしたという思いより、ボルジギン氏族の者たちを、父の時代のように自分の傘下《さんか》に集めることが、そう難しいことでもないという思いに捉《とら》われながら馬を奔《はし》らせていた。

それから何日間かを、鉄木真はブルカン嶽《だけ》の北麓《ほくろく》の一帯の地に、母や弟妹たちの姿を求めて歩いた。タイチュウトの聚落には母や弟妹たちが捕えられていないことが判《わか》っていたので、ブルカン嶽の北麓のどこかに潜んでいるに違いないと思われた。

ある日鉄木真は、オノン河に沿って溯《さかのぼ》って行き、キムルカ河との合流点を過ぎて、ベデル山続きのゴルチュクイの丘に登って行った。そしてその丘陵の南斜面の裾《すそ》の方に、一つの小さな幕舎があるのを見た。そこへ行って内部を覗《のぞ》いてみると、鉄木真はそこにホエルンとテムゲとテムルンの三人の姿を見出した。カサルとベルグタイとカチグンは食物を得るために朝から山へはいっているということであった。八頭の馬だけがこの一家の全財産として幕舎の近くに繫《つな》がれてあった。

翌日鉄木真は幕舎を畳んで、そこから三日行程の距離にあるカラジルゲンという丘陵の裾の、青い水を湛《たた》えた湖の畔《ほと》りに居を移した。そこは高原地帯の一角で、サングル河も近くを流れ、現在のホエルン母子のような無一物の者たちが生活して行く上には恰好の場所であった。兎《うさぎ》と野鼠《のねずみ》が多く、湖にも河にも多くの魚がいた。

この新住居で、鉄木真は新しく生活を樹《た》て直して行かなければならなかった。鉄木真はカサル、ベルグタイと共に毎日のように土撥鼠《どばっそ》の穴を探してそれを捕獲し、その肉を食べ皮は裘《かわごろも》とした。自分たちの衣服とするだけでなく、これを沢山貯《た》めて羊と交換する資としなければならなかった。

こうした生活を始めて三月程経《た》ったある日、鉄木真兄弟は何時《いつ》ものように土撥鼠を捕えに行ったが、夕方尾の脱けた栗毛馬《くりげうま》に荷着けして幕舎へ戻《もど》ってみると、八頭の馬の悉《ことごと》くが何者かに盗み去られていることを知った。* ホエルンも幼い弟たちも食物を探しに山へはいっていて、盗難のあったことは少しも知らなかった。

「俺が追いかけよう」

ベルグタイが言った。栗毛馬が一頭残されているだけだったので、一人しか追跡することはできなかった。

「お前ではむりだ。俺が行こう」

カサルが言った。カサルは力仕事ではベルグタイに及ばなかったが、馬を操らせてはベルグタイより上であった。

「お前ではむりだ。俺が行く」

カサルと同じ言葉を、こんどは鉄木真が口から出して言った。そして彼は馬に食糧を積み、弓と矢を携えて馬に跨がると、すぐ幕舎を離れた。

鉄木真は夜を徹して馬を駈けさせ、翌日は聚落という聚落を求めて高原を駈け廻った。どんなことをしても八頭の馬は取り返さなければならなかった。鉄木真一家にとってはかけ替えのない全財産であった。鉄木真は三日間高原をうろつき廻った挙句、四日目の朝、一人の少年が牧場で馬の乳を搾《しぼ》っているのに出会った。鉄木真が葦毛《あしげ》の八頭の馬を見かけなかったかと訊《き》いてみると、その少年は、

「今日朝日の出る前に、八頭の葦毛の馬がこの道を駈けて行くのを見た。盗まれたのなら、一緒に追いかけて取り返してやろう」

と言った。少年は黒色の馬を引き出して来て、鉄木真に乗り替えるようにすすめ、自分自身は見るからに速そうな淡黄色の馬に跨がった。彼は総《すべ》てを大人のような自信のある態度でやってのけ、家には何も告げず、鉄木真と一緒の行動に移った。

鉄木真は今までにこれほど敏捷《びんしょう》な少年を見たことはなかった。束の間《つかのま》に準備を整えたにも拘《かかわ》らず、彼は弓矢を持ち、燧《ひうち》も持ち、食糧を入れた皮袋も二つ馬に積み込んでいた。皮袋には蓋《ふた》がなかったので、彼は途中で野草をしごいて、それで器用に蓋の代用品を造った。そうした手際《てぎわ》は見ていても気持がよかった。少年は小聚落の長で、ナク・バヤン（長者ナク）という者の子であった。名はボオルチュと言った。

鉄木真とボオルチュはそれから三日間馬を走らせ、四日目の夕方、タイチュウトの一支族の聚落へはいった。二人はそこの牧場に目指す八頭の馬が繋がれてあるのを発見し、夜にはいってその馬を駆り出し、それらを引連れて帰途についた。

暁方《あけがた》、二人は十数人の男たちが馬に乗って、自分たちを追いかけて来るのを見た。ボオルチュはそれを見ると、

「友よ、馬を連れて早く逃げよ。俺がここで奴等《やつら》と射合おう」

と言った。鉄木真は、

「自分のためにどうして汝《なんじ》を死に追いやれよう。俺が闘う」

と言った。そして言うや否《いな》や振り向きざまに矢を放った。矢は白馬に跨がっていましも投縄《なげなわ》を投げようとしていた先頭の一人の胸に突き刺さった。他の追跡者たちが地上に落ちたその男に駈け寄っているのを眼にしたまま、二人はすぐ馬を駈けさせた。男たちはそれ以上追って来ようとはしなかった。

鉄木真はナク・バヤンの幕舎に辿《たど》り着くと、そこに一泊させて貰い、ボオルチュの労を謝して家へ帰った。鉄木真は八頭の馬を取り戻したことも嬉《うれ》しかったが、それよりもっと嬉しかったことは、この世の中に自分の一文の得にもならないことに身を挺《てい》して行動する人間が居るということを知ったことであった。しかも、自分と同年配の少年である。こうした人間の存在は、今までの鉄木真には夢にも考えられぬことであった。

鉄木真は自分の幕舎へ帰ってからも、何回か少年の名を口から出してみた。ボオルチュ！——ボオルチュは勿論《もちろん》ボルジギン氏族の者でもタイチュウト氏族の者でもなかったが、モンゴルの一氏族の者であった。鉄木真はボオルチュこそ西方から来た蒼《あお》い狼《おおかみ》の血をその体内に溢《あふ》れるほど持っている少年のように思われてならなかった。ボオルチュは実際に、どことなく狼に似た印象をその精悍《せいかん》な肢体《したい》に持っていた。躰《からだ》は決して頑丈《がんじょう》でも大きくもなく、どちらかと言えば痩型《やせがた》と言ってよかったが、筋肉は気持よく引き緊《し》まり、いかにも無駄《むだ》のない感じで、それは常に必要な瞬時の行動のために待機しているように見えた。

この年、ボオルチュの父ナク・バヤンから、十頭の羊が送られて来た。ナク・バヤンは一人息子のボオルチュのために、鉄木真という友ができたことを心から悦《よろこ》んでいる風であった。

鉄木真は弟たちと共に新しい幕舎の傍に牧場を造る仕事にその年の秋を費した。

翌年、鉄木真は十七歳になった。母ホエルンは鉄木真に婚約してある娘ボルテを迎えにオンギラト部落に行くことを勧めた。ホエルンはこれまでにも何回かこの話を鉄木真に持ち出していたが、その都度鉄木真は母の勧めを退けていた。依然として貧しさを脱し切れぬ孤立無援の幕舎に、それは何人かの扶養者を増すだけのことにしか考えられなかった。

併《しか》し、十七歳になったこの時の鉄木真の心は、前とは少し違っていた。一人でも幕舎の人員を殖やすことが寧《むし》ろ必要ではないかと思い始めていた。自分の幕舎が少しでも人員が殖えて強力になって行けば、いま決して幸福ではないボルジギン氏族の者たちの心も動くに違いないと思われた。彼等はエスガイを汗《カン》としてその許《もと》に集まっていた往時を追想し、そうした時代が再びやってくることを望んでいるに違いなかった。こうした知識を得るためには、鉄木真にとって、タイチュウトの襲撃を受け、捕われて彼等の聚落《しゅうらく》に連れて行かれたことはいいことだったのである。ソルカン・シラも、彼の三人の背の低い子供たちも、みな自分には好意を示してくれたではないか。ソルカン・シラ親子の気持は恐らくボルジギン氏族の総《すべ》ての者の心情であるに違いないのである。

鉄木真は母の言葉通り、ボルテを自分の幕舎に迎えようと思った。そしてボルテと共に、彼女の幕舎につき随《したが》って来る筈《はず》の何人かのオンギラトの男女を、それがたとえ非力な老人や下婢《かひ》たちであっても、悦んで迎え入れようと思った。

鉄木真は心を決めると、弟ベルグタイを連れて、オンギラトの聚落への旅に上った。二人は何日かケルレン河に沿って下った。鉄木真にとっては曾《かつ》て見たことのある風景であったが、ベルグタイにとっては眼前に展開する風景は全く新しい高原であり、森林であり、渓谷《けいこく》であり、草原であった。ベルグタイは何回目かの露営の夜、平生の無口にも似ず興奮に駆られて喋《しゃべ》り続けた。口に出すことはみな天地が如何《いか》に広いかということであり、そこに全く人煙を見ないということであり、そしてどうして多くの遊牧民たちが、この広い大地の到《いた》るところに無数の聚落を営むことができないのであろうかということであった。

鉄木真は黙って、気持のよい音楽でも聞くように異腹の弟の思いがけぬ饒舌《じょうぜつ》に耳を傾けていた。すべてはベルグタイの言う通りであった。鉄木真は何日も馬を駈けさせて来た蒙古《もうこ》高原の広さを思った。馬や羊を肥やす牧草地帯は手をつけられぬままふんだんにあった。幕舎を営み易《やす》い草地も、そこに生活したらどんなに気持よいだろうと思われる湖畔や河畔も、ふんだんにあった。人々はなぜそこに帳幕を張らないのだろうか。鉄木真はその理由としてただ一つのことしか考えられなかった。それは、各部族が互いに相争っていて、それぞれ何日かの行程を要する距離を、己《おの》が聚落と他部族の聚落との間に持っていなければならないからであった。一つの部族の遊牧する範囲というものは、往時に神から定められでもしたように自《おのずか》ら定まっていた。一つの部族はそこから出ようともしないし、若《も》し出て、緩衝地帯を侵したら、すぐそれに依《よ》って脅威を感ずる他部族の襲撃するところとなるのであった。

若し、蒙古高原に散らばっている幾つかの部族や氏族がお互いに抱いている敵意を棄《す》てて、自由に新しい放牧地を開拓したら、現在の遊牧民の生活は全く異ったものになる筈であった。広い蒙古高原のいかなるところを旅しても、いつも旅行者は己が視野の中に帳幕を見ることができるであろうし、羊や馬の大群をも見るであろう。帳幕は全蒙古高原の到るところに散在し、羊や馬の群れは、空を流れ行く雲と同じように、高原のあらゆる斜面や渓谷をゆっくりと動いていることであろう。それは、思わず、〝ああ！〟と声をあげたいような素晴らしい空想であった。いつかそうなるだろうし、それは必ずしも不可能なことではないのだ。タイチュウトをやっつけ、タタルを収めさえすれば、それは決して出来ない相談ではなかった。

オンギラトの聚落へはいると、デイ・セチェンは悦んで二人を迎え入れた。デイ・セチェンは鉄木真がタイチュウトの迫害を受けたことを噂《うわさ》で聞き知っており、もうこの世に生きて居ないのではないかと思っていたのであったが、それが突然、四年前の彼と全く別人のように逞《たくま》しく成長した姿を眼の前に現わしたので、初めはすべてが素直には信じられぬことのようであった。

その夜デイ・セチェンの幕舎の中で、盛大な酒宴が開かれた。

「曾てのモンゴルの汗の息子は、信じられぬような逆境を克服して、いま逞しい男となって、曾ての約束通り自分の娘を受取りに来た。わしは約束を破ることはできない。娘ボルテをこの不死身の若者に与えるだろう。そして娘と共に何人かの男女に、西方ボルジギンの幕舎に行って貰わねばならぬ。そしてそこに幾つかの幕舎を造る。ただ一つの幕舎では、娘ボルテが淋《さび》しがるだろう」

デイ・セチェンは自分の帳幕の民に、鉄木真たちには奇妙に聞える一種独特の抑揚ある言葉で演説をした。酒宴は深夜まで続いた。鉄木真はまだここへ来てからボルテの姿を見ていなかった。酒宴の席にも、ボルテは姿を現わさなかった。

宴が果ててから、鉄木真はデイ・セチェンの幕舎とは違った別の幕舎に導かれた。そこへはいって行った時、鉄木真は燈火の明りの中に、きらびやかな衣裳《いしょう》を纏《まと》ったボルテが、金国風の椅子《いす》にきちんと腰かけているのを見た。四年の歳月は鉄木真を変らせたように、成長期の少女をもすっかり変らせていた。ボルテはボルジギン氏族の女には見られぬ大柄《おおがら》な体軀《たいく》を持って居り、胸も腰も豊かに肉がついて、鉄木真にはボルテの躰全体が輝いているように見えた。輝いていると言えば、実際にボルテの少し茶がかった頭髪には光沢があり、顔や項《うなじ》の白い皮膚にも艶《つや》があった。それはあながち、羊脂を燃やしている燈火の光の加減だけとは言えなかった。

鉄木真はこれまで女というものを、それが非力であるが故《ゆえ》に、あらゆる点で能力が劣っている故に、自分たち男と同等に見ることはなかった。併し、いまボルテを眼の前にして、彼はそれまでの考えを覆《くつがえ》さざるを得ないような不思議な気持に捉われた。

真の女性というものの姿を、そこに初めて見出《みいだ》したような気がした。鉄木真は入口近くに立ち止まったまま、ただボルテをじっと見詰め続けた。鉄木真の心は、いままでに経験したことのない奇妙な戸惑いを感じていた。眼の前にいる女性は美しいということで少しも非力には見えなかったし、しなやかな躰を持っているということで男に劣っているとは考えられなかった。

やがてボルテは椅子から立ち上がった。首から胸にかけた青い首飾りが身動きにつれて微《かす》かな音をたてた。ボルテは自分の姿態全部を夫となる男の前に曝《さら》すように、そこに黙って静かに立っていた。豊かな胸を張ったその姿は威を持って居り、誇りやかであった。

鉄木真は近寄ろうとしたが思うように足が進まなかった。自分が近寄ろうとして、そこに近寄ることを躊躇《ちゅうちょ》させるものを自分の前に置いたことは、鉄木真にとって初めてのことであった。何ものも恐れたことがなく、近付くことを躊躇するなどということのなかった鉄木真の足をとどめさせたものは何であるか。いま自分の前にいるこの美しく輝いているものは何であるのか。

その時ボルテはちょっと躰を動かし、ほんの一歩か二歩鉄木真の方へ近寄った。と同時に、ボルテの口から何か短い言葉が発せられた。併し鉄木真の耳はそれを受付けるゆとりがなかった。鉄木真は相手が近寄っただけ、丁度それだけ後へ退《さが》った。二人の間隔は鉄木真がこの幕舎にはいって来た時と変らなかった。鉄木真はボルテの口がまた動くのを見た。こんどははっきりと自分の名が呼ばれるのを聞いた。

「鉄木真。父は貴方《あなた》のことを逞しい狼の如《ごと》き若者だと言った。逞しい狼の如き若者よ」

鉄木真はなおも黙っていた。口に出すべき言葉が浮かんで来なかった。ややあって鉄木真は、手強《てごわ》い敵にでも立ち向かうような気持で、荒い言葉を投げつけた。

「俺《おれ》はモンゴルだ。汝の父が言うように、俺の躰には狼の血が流れている。センゴルの民は一人残らず狼の血を持っている」

するとボルテは言った。

「私はオンギラトの娘だ。私の躰には狼の血は流れていない。併し、狼の血を分け持った狼の裔《すえ》どもを、いくらでも産むことができるだろう。父は私に言った。狼の子供たちを次々に産め。タイチュウトの輩を嚙《か》み殺すために、タタルの民を嚙み殺すために、そしてまたこのオンギラトの民を一人残らず嚙み殺すために」

鉄木真はボルテの口から出る言葉を、神の託宣でもあるかのように聞いていた。それは到底一人の人間の口から、しかもうら若い娘の口から出る言葉とは思えなかった。

鉄木真は身内に熱い血潮となって漲《みなぎ》ってくる勇気のようなものを感じた。そして、オンギラトの長デイ・セチェンが父娘《おやこ》の愛情を断って、いま自分に投げ与えてくれた美しいものの方に一歩踏み出した。

「ボルテ！」

鉄木真は心の底からこみ上げて来る愛情のようなものを感じて、思わず相手の名を呼んだ。

「鉄木真！」

それに応《こた》えるようにボルテも名を呼んだが、その口調は限りなく優しいものに鉄木真には思われた。鉄木真はなお足を踏み出したが、こんどはボルテが背後に退いた。鉄木真はいまや躊躇しなかった。相手を自分の腕の中に捉《とら》えるために、後退《あとずさ》るボルテの方へ真直《まっす》ぐに突き進んで行った。

鉄木真はオンギラトの部落に三泊した。その間、昼も夜も酒宴は開かれた。ベルグタイは生活が急に変ってしまったので、貝が口を閉じてしまったようにむっつりとして、余程のことがないと言葉というものを一切口から出さなかった。酒宴の豪華さは勿論、部落民の服装から幕舎の中の調度品に到るまで、ベルグタイにとっては眼を驚かすに充分なものばかりだったのである。

四日目に鉄木真とベルグタイは、ボルテと彼女の従者たち三十人を連れて、オンギラトの部落を発《た》った。ボルテの父、デイ・セチェンと、母シュタンが途中まで見送るために一行に加わった。往きとは違って、帰りは賑《にぎ》やかな行列であった。

蒙古高原に散らばっているあらゆる部族の中で、オンギラトが地理的に一番金国の文化の恩恵に浴していたので、その行装には美々しいものがあった。他部族の聚落の近くを通過すると、必ず多勢の見物人が集まって来た。

デイ・セチェンは少し廻り道になっても、他部族の聚落の近くを通過することを鉄木真に勧めた。孤立無援の鉄木真の帳幕の存在を、少しでも他部族の者たちに知らせた方がいいというデイ・セチェンの考えからであった。鉄木真はデイ・セチェンの言葉に従った。

デイ・セチェンはケルレン河の畔《ほと》りまで来ると、そこで一行と別れて己が帳幕へ帰って行った。母のシュタンも夫と共にここから引返すつもりだったが、彼女は一人娘と別れかねて、ついにカラジルゲン丘陵の青い湖の畔りにある鉄木真の幕舎まで同行することになった。そしてシュタンは鉄木真の幕舎へ着くと、そこで十日間程を過して、オンギラトの聚落へと帰って行った。

いままでたった一つであった鉄木真らの幕舎は、もはやそれではすまされなくなった。鉄木真は母や弟妹たちと別れ、ボルテと一つの新しい幕舎を営み、更にその周囲にはボルテにつき従って来たオンギラトの男女たちの幕舎が五つ建てられた。聚落というにはまだ余りにも僅《わず》かな人間の集まりに過ぎなかったが、夜になるとそれらの幕舎から火の光が洩《も》れ、周囲を埋める闇《やみ》をいくらか明るくした。夜が明けると、それぞれの幕舎からは男や女たちが働くために立ち現われて来た。

鉄木真は新しい生活に落着きができると、自分たちのために八頭の葦《あし》毛《げ》の馬を取り返してくれたボオルチュを自分たちの帳幕に迎えることを、カサルとベルグタイに謀《はか》った。鉄木真はボオルチュならばきっと自分の招きに応じて来てくれるだろうと思った。カサルもベルグタイも勿論異存のあろう筈はなかった。ボオルチュへの使者にはベルグタイがたった。

ベルグタイが出掛けて行ってから五日目の朝、鉄木真は見覚えのある淡黄色の馬に乗って青い毛衣《けごろも》を馬につけた若者が、ベルグタイと馬を並べて草原の向うからやって来るのを見た。鉄木真は礼を尽して自分と同年配の敏捷《びんしょう》な少年を己が小さい聚落へ迎え入れた。ボオルチュは鉄木真の幕舎へやって来ることを、彼の父ナク・バヤンには相談して来なかったが、彼を追いかけるようにしてナク・バヤンからの使いが到着した。使者は、若い者たちには若い者たちの行き方があるだろう。共に顧み合って、長く救《たす》け合って行くというのならば、ボオルチュは自分の為《な》したいようにするがよかろう。そういうナク・バヤンの言葉を伝えた。そして更にそれを追いかけて、何十匹かの羊が長者のもとから送り届けられて来た。

鉄木真はカサル、ベルグタイ、ボオルチュたちと相談して、居所をブルカン嶽《だけ》の中腹の広い斜面に移した。こんどの居住地の方が広い草原を抱え、牧場を営むのに便利であったし、幕舎を毎年のように襲う風や水からも守るのに容易であった。

鉄木真は新しい帳幕ではボオルチュとホエルンの幕舎を聚落の中心部に並べて設け、その周囲にそれを囲繞《いにょう》するように他の者の幕舎を配した。

鉄木真はタイチュウトの聚落にいるソルカン・シラの二人の子、チンベとチラウンを己が帳幕に迎えることを思い立った。自分の手枷《てかせ》を外し、家へかくまってくれた恩人たちを自分の帳幕に迎えて、信用できる部下としたかったからである。この交渉は相手がタイチュウトの聚落の中に住んでいるので危険でもあり、厄介《やっかい》でもある仕事だった。その使者にはカサルが立った。そしてカサルはそれを見事にやってのけた。彼は背の低い頭の大きい少年と、同じく背の低い斜視の少年を、それぞれ二匹の逞しい馬に乗せて連れて来た。

鉄木真が、馬から降り立った二人の少年を迎えて、

「よく決心がついたな。さぞ父のソルカン・シラが反対したことであろう」

と言うと、チンべは、

「父は大甕《おおがめ》の馬乳酒を掻《か》き廻しながら何回も首をかしげた。併《しか》し、俺は言った。使いは来てしまったのだ。もう、それに応ずる以外仕方がないではないか。そして俺はカサルと共に家を出て来た」

と言った。チンべは自分の行動にいかなる理屈も意味もつけなかった。何事でも男と見込まれて頼まれたからには、それに応えて生命をも辞さない少年に見えた。そのようにして曾《かつ》て鉄木真はこの少年に生命を助けられ、そのようにしていま彼は自分の陣営へ少年を迎えることができたのであった。

「チラウン」

鉄木真が弟の方に声をかけると、チラウンは焦点のない眼を鉄木真に向けて、

「俺は以前に、お前から鹿《しか》の小指の爪《つめ》を貰《もら》ったことがある」

と、それだけ答えた。鹿の小指の爪を貰ったことのために、チラウンは曾て鉄木真の手枷を外し、いままた鉄木真のために、自分の家を棄てて来たのであった。これからいかなることを鉄木真が持ち出しても、チラウンはそれの一つ一つに何の躊躇もな

く応えてくれるであろうと思われた。こうした二人の少年に対して、鉄木真は鉄木真で、そのことを決して口から出しはしなかったが、いかなることでもして酬《むく》いようと心の中で固く誓わなければならなかったのである。

鉄木真の帳幕にも次第に他地方から商人が集まって来るようになった。その数は決して多くはなかったが、それに依《よ》って次第に鉄木真の生活にもゆとりが出来て行ったし、それに一番いいことは、蒙古《もうこ》高原の諸部族の動静がいろいろ鉄木真の耳にもはいって来ることであった。

鉄木真は現在蒙古高原に於《お》ける一番の有力者はケレイト部族の長トオリル・カンであることを知った。そしてケレイト部族の民はトオリル・カンの指揮のもとに、闘うことを目的として常に訓練されているということであった。鉄木真は曾て自分の妻ボルテの生国であるオンギラトに於て、常に兵士として訓練されている少数の若者を見たことがあったが、ケレイト部族に於ては、三万の男子が尽《ことごと》く兵として訓練されており、平時は羊や馬を追っているが、いったん事あれば直ぐ牧衣を棄てて戎衣《じゅうい》に着替え、武器を持って予《あらかじ》め決められてある部隊に所属するということであった。鉄木真はオンギラトに於て彼等が牧場や帳幕を護《まも》る組織を持っていることに感心したが、ケレイト部族の話を聞いてみると、オンギラトの比ではないようであった。鉄木真の耳にはケレイトの長、トオリル・カンの盛名がいろいろな方面からはいって来た。そしてその人物が蒙古高原の諸部族を平定してその主権者になる野心を持っていることを知った。

鉄木真はトオリル・カンに会うことを思い立った。彼と識《し》り合っておくことが何かにつけて有利であることは明らかであった。いかに小さくてもいまや鉄木真は一聚落《しゅうらく》の長であった。礼を尽して彼の助力を求めれば、トオリル・カンとても、よもや冷淡な態度は取らないであろうと思われた。それに父エスガイはトオリル・カンと親交のあった一時期を持っていた。エスガイは晩年、己が部族が内包している問題の解決に忙しく、トオリル・カンとは繁《しげ》く往来することはできなかったが、若い時の二人が為した盟約はそのまま改変されることなく、今日まで続いている筈《はず》であった。

鉄木真はケレイト部族の長の許《もと》へ交誼《こうぎ》を求めるために出掛けて行くことを、周囲の者に図った。カサル、ベルグタイには勿論《もちろん》のこと、ボオルチュにも、チンベにも、チラウンにも図った。そしてまた母ホエルンにも、妻ボルテにも相談した。勿論、ただ一人の反対もなかった。

その時ホエルンは、土産としてトオリル・カンに自分たちが持っている物の中で最上のものを持参すべきであろうと言った。羊と馬とを別にすれば、鉄木真の帳幕の中

にはこれと思われる物はなかった。すると、それまで黙っていたボルテが、

「わたしの母がこの家へ引出物として持って来た黒い貂鼠《ちょうそ》の裘《かわごろも》＊がある」

と言った。鉄木真はすぐそれに賛成した。それは現在の鉄木真の帳幕の持っている全財産に匹敵するものであった。

鉄木真は、カサル、ベルグタイの二人の弟を連れて、その貂鼠の裘を持って、トウラ河畔の林の中にあるケレイト部族の帳幕にトオリル・カンを訪ねて行った。ケレイトの聚落は、オンギラトのそれに較《くら》べると、ずっと質素で、総体に暗い感じだった。それは財政が必ずしも豊かでないことを物語っていた。羊や馬は広い草原を覆《おお》う程沢山居たが、併し、またそれに依って生活している部族民の幕舎の数も夥《おびただ》しいものだった。多勢の部衆と、優れた戦闘力とを持ちながら、トオリル・カンが好んで他部族と事を構えないわけが、鉄木真には判《わか》るような気がした。

鉄木真兄弟は大きい幕舎の奥で、細っそりした躰《からだ》つきを持ち、額と眼光の冷たいトオリル・カンに会った。五十年配の人物であった。鉄木真は、

「わが父エスガイは貴方《あなた》のことを安達《アンダ》＊（盟友）と呼んだ。それ故《ゆえ》、貴方は私たちにとっては父も同然である。私の妻の母が舅《しゅうと》への礼物として貂鼠の裘を持って来た。父はすでに亡《な》いので、それを父に等しい貴方に贈ろうと思う」

そう言って、引出物をトオリル・カンの前へ差出した。トオリル・カンはひどく悦《よろこ》んだ。これ程豪勢な贈り物を、彼は今まで誰《だれ》からも貰ったことはないらしかった。併し、その悦びとは別に彼の言葉はきびしかった。

「ひどく気前のいい父のない餓鬼どもよ」

トオリル・カンは言った。トオリル・カンの眼には鉄木真たちはまだ一人前の男には見えないようであった。

「黒い貂鼠……裘の返礼に、いつか、その時が来たら、お前たちから離れた部衆をもとのようにお前たちのところへ集めてやろう。わしは一度口から出したことは決して反古《ほご》にしないのだ。その前にもっと苦労をしろ、雛共《ひなども》。もっと大きくなれ、ひよわい者共よ」

鉄木真たちは結局は一人前には遇されないで、トオリル・カンの帳幕を辞さなければならなかった。併し、鉄木真はトオリル・カンという人物を決して不快には思わなかった。たちどころに三万の軍勢を動員できるトオリル・カンにしてみれば、十八歳の鉄木真を頭とする三人の兄弟は、餓鬼であり、雛であり、ひよわい者共に違いなかった。

三人の兄弟は黒い森と呼ばれているケレイトの聚落のある森林地帯を馬を駈《か》けさせ

て経廻《へめぐ》った。そこにはひんやりとした一種きびしい感じの空気が立ちこめ、決して笑うことのないケレイトの若者たちが黙々として森を切り拓《ひら》いていた。どの若者の顔も、その長トオリル・カンのように、冷たい額と冷たい眼とを持っていた。この部族の者たちは生まれつき冷静なのだと鉄木真は思った。

鉄木真は自分の聚落に帰ると、ケレイトの若者たちが持っていた表情を、自分の聚落の男たちも持つようにすべきであると思った。鉄木真は自分が先きに立って、早朝から夕刻まで牧場へ出て働き、夜が来ると、馬に乗り、弓を射、刀や槍《やり》を揮《ふる》う練習をした。カサルもベルグタイも、それからいまや一人前の若者に育とうとしているカチグンも、テムゲもそれに従った。ボオルチュも、チンベも、チラウンも、それから十数人のオンギラトの男たちもみな鉄木真に倣《なら》った。

馬を走らせてはカサルの右に出るものはなく、騎射はボオルチュに敵《かな》うものはなかった。大刀を揮ってはベルグタイが一番で、弓を射ると、斜視のチラウンが抜群だった。チンベは武術にかけては取得《とりえ》はなかったが、人を追跡するとか、他部族の動静を探るとかいう方面では、異常な才能を持っていることを示した。

ホエルンは鉄木真のこうした若い部下たちと毎日のように接しながら、細かいことにも気付いて、下婢《かひ》や下女たちをうまく統括して行く特殊な才を持った若者のないことを歎《なげ》いていた。ホエルンのこの帳幕の生活に於ける不服と言えば、そうした若者の居ないことと、もう一つはボルテが子供を産まないことであった。ホエルンの言い方を以《もっ》てすれば、子供を産まない女は女でないのであった。この点ボルテは肩身の狭い思いをしていた。彼女は父のデイ・セチェンの言ったように、タイチュウトを一人残らず嚙《か》み殺し、タタルを一人残らず嚙み殺し、そしてオンギラトまで一人残らず嚙み殺す狼《おおかみ》の血を持った子供たちを次々に産まなければならなかったし、また産みたかった。

ホエルンの二つの悩みのうちの、何事にもよく気がつき、召使たちを統《す》べる才能を持つ若者の問題はやがて解決することができた。ある日、ジャルチウダイという老人が、鍛冶《かじ》の風匣《ふいご》を肩にかつぎ、一人の若者を連れて帳幕へやって来た。ホエルンはこの老人を知っており、鉄木真も幼心にこの老人のことは記憶していた。どういう理由か、彼は鉄木真の五、六歳の時、帳幕を離れ、それ以来今日までブルカン嶽の奥へはいって、小屋を作り、孤独な生活を営んでいたのであった。

老人は鉄木真に、

「わしはお前さんが生まれた時、毛皮の襁褓《むつき》を祝いに贈った。それからこのジェルメも贈った。その時からお前さんとジェルメは主従の間柄《あいだがら》だ。ただジェルメは当時まだ三歳で幼かったので、わしが手許に預かって今日まで養育して来た。ジェルメもいまは一人前になった。どうとも思うまま使ってくれ、鞍《くら》を置かせたり、幕舎の門を開けさせたりしてくれ」*

と言って、若者を鉄木真に引き合わせた。

若者はその日から鉄木真の帳幕の一員となった。この鉄木真より三つ年長の若者は、色も黒く風采《ふうさい》も上がらなかったが、素朴《そぼく》で、忠実で、何事をしても蔭日向《かげひなた》なく働いた。そして目立たないが優しい心を持っていて、下婢や下女たちの面倒もみてやったので、間もなくこの帳幕にはなくてはならぬ人物になった。ジェルメは、ホエルンの求めていたような若者であったのである。

鉄木真の帳幕に於ける生活は日々充実したものになって行った。彼は妻の出生部族のオンギラトの富裕と、冷たい印象の指導者の統《す》べているケレイトの軍事力を、将来自分の帳幕のものとするために、次から次へと為さなければならぬ仕事は沢山あったのである。

鉄木真は二十四歳まで己《おの》が聚落の幕舎の数を年々少しずつ殖やして行くことに努めた。妻ボルテが子供を産まないという一事を除けば、自分の帳幕の生活にさして大きい不満はなかった。タイチュウトとタタルをやっつけるホエルン母子の念願はまだ果されなかったが、鉄木真はそれが一朝一夕に、しかも二十歳を幾つも越さない自分の若さで果されるものでないことを知るようになっていた。鉄木真は若かったし、彼の幕僚たちもみな若かった。

いまの鉄木真の生活は、ボルテと結婚する前後の時のように、敵がいつどこから襲って来るかも判らぬ不安に曝《さら》されてはいなかった。タイチュウトの者たちも、もはやそれぞれに成人したエスガイの遺児たちを悉《ことごと》く地上から抹殺《まっさつ》してしまおうというような考えは持たなかったし、若《も》し持ったとしても、それは望めることではなくなっていた。

併し、災難は全く思いもかけなかったところから鉄木真を襲って来た。間もなく高原に厳しい冬が迫ろうとしている頃《ころ》のある朝のことである。騒ぎはホエルンの幕舎で起った。

「みんな早く起きよ。遠くに馬蹄《ばてい》の響きが聞え、鬨《とき》の声が聞える。タイチュウトの輩が押しかけて来たのであろう」

叫び声をあげたのは、ホエルンの忠実なる老婢《ろうひ》ゴアクチンであった。その声でホエルンが先ず飛び起きた。

騒ぎは直ちに次々に他の幕舎へ伝えられて行った。鉄木真が帳幕の広場に出て行った時は、既に総《すべ》ての幕舎からは一人残らずの者が飛び出していた。夜はまだ完全に明けきってはいず、暁闇《ぎょうあん》があたりにたちこめ、冷たい空気を震わせて馬蹄の響きは刻一刻高くなり、喚声と叫声は次第に大きく聞えつつあった。

鉄木真は一同に、一人残らず馬に乗ってブルカン嶽《だけ》に逃れるようにと命令した。敵の人数も不明であったし、いずれにしてもこの帳幕で敵を迎え撃つことが不利であることは目に見えていた。鉄木真は自分の馬を引き出しながら、みなが騎乗する様子を見守っていた。母ホエルンも馬に乗った。カサルもテムゲも乗った。ベルグタイも、ボオルチュも、ジェルメも鞍に跨《また》がった。テムルンはホエルンの馬に一緒に乗った。ボルテも乗った。ゴアクチンがその馬の手綱を取った。その他の男も女も、みな馬に乗った。馬のないものは手綱に縋《すが》った。

ジェルメが一団の先頭に立ち、鉄木真が羊の群れでも追いたてるように、最後部に立った。ボオルチュ、カサル、ベルグタイの三人は一団から離れて襲撃者が何者であり、いかなる攻撃力を持っているかを確かめるために、反対の方角へ馬を駈けさせて行った。

混乱は、避難者が聚落を囲繞《いにょう》している木柵《もくさく》の出入口を出るか出ないかに始まった。

騎馬兵の黒い影が幾つか幕舎の右手の斜面に姿を現わしたからである。鉄木真は避難者の一隊をジェルメにゆだねると、自分は直ちにボオルチュとカサルとベルグタイが走って行った方向に馬首を向けた。彼等は聚落を囲んだ木柵の向う側を敵の方に向かって駈けて行くところだった。鉄木真は障害物を乗り越え、まっしぐらに彼等のあとを追った。

間もなく鉄木真はボオルチュらと一塊りになり、斜面の一角に植わっている何本かの樹木を盾《たて》として敵に対した。敵方は思った程多くはなかったが、それでも三十騎や四十騎は居るようであった。彼等は斜面の裾《すそ》の方を、まるで気紛《きまぐ》れとでも思うほか仕方のない駈け方で、東に向かったり西に向かったりして駈けていて、正面から向かって来ることはしなかった。時々思い出したように、その方角から矢が射出されて来た。姿が判然《はっきり》と見えないだけに、それは動く影絵でも見ているような奇妙な不気味さがあった。

そうしているうちに敵方から射出して来る矢が漸《ようや》く繁《しげ》くなったかと思うと、突然喚声は全く違う方向で起った。女子供たちが落ちて行った北の方で起ったのである。鉄木真たち四人は直《す》ぐ聚落へ引返した。木柵を越えて聚落の敷地へはいって行くと、丁度その時、いったん柵外へ出て行った筈の女子供の一団が入り乱れたまま再び柵内へなだれ込んで来た。声を嗄《か》らして何か叫んでいるジェルメの声が馬蹄の響きと叫声と喚声の中に聞えている。

鉄木真は戻《もど》って来た一団を裏手の門から出すようにジェルメに命じたまま、反対に先刻女たちを出そうとした北方の柵へ向かった。矢が雨のように降っている。鉄木真、ベルグタイ、カサル、ボオルチュの四人はそれぞれ幕舎を盾に、そこに留まって矢の飛んで来る方角へ向けて矢を放った。こちらは柵の外が急な斜面をなしているので、そこから進んで来つつあるに違いない敵兵の姿は見えなかった。が、やがて柵の向うに敵の騎馬兵の姿が一、二騎見えたり匿《かく》れたりし始めた。併《しか》し、柵を越してはいってくる気配はなかった。鉄木真たちはそこで射合うことに依ってかなり長い時を稼《かせ》いだ。鉄木真は裏手の木戸からジェルメに率いられて出て行った女たちが、かなり遠くまで行ってしまったと思われるまで、その場を離れないで、聚落に迫りながら突撃に移って来ない思い切りの悪い敵たちと射合った。

ボオルチュが馬を近づけて来て、

「メルキトだ」

と叫んだ。その時初めて鉄木真は相手がタイチュウトでなくメルキト部族の者であることを知った。

鉄木真はやがて矢が東と北ばかりでなく、あちこちから射込まれて来るのを見ると、三人の若者たちに聚落を棄《す》てて山へ逃げ込むことを指令した。もうこれ以上留まっていることは無駄《むだ》でもあり、危険でもあった。ボオルチュが先きに立って裏手の木戸へ向かった。鉄木真、カサル、ベルグタイの順序で続いた。柵を出ると、どこにも女子供たちの一隊の姿は見えなかった。ジェルメがついているので、抜かりなく逃げ了《おお》せたものと思われた。

柵を出たところで、カサルが、

「散れ！」

と呶鳴《どな》った。一同はそこからそれぞれ思い思いの方向へ馬首を向けて散った。鉄木真は草原地帯をどこまでも真直ぐに西方へ駈け、途中から方向を転じて、ブルカン嶽の麓《ふもと》のゆるやかな広大な斜面を上って行った。矢はもう一本も飛んで来なかった。カサルとベルグタイの豆粒のような小さい姿がそれぞれブルカン嶽の傾斜面へ馬を走らせ、上へ上へと登って行くのが見えた。ボオルチュの姿だけが見えないので、鉄木真はちょっと心配になったが、やがて全く思いがけない方向にボオルチュはその巧みな小さい騎乗姿を現わした。

鉄木真はこの日の午後、カサルともベルグタイともボオルチュとも、相前後して落合うことができた。そして夕方、ジェルメの率いる女子供の部隊とも一緒になった。

ジェルメは鉄木真たちの姿を見ると、すぐ、

「ボルテに会わなかったか」

と言った。ジェルメの話では、ボルテは裏木戸を出ると間もなく馬を棄てて、乾草《ほしくさ》置場の横手にあった黒い輿《こし》のある車に乗り、ゴアクチン老婆《ろうば》がそれを腰に花紋のある牛に引かせて、一同よりは遅れて、襲撃者たちの眼をたばかるために耕地伝いに聚落より離れたということであった。乗っていた馬が負傷したのでボルテはそうしなければならなかったのである。

鉄木真は一同の露営する場所を決めると、その夜から翌日にかけて、ブルカン嶽の林や草地や岩の露出している斜面を、ボルテの姿を求めて駈け廻《まわ》った。併し、ボルテの姿はどこにも発見することができなかった。

山へはいって四日目に、鉄木真は麓の偵察《ていさつ》にボオルチュ、ベルグタイ、ジェルメの三人を出した。そしてメルキトの輩が全く麓一帯の草原から去ったことを知って、己が部族を率いてブルカン嶽を降《くだ》った。後で知ったことであるが、襲撃者たちは別々の姓を持つ三人のメルキト人に率いられたメルキト人たちの一隊であった。ボルテとゴアクチン老婆の消息は依然として判らなかった。そして一カ月程して、鉄木真はボル

テとゴアクチン老婆の二人がメルキトの者たちに掠奪《りやくだつ》されて、彼等の聚落《しゆうらく》に連行され、そこに留まっていることを知った。

鉄木真はボルテのことを思うと、気も狂わん許《ばか》りであったが、併しその他一人の犠牲者も出さず、尽《ことごと》く己が聚落へ戻ることができたことは、ともあれ悦《よろこ》ばなければならぬことであった。鉄木真はみな自分たちが逃げ込んだブルカン嶽の加護に依《よ》るものであるとして、ブルカン嶽へ感謝する祭儀を行うことにした。

鉄木真は部落の者たちを、ボルテが居なくなったため火の消えたようになっている自分の幕舎の前へ集め、そこへ祭壇を造らせた。そして鉄木真は一同に向かって言った。

「われわれは御嶽ブルカンのお蔭で、メルキトの輩から守られて来た。われわれは御嶽ブルカンのために、蟻《あり》の如《ごと》き、しらみの如き小さい生命を救われた。朝ごとにブルカンを祭れ。日ごとにブルカンに向かって祈れ。わがボルジギンの子々孫々に到《いた》るも、これを伝えよ」

それから鉄木真は、ブルカンに向かって立ち、帯を首にかけ、帽を手に持ち、*もう一方の手を胸に置いて、跪《ひざまず》いて馬乳酒を大地に注いだ。そしてこれを九度繰返して祈《き》禱《とう》を捧《さき》げた。

鉄木真にとって苦しい日々がやって来た。ボルテをメルキトに奪われたことで、鉄木真は己れを取り巻く自然が、悉《ことごと》くその色彩を変えてしまったように思った。いま自分が為《な》さねばならぬことは、ボルテを奪い返すことであった。鉄木真はその仕事のために、鉄木真のためなら生命を賭《と》しても悔いないと思っている部下を持っていたが、併しその人数は十人足らずで、それだけでメルキトの大聚落を襲うことは無謀なことであった。

頭の大きいチンベは、何回も自分からメルキトの部落を偵察に行く役を買って出ては出掛けて行ったが、帰って来ての報告はいつも決まっていた。

「メルキトは五十人の衛兵を聚落の外に配している。奴等《やつら》に見付からないで帳幕の中へはいることは野鼠《のねずみ》だって出来っこない芸当だ」

チンベの報告に依ると、メルキトは鉄木真たちの復讐《ふくしゅう》を予想して、それに対する警戒を厳重にしているということだった。

チンベは、それが自分に課せられた仕事ででもあるかのように、偵察から戻って来て二、三日もすると、またメルキトの聚落を目指して出掛けて行った。チンベは帰って来るとその度に、メルキト部落から索《さぐ》り出して来たいろいろなことを報告した。これに依って鉄木真はメルキトの馬の数が殖えたり減ったりすることまで知ることができた。

チンベの報告の中で最も大きい収穫は、メルキトの輩の突然の襲撃が、彼等にとっては決して気紛れのものではなかったということである。曾《かつ》てエスガイが、ホエルンをメルキトの若者の手から奪い取ったことを、二十何年後の今日まで、彼等は決して忘れてはいなかったのである。そして、ホエルンを奪われたことの報復として、彼等は鉄木真からその若妻を奪略したのである。そしてその計画は、鉄木真がボルテを自分の聚落に迎えたことを知った時に樹《た》てられ、今日までその機会は絶えず狙《ねら》われていたのであった。

ボルテが幕舎から姿を消してから何カ月か経《た》ち、年は改まって鉄木真は二十五歳の春を迎えた。メルキトの輩が為したように、鉄木真は彼等に対する復讐の機会を狙って日を送っていた。ただメルキトの輩のように、二十余年の歳月を待つことは鉄木真にはできなかった。相手に隙《すき》を見つけさえすれば、それは今日にも明日にも行われなければならぬものであった。

鉄木真はボルテの輝く頭髪や白いうなじのことを思い出すまいとした。それをいったん思い浮かべると、鉄木真は烈《はげ》しい怒りで身内が貫かれるのを感じ、その苦しさに耐えることができなかった。

鉄木真はチンベが偵察の役を果して帳幕へ帰って来ると、いつも彼が自分の口から出す言葉だけを聞いた。鉄木真は決して自分から質問をしなかった。鉄木真はそれでなくてさえ無口であったのが、一層無口になり、その表情はいかなる内部の心の動きをも相手に覗《のぞ》かせないように、無表情をもって固く鎧《よろ》われていた。

併し、こうした鉄木真にも一度だけ例外があった。鉄木真はチンベの報告を聞き終った時、口を微《かす》かに動かした。チンベは鉄木真が何を言ったのか聞き取れなかったので、もう一度彼が口から言葉を出すことを促した。鉄木真は低く呟《つぶや》くように言った。

「ボルテはどうしている？」

チンベは辛《かろ》うじてその言葉を聞くことができた。チンベはその問いに対して暫《しばら》く返事をしなかった。すると、

「ボルテはどうしている？」

鉄木真は先刻より明瞭《はっきり》と低い声を発した。その眼は鋭くチンベの眼を射ていた。チンベは観念したように、

「チルゲルという若者の妻になっている」

とそれだけ短く言った。鉄木真はチンベの答えを聞くと一瞬顔色を変えたが、すぐ

背を向けてチンベの傍から離れた。

　ボルテの名が、鉄木真の口からもチンベの口からも出たのはこの時が初めてであった。こうしたことがあってから、鉄木真は以前にもまして無口になり、いつも厳しい面を見せているようになった。決して笑うことはなかった。

　ボルテの名は、事件があって以来この聚落に於《お》いては一切禁句になっていた。ホエルンの口からも、カサルの口からも、末の妹のテムルンの口からも、そしてまた下婢たちの口からも決して出されなかった。

　チンベが鉄木真の質問に答えて、ボルテに関することを口走って一カ月程してから、鉄木真はこの間、昼となく夜となく考えぬいたことを、カサルとベルグタイとボオルチュの三人に相談した。それは、メルキトの部落を襲撃してボルテを奪還することであった。そしてこの襲撃戦には、聚落の男という男は全部参加し、聚落の守りは女たちの手で行うということであった。これまでいかなる部族でも、聚落に無力な女たちだけを残しておくようなことはしなかったが、鉄木真はこの場合、女たちを武装させて、男たちの出たあとの留守を守らせようと思った。一人でも男を攻撃隊に加えたかった。

　カサルも、ベルグタイも、ボオルチュも賛成した。鉄木真が言い出したということは、既に鉄木真がそのことを決意したことであった。それを若い幕僚たちはよく知っていた。それが無謀であろうと、なかろうと、いまやそれは実行に移さねばならなかった。聚落の男は、老人をも含めて三十人足らずであった。

鉄木真は襲撃決行の日をそれより二十日程先きの、月の最も大きく欠ける日に決定した。メルキトの聚落はバイカル湖の南、オルコン、セレンガ両河の合流点近くにあった。そこまでゆっくり馬を走らせても数日の行程であり、道はそこまで何回も往復しているチンベがよく知っていた。

それからというものは毎日のように、ホエルンを初めとして十七歳のテムルンは勿《もち》論《ろん》のこと、十数人の女たちの悉《ことごと》くが武器を執《と》り、聚落防衛の訓練を受けた。鉄木真はそうした女たちの集団訓練をボオルチュに任せておいて、自分はカサルとベルグタイとそして何頭かの空馬を連れて、ケレイト部落にその長トオリル・カンを訪ねて行くことにした。鉄木真はトオリル・カンから、彼等の持っている優れた武器を借りようと思った。自分の隊が三十人足らずという小人数であるため、せめて武器だけでも優れた物を持ちたかった。馬はどんな戦闘にも耐えられる優秀なものを持っていたが、武器の方はろくなものは揃《そろ》っていなかった。しかも女たちのために聚落へも残してお
く必要があり、数量も不足していた。鉄木真は自分のためにも生命をものともしない若

者たちを、せめて思う存分働ける優秀な武器や武具で装わせたかった。

鉄木真ら一行は、数日オルコン河を溯《さかのぼ》って、トウラ河畔の黒い森の中にあるケレイトの帳幕に辿《たど》り着いた。

鉄木真はトオリル・カンに会うと、事の始終をありのまま彼に打明けた。トオリル・カンはこの前と同じように冷たい額と眼を三人の訪問者に向けていたが、暫く考えてから突然表情を変えて、

「エスガイの遺児どもよ。お前たちはわしが曾て約束した事を覚えているか。わしは黒い貂鼠《ちようそ》の裘《かわごろも》の返礼に、散って行ったお前たちの部衆の者共を集めてやろうと言った。どうやらその時は来たようだ。お前らエスガイの遺児どものために、わしはわしの軍を動かそう。軍を動かしてバイカル湖の南に屯《たむろ》するメルキトの奴ばらを、一人残らずみな殺しにして、お前の妻ボルテを奪い返してやろう」

ここでトオリル・カンはちょっと言葉を切った。そして冷たい眼を一層冷たく光らせて次の言葉をゆっくり口から出した。

「漸《ようや》く生いたち始めた雛《ひな》どもよ。わしは今こそ黒い貂鼠の裘の返礼をしよう。先ずわしはここから二万の軍を引き連れ、右の手となって出動する。お前らはゴルゴナク河原*に屯するジャダラン族の長ジャムカの許へ行き、わしの言葉を伝えよ。――エスガ

イの小倅《こせがれ》どものために、トオリル・カンは二万の軍を動かしてメルキトの奴ばらをみな殺しにしようとしている。ジャムカよ、汝《なんじ》は左の手となりて出馬せよ。会合の場所と日時の指示は、ジャムカ自身より為せ。――」

鉄木真はトオリル・カンの顔をただ呆然《ぼうぜん》とした思いで見守っていた。このような大事を、瞬時にして決する人物を、鉄木真はいままで見たことはなかった。彼の冷たい風貌《ふうぼう》は、そうしたことを決定するにふさわしいものだった。

鉄木真はトオリル・カンの帳幕を出ると、自分がここへ来た目的であった武器を借りる仕事を片付けて、それが終るとすぐ馬を自分の聚落目指して駈《か》けさせた。三人の兄弟は途中で殆《ほと》ど休みを取らなかった。

自分たちの聚落へ着くと、鉄木真だけが居残り、カサルとベルグタイは新たに食糧の革袋を馬に積み込んで、直ちにジャダラン族のジャムカの許を目指した。

ジャムカはモンゴル部族の最初の汗《カン》であったカブルの兄弟の後裔《こうえい》で、その意味ではボルジギン族に属しているわけで、鉄木真より五つほど年長の人物であった。鉄木真はこのジャムカを見知っていた。鉄木真は六、七歳の時、一度だけであったが、父親と共にエスガイの帳幕へやって来たまだ少年であったジャムカと遊んだことがあった。まるまると肥《ふと》って人見知りをしない愛想のいい少年の面影《おもかげ》を鉄木真はいまも頭から去らせてはいなかった。年長であるとは言え当時驚くほどの早熟ぶりで、その口から出る言葉は周囲の大人たちをも驚かしたものであった。

その頃《ころ》からジャムカの家は同じ血族にあたるタイチュウトとも、鉄木真のボルジギンとも離れて、独立した幕舎を持ち、ジャダラン族を称していた。ジャムカは自分の代になってめきめきと帳幕を拡大し、現在モンゴル部族の中ではタイチュウトを遥《はる》かに凌《しの》ぐ第一の勢力へとのし上がっていた。そうした消息は、早くから鉄木真たちの耳にもはいっていた。ジャムカはケレイトのトオリル・カンと盟友の約を結び、トオリル・カンの弟分になっていた。

そのジャムカに使いしたカサルとベルグタイの二人は、五日目の朝、さすがに身動きもできない程疲れ果てて、鉄木真の幕舎の前に馬を停《と》めた。二人はジャムカに会った模様を鉄木真に伝えた。

「ジャムカは鉄木真がタイチュウトに迫害されていると聞いて、心を痛めていたと言った。そして、いまトオリル・カンの勧めで軍を動かし、鉄木真のために尽すことは本懐だと言った。そしてまた、今こそキルゴ河の上流の河岸に殺到し、青き草をもって筏《いかだ》を組み、メルキトの屯する平原の天窓からはいって、彼等の帳幕の柱を突き倒そうと言った。そして、彼らの妻子を虜《とりこ》にし、凡《すべ》てのメルキト族を空にするまでみな殺しにしようと言った」

カサルは息を弾ませて報告した。するとベルグタイがすぐ言葉を続けた。

「ジャムカは言った。――いざ出陣するために馬乳酒を大地に注ごう。黒い牡牛《おうし》の皮で張った鼓を打とう。硬い衣を着て、黒い馬に乗ろう。鉄の槍《やり》を執り、挑皮《ちょうひ》の矢を番《つが》えよう。ボトカン・ボオルジの地で十日先きの夜、トオリル・カンの軍勢を待とう。われの軍勢二万。風雪強しと雖《いえど》も約会に遅れるな。大地揺らぐと雖も聚会に遅るな。わが安達《アンダ》トオリル・カンよ」

カサルとベルグタイによって伝えられたジャムカの言葉は、すぐボオルチュに引継がれて、黒い森のトオリル・カンの許に報ぜられることになった。

総《すべ》て事は、鉄木真にとって予想以上に好都合に運んで行った。鉄木真のために四万の兵が繰出されるということは、夢のようなことであった。高原の一角を二つの軍勢は鉄木真の両腕として、オルコン、セレンガ両河の合流点に近いメルキトの帳幕をめざして、刻々延びて行く筈《はず》であった。

鉄木真は約束の日に、トオリル・カンとジャムカの軍勢に比すると、これはまたひどく見劣りのする三十人の男たちを連れて、指定の場所へ赴いて行った。ジャムカの軍勢二万は既にそこに到着しており、トオリル・カンの軍勢二万は固い約束にも拘《かかわ》らずそれから三日遅れて到着した。

鉄木真はこの時、実に十数年ぶりにジャムカに再会したわけであったが、ジャムカは少年時代の面影を消してはいなかった。トオリル・カンと異って、その顔に始終柔和な笑いを浮かべており、肥満した躰《からだ》は壮年期にはいろうとする精力的なものが、いかにも有り余っている感じであった。カサルとベルグタイから聞いたあの調子の高い出陣の宣言が、どうしてこの人当りのいい人物の口から出たのであろうかと思われた。

メルキトの草原への侵入は翌日の暁方《あけがた》から開始された。四万の軍勢は続々と青い草で組んだ筏によってオルコン河を渡り、隊列を作ってメルキト部族の勢力範囲にある草原を、洪水《こうずい》のように進んで行き、次々に小さい聚落《しゅうらく》を呑《の》み込んで行った。

メルキトは一万の部衆を動員して己が帳幕の周囲に陣を張っていた。併《しか》し、決戦は僅《わず》か一日にして終った。鉄木真はトオリル・カンから指揮を託された数百の兵を率いて、戦線から崩れたって己《おの》が聚落に逃げ込んだメルキト人を追撃した。もはや手向かうことを諦《あきら》めたメルキトの輩は、聚落のあちこちにひっそりと身を小さくしていた。

鉄木真は彼等の帳幕を一つ一つ索《さぐ》って行った。

ボルテとゴアクチン老婆《ろうば》の二人を見つけ出すには何程もかからなかった。彼女らはこんど彼女らを見舞った襲撃が、自分達を奪い返すための鉄木真の作戦とも知らず帳幕の奥に難を避けていたのであった。そこへはいって行った鉄木真の姿を見た時、ボルテは低い驚きの叫びをあげた。

鉄木真はボルテに一言の言葉もかけず、彼女を弟カサルの手にゆだねると、自分は直《す》ぐトオリル・カンとジャムカの居る草原の陣営に戻《もど》って行った。鉄木真は二人の恩人に、心から自分に対する協力を謝した。

トオリル・カンとジャムカは、それから一里程の間隔を持った地点にそれぞれの部隊を駐屯《ちゅうとん》させた。そして、二人共なかなかそこを離れようとはしなかった。鉄木真の眼にはそうした二人の行動が、こんどの作戦前に於《お》ける彼等の様子とは全然違ったものとして映った。二人は互いに相手を牽制《けんせい》し合っているようなところが感じられた。

その間に一方では、メルキトの部衆の大虐殺《ぎゃくさつ》が行われた。男という男は、それが老人であれ、幼児であれ、悉くが殺される運命を持った。毎日のように磧《かわら》の刑場へ運ばれるメルキト人の男たちの列が草原の中を通った。そして女という女は、トオリル・カンとジャムカの駐屯地の丁度中間と思われる平地に集められ、家財道具はこれまた一品も残さずやはり同じ地域に山と積まれた。羊や馬も一カ所に集められた。

鉄木真と彼の少数の部下たちは、メルキトのいまは空っぽになった聚落の付近に三つの幕舎を張って、そこに屯していた。死臭がどこからともなく、朝晩鉄木真の幕舎にも流れて来た。

ある日、トオリル・カンから、女たちと分捕品を分けてやるから取りに来るようにという報《し》らせを鉄木真は受けた。彼はその分け前に与《あずか》る権利を持っていなかったし、またそれを欲しいとも思わなかった。鉄木真はトオリル・カンのところへ行ってそのことを述べたが、老いたケレイトの長はなかなか承諾しなかった。ジャムカも亦《また》同じ意見だった。軍を動かしたのは自分たちであるが、鉄木真も実際に戦闘に参加したのだから、当然受取る権利があると言った。併し、鉄木真は遂《つい》にこの二人の意見を容《い》れず、受取ることを固辞し通した。

何千という女と分捕品は、多勢の兵たちの立会いのもとに割られ、一方はトオリル・カン駐屯地へ、他方はジャムカの駐屯地へ運ばれた。半里程離れた草原を埋めている羊や馬の群れも、同じように分配された。併し、処分することの出来ないものがあった。それは草原であり、山野であり、渓谷《けいこく》であった。これらのものはケレイト族の帳幕からも、またジャムカの帳幕からも遥《はる》かに隔たっていた。それは鉄木真の小さい聚落から最も近い高原であった。

鉄木真は、トオリル・カンとジャムカが引き揚げたら、この広大な土地を自分のものにしたいと思った。勿論いまそれを所有したとしても、それをどうすることもできなかったが、自分の配下の部衆さえ増せば、この大高原の中にそれらを無数の点として配することができる筈であった。

鉄木真は三十数人の部下のうちの半数を、ボオルチュをその長として、女たちだけが守っている自分の聚落へ帰してしまっていた。従っていつまでもこのメルキト人の空っぽの帳幕の付近に屯していてもいいわけであった。カサルやベルグタイは、そろそろ自分たちの聚落へ帰りたくなっていたが、鉄木真はそこから腰を上げなかった。トオリル・カンとジャムカの軍勢が引き揚げて行くまでは、自分の方が引き揚げて行くことは礼儀でなかったし、それに鉄木真はまだ一つのことが心の中で決まっていなかった。

それはボルテをどうするかということであった。ボルテには彼女を探し当てた時、ひと眼会っただけであった。鉄木真は毎日のようにボルテの姿を眼に浮かべていた。併し、彼の眼に浮かべるボルテの姿は、ブルカン嶽《だけ》の麓《ふもと》の帳幕で眼に浮かべていたボルテの姿とは少し違っていた。ボルテは青い衣服で身を包んでおり、その茶色がかった頭髪も、白い肌《はだ》も以前のように輝いていたが、躰の一カ所だけ違っていた。裳《も》は大きく異様に拡《ひろ》がっていた。メルキトの聚落が落ちる大虐殺の夜ではあったが、鉄木真の眼は決して見誤らなかった筈である。ボルテは妊《みごも》っていたに違いなかった。

鉄木真はボルテをカサルに預けたが、その後彼女がどうしているか、カサルには問わなかった。カサルも亦、兄嫁をその夫である兄から受取っておきながら、その兄嫁については一言も触れなかった。そのことが、鉄木真にますます自分の眼の間違っていないことを証明しているように思われた。

鉄木真はある日、自分の幕舎にはいって来たチンベを呼び止めた。チンベの顔を見た瞬間、彼の心は決まったのであった。若《も》しチンベに意見を訊《き》いたら、恐らく彼が言うであろうように、このような事態になってしまったことは今さら何と思っても仕方がないことなのであった。ボルテが自分から望んで求めたことではないのである。

「カサルに言って、ボルテを連れて来てくれ」

鉄木真はチンベに言った。すると、すぐチンベは出て行ったが、やがて替ってカサルがはいって来た。カサルは表情を固くして、

「ボルテはここから二つ向うの幕舎にいる」

と、ただそれだけ言った。鉄木真はカサルの言葉に何か異様なものを感じて、そのまま自分の幕舎を出ると、ボルテのいるという幕舎の中にはいって行った。天窓からはいって来る光線を斜め横に受けて、ボルテは寝台の上に横たわっていた。鉄木真はすぐその横に嬰児《えいじ》の姿を見つけた。そしてそれを覗《のぞ》き込むようにしてゴアクチン老婆

が身を屈《かが》めているのを見た。

鉄木真は寝台の方へ近寄って行った。ボルテは弱々しい顔をして、鉄木真を仰いだ。鉄木真が黙っていると、ボルテは嬰児を眼で示し、ひよわな顔にかすかな笑みを浮かべて、鉄木真の方に何か言った。

「名をつけて下さい」

その言葉は確かにそう聞えた。

「俺《おれ》に名をつけさせるのか」

鉄木真が言うと、

「貴方《あなた》の子供ですもの」

ボルテは意外だと言わぬばかりの口調ではっきり言った。

「俺の子であるかどうか判《わか》らぬ」

鉄木真が突っぱねると、

「貴方の子でないという証《あか》しがどこにあります？」

ボルテは言った。必死な言い方だった。鉄木真は幕舎の中を自分でも気付かぬ間に歩き廻《まわ》っていた。じっとしていることは、いまの鉄木真にはできなかった。考えなければならぬことが沢山あった。

「貴方の子供ではないという証しはどこにもないではないか。私も知らない。貴方も知らない」

ボルテの声がまた鉄木真の耳に聞えて来た。併し、鉄木真はボルテの言葉を決して受付けはしなかった。そんな心の余裕はなかった。

鉄木真は混乱している頭を整理できないまま足を停めた。そして少し乾いた声で言った。

「ジュチ」

「ジュチ!?」

ボルテは訊き返した。ジュチという言葉は、彼等の間では〝客人〟という意味であった。それは鉄木真の混乱している苦しい心がボルテの産んだ一人の嬰児のために、正確には自分と同じようにその父がたれであるか判らぬ一人の嬰児のために選んだ名前であった。

鉄木真がボルテの乞《こ》いを容れて、彼女が産んだ一人の嬰児にジュチという名前を付けてやったことは、鉄木真がボルテの総てを許したことを意味していた。若し許さなかったら、彼は自分の子か他種族人の子か判らぬ一人の嬰児に、決して名前をつけてやる労を取らなかった筈である。長い生涯《しょうがい》、彼は妻ボルテの産んだ嬰児を己が館の客人として遇しようと決心したのである。

鉄木真はボルテの寝台の横に横たわっている嬰児の顔を長いこと覗き込んでいた。自分がモンゴルの血を持っているかどうかの問題に苦しんだように、将来この嬰児もまた同じ苦しみを持つ運命を担《にな》っていた。そして自分自身が狼《おおかみ》になることに依《よ》って、己が躰のモンゴルの血を立証しなければならぬように、ジュチも亦同じように狼にならなければならぬ、少なくともそれを志向しなければならぬ運命を背負っているのであった。

「俺は狼になるだろう。お前も狼になれ」

鉄木真は心の中で言った。これが、鉄木真が自分の長子ジュチに与えた最初の言葉であった。そしてそれは、このような関係における父が子に与える言葉としては、ちょっとこれ以上のものが考えられぬ程充分愛情深いものであった。

ボルテは黙っていた。自分が腹を痛めた嬰児にジュチという名が与えられたことに対して、ボルテはいかなる意志表示もしなかった。満足しているのか、不服なのか、彼女の心の内部はその表情からは窺《うかが》い知ることはできなかった。彼女はやがて静かに顔を鉄木真の方へ向けた。顔は弱々しくはあったが、産婦とは思われぬ程の明るさを持っていた。ただその明るい顔の中の二つの眼からは涙が溢《あふ》れ、それが頰《ほお》の上を二条の線をひいて流れ落ちていた。

鉄木真は嬰児の許《もと》を離れると、長く自分が求めていた美しいものの顔を上から見おろして、

「オンギラトへ使いを出そう。父デイ・セチェンと、母シュタンはどんなに悦《よろこ》ぶだろう」

と、初めて妻に優しい言葉をかけた。

併し、鉄木真の心には、この時なべて女というものに対する考えが、彼の生涯を通じて変らぬある一つの固定した観念として定着したのであった。女の美しさも、愛情も、誠心も認めることはできたが、それらを変らないものとして信ずることはできなかった。いかなる価値あるものも、それらは女が所持している限り、常に不安定であった。妻のボルテも母のホエルンも例外ではなかった。いつでも〝客人〟を産むために非力が用意されてあった。彼の妻もそして母も、モンゴルの血を持った狼を産むこともできれば、またその代りにメルキトでも、タタルでも、ケレイトでも産むことができた。それは不思議に寛容ないかなる民族の血でも受け入れる子供を産む箱であった。自分を愛し、自分もまた愛している妻が、敵方の血を持った子供を産むことができるということはいかなることであろうか。

鉄木真は自分の部下を、その忠誠や勇気や犠牲に於《お》いて信ずることはできたが、女というものを同様に信ずることはできなかった。信ずべき基盤がなかった。女は自分が所持して初めて、所持している間だけ、彼女の美しさも、愛情も、誠心も自分のものであった。他民族の男は、これを征服し、心服させることによって、永劫《えいごう》に変らぬ自分の部下とすることができたが、女はそれを寝台の上で抱きとり、あらゆるものを自分のものとしてしまっている以外、それを自分のものとしておくことはできない厄介《やっかい》なしろものであった。

鉄木真は、妻のボルテをもう永久に自分のものとしておこうと思った。そのためには、自分は彼女を何人にも奪われない程の強者であらねばならぬと思った。

「これからは俺は、汝《なんじ》を一刻たりとも離しはしない。汝が永久に美しく貞節であることができるように」

鉄木真は言った。自分は汝を好きだとも、あるいは自分は依然として汝を愛しているとも、そんなことは言わなかった。そうした言葉は無力で、無価値であった。鉄木真は彼女を所有することを宣言したのに過ぎなかったが、それはそのまま鉄木真のボルテへの愛情の表白に他ならなかったのである。

三章

トオリル・カンとジャムカは、なお一カ月近く駐屯地《ちゅうとんち》に兵を置いたまま、なかなか引き揚げようとしなかった。女も財宝も尽《ことごと》く平等に分割してしまった現在、最早《もはや》為《な》すべき仕事は何事も残っていない筈《はず》であったが、何となく先きに引き揚げることを避けているようなところがあった。鉄木真《テムジン》は初めそうした両兵団の態度を訝《いぶか》しく思っていたが、よく考えてみると、これは戦闘に従事するものとして当然なことであった。若《も》し先きに引き揚げた場合、あとに残った方に害心があったら、背後から襲撃される怖《おそ》れは充分にあった。お互いにそうした自分の方が危険な立場に立つことを避けているに違いなかった。

鉄木真はこうした二人の態度から大きなものを学んだ。トオリル・カンとジャムカは生死を共にすることを約した安達《アンダ》（盟友）であったが、二人の態度はお互いがお互いに相手を少しも信用していないことを示していた。それからもう一つ鉄木真が気付いたことは、トオリル・カンの出兵は、決してエスガイの総領息子を援《たす》けて一旗揚げさせてやろうというような親心から出たものではないことであった。鉄木真がメルキトを襲撃するので武器を貸してくれと申し出た時、一瞬にしてトオリル・カンが出兵を決意したのは、メルキトへ兵を動かす恰好《かっこう》な口実をそこに見出《みいだ》したからに他ならなかった。おそらくトオリル・カンは、メルキト部を殲滅《せんめつ》する機会を前から覘《うかが》っていたに違いなかった。ただそれにふさわしい大義名分に則《のっと》った口実だけが見つからなかったのである。メルキトの輩がふいにかよわい鉄木真の帳幕を急襲してボルテを奪った不法行為は、充分誅《ちゅう》すべき性質のものであり、ボルテをエスガイの息子のために取り返してやることは、これまたどこからも非難さるべき性質のものではなかったのである。トオリル・カンが自分の兵を動かす場合、ジャムカを誘ったのは、兵力の増強という意味もあったが、恐らくそれより、鉄木真と同じボルジギン氏族に属するジャムカを加えることに依《よ》って、自分の行動をより強く正当化できると考えたからに違いなかった。ジャムカはジャムカで、トオリル・カンに持ちかけられた話は決して割の悪いものではなかった。二つ返事で引きうけるだけの魅力はあった。鉄木真は妻のボルテを得ただけであったが、トオリル・カンとジャムカは一部族の厖大《ぼうだい》な富を二つに分けて、その一半ずつを所有できたのである。

鉄木真はこの際、トオリル・カンかジャムカの孰《いず》れかの陣営に属すのを得策と考えた。自分の現在の小さい聚落《しゅうらく》を急速に大きくするには、その方法に依る以外仕方がなかった。鉄木真はジャムカを選んだ。同じボルジギン氏族に属している関係で、タイチュウトの迫害を避けるには、ジャムカの庇護《ひご》に依る方がいいと思ったからである。また父エスガイ時代の部衆で、いったんはタイチュウトに属したが、その後ジャムカの聚落に身を投じている者も少なくなく、多少でもそこには気心の通じるものがあった。

鉄木真はトオリル・カンとジャムカの間に立って、それぞれ同じ日にこの地を引き揚げ、反対の方向へ移動することを、それとなく提案した。

鉄木真はジャムカと一緒になって、オノン河のゴルゴナク河原を指して退き、トオリル・カンはブルカン嶽《だけ》の背後からトウラ河畔の黒い森の自分の帳幕へと向かった。トオリル・カンは狩猟をしながら、悠々《ゆうゆう》と軍を移動させた。

鉄木真はボルテを伴って、オノン、ケルレン両河の源であるブルカン嶽の中腹の己《おの》が聚落へ帰って来た。往く時とは違って二人の小さい人間が殖えていた。一人はジュチであり、もう一人はメルキトの聚落で拾った、貂鼠《ちょうそ》の帽子をかぶり、牝鹿《めじか》の蹄皮《ていひ》の靴《くつ》を履いた可愛《かわい》らしい五歳の子供であった。名をクチュと言った。この子供を鉄木真は母ホエルンへの土産として彼女の幕舎へ連れて行った。ホエルンは五人の子供たちが大きくなり、末娘のテムルンも既に十七歳になっていたので、殊《こと》のほかこの幼児の贈り物を悦《よろこ》んだ。今や部族の男という男は尽く殺されてしまっていたので、メルキト部の純粋な血はこの幼いクチュの躰《からだ》にしかなかった。その意味ではクチュは小さな宝物であった。

鉄木真は間もなく自分の帳幕をブルカン嶽の中腹から、ジャムカの帳幕に隣接したゴルゴナク河原の一地点に移した。そして帳幕を移動した翌日、鉄木真はジャムカとの間に安達《アンダ》の盟約を交わした。

儀式はゴルゴナクの断崖《だんがい》の上の、片側に樹木の茂っている広場で行われた。鉄木真はメルキトとの戦闘に於《おい》て敵の武将から分捕った黄金の帯をジャムカの身に着けさせ、同じく分捕った鬣《たてがみ》の黒い馬にジャムカを乗せた。ジャムカはジャムカでやはりメルキトの武将から掠《かす》めた黄金の帯を鉄木真に与え、角のある小羊のような白馬に彼を乗せた。二人はそれぞれ互いに、「安達！」と大きく呼び合った。部落民を集めた酒宴は二人の叫びを合図にして開かれた。酒宴は夜まで続いた。楽器は鳴らされ、人々は唄《うた》い、夫や父や兄弟をみな殺しにされたメルキトの若い女たちは征服者たちの前で踊った。

この酒宴の席で鉄木真はジャムカと並んで席を取っていたが、いま自分とジャムカの間に為された誓いが、さして価値のあるものとは思っていなかった。ジャムカは利用できる間はそれを利用し、都合悪くなった時はそれを敝履《へいり》のように捨てるであろうと思った。いつも笑いを面《おもて》から消さないジャムカの温顔は、昼間は判《わか》らなかったが、月光にその半分を照らされてみると、鉄木真には全く違ったものに見えた。鉄木真でさえぞっとする程、冷酷なものが浮かび出ていた。

併《しか》し、鉄木真にとっては、ジャムカの安達となり、その聚落に隣したことは、何かと都合のいいことが多かった。羊毛も捌《さば》き易《やす》かったし、馬や羊も殖やそうと思えば幾らでも殖やすことができた。それから予想しなかったことで有難《ありがた》いことは、曾《かっ》てのボルジギン氏族の部衆たちが、タイチュウトから離れて次第に多く集まって来ることであった。毎日のように、幾つかの幕舎が殖え、多い時は一度に十幾つの幕舎が移動して来ることもあった。こうした現象は、本来なら当然タイチュウト氏族の恨みを買うことであったが、併し、この場合安達としてジャムカの存在は大きく物を言っていた。タイチュウトの首領タルクタイも、背後にジャムカが控えている以上手出しをすることはできなかった。

ジャムカの帳幕の中でも、それとなく鉄木真に心を寄せる者が多くなった。ジャムカと鉄木真の二つの隣する聚落の運営の方法は全く異っていた。ジャムカは利益を公平に分配していたが、鉄木真はそれを幾つかの等級に分けて分配していた。各自が出した労力に比例して利益を分配し、従って沢山働く者は沢山分前にありついた。ジャムカの聚落に於ては、怠け者は得をしたが、優秀な若者たちは損をしていた。そうしたことが原因となって、ジャムカの部衆の中には若《も》しそうしたことが出来得るなら、鉄木真の聚落に移りたいという考えを持つ者が次第に多くなりつつあった。

こうしたことをジャムカが知らない筈はなかった。二人が安達となってから一年半経《た》った時、鉄木真は突然ジャムカから狩猟の招きを受けた。狩猟の時期ではないことも気にすれば気になることであったし、数日前からジャムカの帳幕の動きに何かただならぬもののあるのを、鉄木真は感じていた。

鉄木真はすぐカサル、ベルグタイ、ボオルチュ、ジェルメの四人に計った。四人共考えは同じで、狩猟の招きに応じるべきでないことには意見は一致したが、それから先きのこととなると考えは区々であった。ジャムカの出方を待つとか、相手が誤解しているなら、その誤解を解くべきだとか、いろいろ考えが述べられた。

鉄木真はホエルンとボルテを招いて、二人の女性の意見を訊《き》いてみた。鉄木真の説明を聞き終ると、母ホエルンさえ口を開かないうちに、いきなりボルテは言った。ボルテの言葉の調子は強かった。

「この聚落を今夜のうちに移動すべきである。明日の朝になっては総《すべ》ては遅いであろう」

鉄木真は黙っていた。他の者も黙っていた。折角万事うまく行きつつある聚落を畳み、粒々辛苦して経営した広大な牧地を捨てることは容易なことではなかった。するとボルテは鉄木真の顔を正面から見据《みす》え、

「私はいま妊《みごも》っている」

と言った。鉄木真はボルテが妊っているのを知ったのはこの時が初めてであった。

「私はいま妊っている。貴方《あなた》は私たちの二人目の子供に、またジュチという名をつける気か」

ボルテは言った。このボルテの言葉で鉄木真の心は決まった。

カサルも、ベルグタイも、ボオルチュも、ジェルメも鉄木真の幕舎を飛び出した。間もなく百近い幕舎を持つ聚落は、上を下への大騒動となった。幕舎をたたみ終えた順に、小さい集団は次々にゴルゴナク河原を離れて、川に並行して北へ向かった。幕舎と幕舎との間には羊群が連なったり、馬群が挟《はさ》まったりした。ひどく入り乱れた隊列ではあったが、それでも一団は、聚落地を軸として引き出される一本の糸のように細く長く伸びて行った。そして糸巻の糸がすっかりなくなった時、それを護衛する百余名の武装した男たちが、馬に跨《また》がって隊列のあとに続いた。

移動は休みなく行われた。途中に聚落があると、チンベとチラウンの兄弟は、その度に馬を聚落に乗り入れて、大声で鉄木真の帳幕の移動を伝えた。希望者があれば従えという意味であった。

鉄木真はタイチュウトのベスト氏族の屯営地を過ぎる時、初めて部隊に小休止を与えた。部隊が聚落へはいった時は、タイチュウトの輩は尽く逃げて、どの幕舎も空だった。鉄木真は一つの幕舎の前に、幼児がたった一人で地面に坐《すわ》っているのを見た。

「名は何と言う」

鉄木真は声をかけた。

「ケクチュ」

幼児は答えた。何回訊き直しても、その言葉はケクチュと聞えた。

「お前一人きりか」

「おるすばん」

ケクチュは答えた。何十かの幕舎の留守番役を引受けている幼児ケクチュを鉄木真は抱き上げると、それをカサルに渡した。ホエルンに献ずるためであった。

その聚落を出ると、間もなく暁方《あけがた》の白い光が漂い始めた。夜が明けてみると、ジャライル氏族の三人の若い兄弟が隊列の最後に加わっていた。部隊は初めて高原の斜面で大休止を取った。それから一刻程の間に、この地方に散在している小聚落の部衆が次々に鉄木真の帳幕に加わるためにやって来た。幕舎を馬に曳《ひ》かせて来る者もあれば、数人連れ立って馬を駈《か》けさせて来る者もあった。女子供も老人の一隊もあった。殆《ほとん》ど大部分がタイチュウト氏族に属していた昔エスガイの身内だった者たちである。

部隊はまた移動してその日の夕方小さな湖の畔《ほと》りで露営した。ここで三百人程の部衆が新たに加わった。ボオルチュが調べたところによると、この地方のあらゆる氏族の者を含んでいた。ジャライル氏族を初めとして、タルグト、モングト・キアン、バラルス、モンクト、アルラト、ベスト、ソルドス、コンゴタン、ネグテイ、オルグヌト、イキレス、ナヤキン、オロナル、バカリン各氏族の者が顔を揃《そろ》えていた。

鉄木真は急にふくれ上がった部隊を率いて、翌日キムルカ小河を目指して進んだ。この日も、移動しながら部隊は次第に大きくなって行った。ボオルチュの弟のウゲレン・チェルビもアルラト氏族から離れてやって来たし、ジェルメの弟チャグルハンとスブタイの二人もウリャンカン氏族から離れてやって来た。

午後、部隊はキムルカ小河の畔りに出て、小丘陵が波のように起伏している地帯の一劃《いっかく》を駐営地として、一先《ひとま》ずここに落着くことにした。ジャムカの追撃隊の攻撃を支えるのに都合のいい場所でもあり、放牧にもさほど悪い場所ではなかった。

部隊が移動を打切った頃《ころ》から夕刻へとかけて、ジャムカから離れてやって来る者たちの姿が、点々と丘陵の背に姿を現わしたり、丘陵の谷間に姿を没したりして、次第に駐営地に近付いて来るのが見えた。

そうしたジャムカから叛《そむ》き去って来た者の一人にバカリン氏族のゴルチという六十年配の見るからに窶《みすぼら》しい風采《ふうさい》の上がらぬ老人があった。彼は自分と一緒に二十程の幕舎の者を語らって連れて来ていた。

ゴルチは鉄木真のもとにやって来ると、

「わしはこれまでジャムカから離れたことはなかった。ジャムカから離れる理由は何もなかった。ジャムカはわしだけはいつも大切にしてくれた。ところが神から鉄木真は全蒙古《もうこ》高原の王となる人だ、その許《もと》へ行けというお告げがあった。わしはいまやって来た」

と、いま自分がやって来たことを、いかにも報告でもするような言い方で言った。働きのない余り歓迎すべき人物ではなさそうであったが、鉄木真は、併し、そのゴルチの言葉をある感慨を持って聞いた。自分を蒙古高原の主権者となる人物と信じてやって来たただ一人の人物であった。他の新しい部衆たちは、みな自分の生活をよくし、自分たちが少しでも幸福になるために鉄木真の許に集まって来た者たちであった。ゴルチは違っていた。神のお告げでやって来たのである。

鉄木真は赤い夕陽《ゆうひ》に照らされて自分の前に立っているゴルチの皺《しわ》だらけの顔を穴のあく程見守っていたが、やがて、

「実際に蒙古高原の王となるようなそんな日が来たら、その時は俺《おれ》は汝《なんじ》を万戸の長にしてやるだろう」

と言った。鉄木真は、ジャムカの虎口《ここう》を逃れ、急にふくれ上がった部隊を新しい駐営地に落着けようとするこの日の夕日の赤さを、自分は一生決して忘れないだろうと思った。そしてその赤い夕陽を浴びて神の託宣を告げたゴルチの顔をもまた、自分は決して忘れないだろうと思った。

するとゴルチは不服そうに言った。

「万戸の長にして貰《もら》っても、それだけでは何の楽しみがあろう。万戸の長にした上で、国の美しい人妻や美しい娘たちの中から、自由に自分の気に入った女を選ばせて貰いたい。三十人でいい。わしは三十人の美しい女どもを持ちたい」

「よかろう」

鉄木真は、好色の、神の託宣者に答えた。

翌日から数日間鉄木真は忙しい日を送った。聚落の民が三千名を越していたので、

万事が今までのように簡単には行かなかった。鉄木真はボオルチュとジェルメの二人を聚落の長として、すべての者を支配し命令することのできる権限を与えた。ボオルチュとジェルメは、すべてのことをうまくやってのけた。ボオルチュが表面に立って、手際《てぎわ》よくあらゆる事を捌《さば》いて行くと、ジェルメはそのあとについて行って、その形の歪《ゆが》みを直し、足りないところを補った。

ここに一カ月程駐営している間に、鉄木真は幾つかの聚落を自分の傘下《さんか》に収めた。ケニゲス族の一屯営も来たし、ジャダラン氏族、サカイト氏族、ジョルキン氏族の屯営もやって来た。鉄木真はまた自分の近親の有力者たちをそれぞれの屯営と共に集めることができた。鉄木真にとっては叔父にあたるダリタイ・オッチギン、従兄《いとこ》のクチャル、ふた従兄のサチャ・ベキ、タイチュ、それからまたクトラ汗《カン》の子であるアルタン、アルタンの従弟のエケ・チェレン。

鉄木真はジャムカの追撃軍が来ないことを知ると、駐営地をキムルカ小河の畔りから、グレルグ山中を流れているセングル小河畔の海盤車《ひとで》型の湖の北岸に移した。ここはいかなる大聚落でも営むことができる地であって、まだ羊群を一度も入れない牧草地が見渡す限りの広さで続いていた。

ここを新しい駐営地とすると共に、鉄木真は、同族の者たちに推されて、センゴル部族の長（汗《カン》）たることを宣した。西紀一一八九年、鉄木真は二十七歳であった。これまでモンゴル部族の汗の地位についていたのはタイチュウトのタルクタイであったが、いまやタルクタイは己《おの》が傘下の部衆の多くを失って、自然に汗の地位を放棄せざるを得なくなったのである。このタイチュウト族といまや敵になったジャムカのジャダラン族、その他幾つかの氏族が汗としての鉄木真を認めない立場にあったが、こうしたことは過去のいつの時代でも同様であった。

初代のカブル汗の時も、アムバカイ汗、クトラ汗の時もそして鉄木真の父エスガイの時も、モンゴル部族は決して一つにまとまったことはなかった。従って、鉄木真はモンゴルの汗の地位についても、まだ同じ部族の中で闘わなければならぬ帳幕を幾つも持っているわけであった。しかし、ともあれ鉄木真にとって、汗の地位に就いたことは大きい飛躍であった。それと同時に、それはまた今後タイチュウト氏族のタルクタイ、ジャダラン氏族のジャムカとの烈《はげ》しい抗争の日々を約束するものであった。

鉄木真が汗に就いた日、ゴルチはやって来て、

「わしが告げた神の託宣は嘘《うそ》ではなかったろう。汝はいまモンゴルの汗に就いた。これからモンゴル部族を統一し、蒙古高原の多くの他部族をも斬《き》り従え、蒙古高原の王者として君臨する日は必ずやって来るだろう。その時は俺との約束を反古《ほご》にするな」

と言った。鉄木真はその時に与える褒賞《ほうしょう》の何分の一かをいま前払いしておくような気持で、

「神の託宣者よ。汝はこれから家事と放牧と戦闘の仕事から離れ、ホエルンを援《たす》けて彼女の小さい息子たち、クチュとケクチュの養育の相談相手になってやれ」

と言った。鉄木真は、ゴルチに二人の拾い子の養育係という仕事の名目だけを与えて、老いた託宣者を一切の仕事から解放してやったのであった。これは汗としての鉄木真の最初の権限を行使した発令であった。

鉄木真は汗となると、己れの聚落《しゅうらく》を歴代の汗たちが為《な》したのとは全く異る統制あるものに組立てなければならなかった。平時は放牧に従事する遊牧の民であったが、一朝事ある時は、それは即座に強力な幾つかの兵団に早変りできるものであらねばならなかった。

鉄木真は、箭筒士《せんとうし》、帯刀士《たいとうし》を組織し、伝令を作り、軍馬の官、車輌《しゃりょう》の官、食糧の官、馬を飼育する官、羊を養牧する官等にそれぞれ適当な人物を任命した。そして自分に次ぐ帳幕の最上の位にボオルチュとジェルメの二人の最初の家臣を置いた。そしてボオルチュ、ジェルメのそれぞれの弟たちも重要な地位に就かせた。

今や鉄木真の帳幕は、父エスガイの時代より大きなものになっていた。タイチュウ

トをやっつけ、タタルをやっつけ得る実力を漸《ようや》く鉄木真も持つことができたのである。カサル、ベルグタイ、カチグン、テムゲの弟たちも、今はそれぞれ妻を得て独立した幕舎を持っていた。妹テムルンもまた若者と結婚して、これまた一個の幕舎を構えていた。これらの弟妹たちは鉄木真の弟妹として特殊な権限を持っていた。ホエルンはクチュ、ケクチュの二人の拾い子の養育に、五十近い女の情熱を傾けていた。ゴルチは彼女の相談役に当てられたわけだったが、彼の役はホエルンによって少し異ったものに改められていた。

「わたしはこんどはもっと異った血を持った部族の子供を欲しい。何年かかってもいいから、他部族の利口な棄《す》て子を拾うことを心掛けておくれ」

ホエルンはゴルチに言った。ゴルチはクチュとケクチュの養育に自分の意見が用いられぬことに不服であったが、ホエルンから与えられた奇妙な仕事には少なからぬ関心を持った。ゴルチは毎日のように男という男の出払ったがらんとした帳幕に一人残って、雲の流れを見つめながら、新しいみなし子を拾う機会のある、他部族との戦闘が開かれることを願っていた。

鉄木真はボルテと長子ジュチと、鉄木真が汗となってから生まれた次子のチャプタイと四人で、数人の召使の者にかしずかれて暮していた。鉄木真はジュチとチャプタイに少しの差別もしなかった。父エスガイが決して自分を差別しなかったように、自分もまた自分をそうすることに於《お》て固くいましめていた。併《しか》し、それでもなお、鉄木真は時々、ジュチを冷たく見つめている自分に気付くことがあった。ジュチに対して向ける眼の光はチャプタイに対する時とはどこか違っていることが自分でも判《わか》った。

そのことは、妻のボルテも気付いていた。ボルテはそんな時、幼いジュチに向かって、ジュチに対して言うように、併しその実、鉄木真に聞かせるべく言葉を発した。

「ジュチよ、お前は大きくなったら、戦闘の一番烈しい部署だけを受持たなければならない。だれもができないことをやらなければならない。祖父エスガイも、父鉄木真もできなかったことを為し遂げなければならない。そうするために汝は生まれて来たのだ。モンゴルの神なる天が、モンゴルのために汝をこの部族に与え給《たも》うたのだ」

そうしたことを言う時、ボルテの顔面からは血が引き、彼女の美貌《びぼう》の特徴をなしている大きい双の眼だけがきらきらと輝いていた。ボルテの言うことは、鉄木真がメルキトの聚落で、父としてジュチに最初語った言葉と全く同じ意味を持っていた。――

狼《おおかみ》になれ！　俺も狼になる。

鉄木真はいつもボルテの眼から無言の非難を受けて、その場を離れた。狼になれ！　俺も狼になる。鉄木真は何回も口の中で繰返した。鉄木真はジュチの問題はさて措《お》いて、まだ自分の問題が片付いていないことを知らないわけには行かなかった。先ず何より自分が先きに狼にならなければならなかった。狼には無限の欲望がある筈《はず》であった。タイチュウトをやっつけ、そしてそれらのことが総て片付いたら、更にその先きにやらなければならぬことが幾らでも控えている筈であった。

チャプタイが生まれるまでは、鉄木真はボルテとジュチと三人で同じ床に眠ったが、チャプタイができると、ボルテはチャプタイと一つの寝台に横たわり、鉄木真はジュチと一つの寝台に寝るようになった。鉄木真とジュチの一組の父子《おやこ》は、それこそ一組の狼の父と子ででもあるように、一言も言葉を交わすことなく、顔を向け合って眠った。ジュチもまた幼い頃の鉄木真がそうであったように、ひどく無口であった。

鉄木真は汗になった時、ベルグタイをケレイト部のトオリル・カンの許に派して、自分がモンゴルの汗になったことを告げた。するとトオリル・カンは、

「わが安達《アンダ》、わが勇敢なる息子、汝鉄木真が汗となったことは、モンゴル部のために大いに歓迎すべきことである。モンゴルには優れた汗がなくてはならなかったのだ。この上は我がケレイト部との盟約を破ってはならぬ。盟約は終生解いてはならぬ。盟約を解くということは、父と息子とのどちらかの死を意味するものだ」

それから、この言葉を鉄木真に伝えよとベルグタイに言った。

鉄木真はまた同じようにジャムカにも使者を派した。使者の役を引き受けたのはカサルであった。ジャムカの方は、自分の帳幕から離れたアルタンとクチャルの名を出して、

「アルタンとクチャルよ。汝等二人は春の光のように睦《むつ》み合っていた余の安達鉄木真の間に水をさして、どうして二人を離れさせたのか。汝等は鉄木真の腰を斬り肋骨《ろっこつ》を刺した。獣の心を持つ二人の裏切者よ。併し、いまは余はその罪を問うことをやめよう。かくなる上は汝らがわが安達鉄木真のよき心、よき友となるのを神かけて祈るばかりだ」

と言った。ジャムカらしいいろいろな企《たく》らみを内にこめた言葉であった。

鉄木真がモンゴル部の汗となってからまたたく間に四年の歳月が流れた。この四年の間に鉄木真は己が聚落の独裁者としての地位を完全に確立していた。放牧の仕事の余暇に、鉄木真は聚落の男という男すべてに戦闘の訓練を施していた。蒙古高原の情勢は四年の間に多少の変化があった。高原のすべての部族、聚落は、トオリル・カン、ジャムカ、鉄木真、それにタタル部の四つの陣営に吸収されていた。

突如ジャムカが十三部三万*の兵を率いて、アラグト山、トルガリト山を越えて鉄木

真の帳幕を襲うために進軍しつつあるという報が鉄木真のところへはいったのは、秋の初めのある朝のことであった。伝令はイキレス氏族のムルケ・トタクとボロルタイという二人の若者であった。

鉄木真は直ちにすべての屯営《とんえい》に出動命令を下し、その日の夕方、自らは一万余の手勢を率いてダラン・バルジュトの広野に向かうべく帳幕を出た。部隊は一刻毎《ごと》に数を増し、二日目の夕方会戦地と目される広野に到着した時は、三万の軍勢が、相前後して広野に陣を張っていた。三万と三万の対戦であった。

戦闘はその翌日の早朝から行われた。戦端が開かれた時、鉄木真はこの戦闘は敗けると思った。向うからしかけられた合戦ではあり、当然のこととして各部隊は守勢に布陣されてあった。

鉄木真はこれからの無数の戦闘に於てもそうであったが、攻撃に廻《まわ》ると強く、守勢に立つと弱かった。ボオルチュもジェルメもカサルもベルグタイも、すべて鉄木真麾《き》下《か》の武将たちは、攻撃に於ては殆《ほとん》ど信じられぬような恐るべき力を発揮したが、待機して敵軍を迎え撃つとなると、その能力は百分の一に落ちた。

鉄木真が初めて臨んだこの大会戦は、その意味で鉄木真にとっては不幸なものであった。鉄木真は戦闘開始寸前に已が陣営全体に生色のないのを感じた。三万の狼軍《ろうぐん》は、攻撃となればいかなる山でも、いかなる谷でも駈《か》け上り駈け降りたが、戦端の開かれるのを待って布陣している様は、狼群の一匹一匹が鎖にでも繋《つな》がれているような場違いの表情を持っていた。これは鉄木真自身に於ても同じであった。

戦闘は無気力のうちに引き起され、忽《たちま》ちにしてあらゆる陣地はジャムカの軍勢の馬蹄《ていば》の蹂躪《じゅうりん》するところとなった。鉄木真は開戦一刻程にして、すぐ全軍に総退却の命令を下した。退却を報《し》らせる伝令は広野を八方に飛んだ。

鉄木真は自分が直接に率いている一万の軍を率いてオノン河沿いに、地形の悪い峡間《きょうかん》を走った。敗走するとなると、どの部隊も生色を取り戻《もど》したように機敏に行動した。鉄木真にとっては、この敗戦は妙に実感がなかった。これはボオルチュ、ジェルメ、カサル、ベルグタイ等に於ても同様であったようである。

鉄木真は己が帳幕に帰ってから、ジャムカがチノスという聚落で、そこの一族を七十の鍋《なべ》で煮て、その首領株の首を斬り、馬の尾に結びつけて曳《ひ》きずって帰ったことを知った。

鉄木真はこの合戦で何百かの人員を失ったが、これは合戦の大きさに比すれば僅《わず》かな損失と言うべきであった。敗戦後何日も経《た》たずして、鉄木真はジャムカの聚落の者がジャムカの許《もと》を離れて、自分の帳幕へやって来るのを迎えた。幾つかの氏族がその屯営全部を挙げて鉄木真の許に移って来たのであった。彼等は口々にジャムカの残忍さを罵《ののし》った。

このジャムカの聚落から移動して来た者の中に、七人の子供たちを連れたムンリクが居た。ムンリクは曾《かつ》てエスガイが死んだ時、オンギラト部落に居た鉄木真を迎えに行き、鉄木真を母ホエルンに渡すとすぐ、タイチュウト氏族に走った人物であった。こうしたことを取り上げるとすれば、すべての帰参者は一度は鉄木真一家を見棄てて行った叛逆者《はんぎやくしや》であることに変りはなかったが、ムンリクの場合、鉄木真にしてみれば他の者への気持とは少し違っていた。味方だとばかり思って信頼していただけに、裏切られた時の打撃は大きかったのである。

鉄木真はムンリクと対《むか》い合って立った時、あらゆる感情を押し殺すことを自分に命じていた。ムンリクは鉄木真の顔を見て、自分を罵倒《ばとう》する言葉が鉄木真の口から出されることを予期したのだったが、鉄木真の口からは、裏切者に対する咎《とが》めだての言葉はついに一言も発せられなかった。

それどころか鉄木真は、ムンリクに健在を悦《よろこ》ぶ言葉を与え、彼の連れている七人の子供たちをも優しく遇した。鉄木真はムンリクのために温情を施したのではなかった。ムンリクの父であり、曾て聚落民がホエルンの幕舎のみを残して引き揚げた時最後まで哀れな母子をかばおうとして、ついにタイチュウトの首領のために生命を落したチャラカ老人のことを憶《おも》い出して、その一族のためにそのような措置を取ったのであった。

鉄木真は全くチャラカ老人の報恩のために、ムンリクとその七人の子供たちを大切にしようと心に誓った。鉄木真はカサルとベルグタイを呼ぶと、

「チャラカの子と孫たちを手厚く遇せ」

と命じた。

鉄木真に敗戦の実感がなかったように、ジャムカには勝利感がなかったようであった。ジャムカは鉄木真の軍を敗走させただけで、あとは軍を動かすことはなかった。蒙古《もうこ》高原は依然として、トオリル・カン、ジャムカ、鉄木真、それにタタル部の四つの勢力に四分されて、表面何事もなく過ぎ、その均衡はいつ破れるとも見えなかった。

鉄木真はジャムカとの対戦後三年間、専《もっぱ》ら意を帳幕の統一に用いた。モンゴル部のあらゆる氏族の者たちが集まっていたので、ごたごたした問題は跡を絶たなかった。中でも鉄木真が最も頭を悩ましたのは、彼とはふた従兄弟《いとこ》の関係にあるサチャ・ベキ、タイチュ兄弟が事毎に鉄木真に反抗的態度を取ることであった。この二人はジョルキン氏と称して独立した帳幕を営み、鉄木真を汗として戴《いただ》いてはいたが、折あらば鉄木

真に取って替ろうという野心を持っていた。

こうした反抗分子はサチャ・ベキ、タイチュに留《とど》まらなかった。従兄のクチャル、叔父のダリタイ・オッチギン、それからクトラ汗の子のアルタンなど、それぞれ機会あらば自己の勢力を張ろうとする下心を持っていた。

鉄木真は自分の帳幕に於て、謂《い》わば親戚《しんせき》筋に当るこうした連中に決して心を許していなかった。鉄木真はこうした連中に推されて汗の位に就くことができた関係で、あらゆる場合に彼等の顔を立てていたが、いつかは彼等を除かねばならぬ時が来ることを知っていた。併し、その時はずっと先きであった。それまではなるべく波風を立てないで帳幕の和を計らねばならなかった。いずれも現在は他部族との抗争に投入しなければならぬ貴重な戦力であった。いつジャムカと闘わねばならないかも知れなかったし、いつトオリル・カンとの盟約が破れるかも知れなかった。

ジャムカとの対戦後四年、鉄木真は三十五歳の正月を迎えた。永年鉄木真と辛苦を共にした若者たちは今やそれぞれ壮年期へ足を踏み入れていた。カサル、ベルグタイの二人の弟は三十三歳、カチグン、テムゲの弟たちも、それぞれ三十歳前後の男盛りであった。それからまた鉄木真が自分の右腕として総《すべ》てを任せているボオルチュは鉄木真と同年の三十五歳、左腕のジェルメは三十八歳であった。

新年の賀筵《がえん》で、鉄木真は幕舎の前に居並んだ自分の腹心の家臣たちを見廻して、初めて己が帳幕に充実したものを感じた。力は溢《あふ》れ漲《みなぎ》っていた。どの一人に眼を当てても、それは鉄木真が幼時より頭に描き続けて来た逞《たくま》しいモンゴルの男たちであった。蒼《あお》き狼《おおかみ》の血を分け持っているというより、蒼き狼そのものであった。ボオルチュも、ジェルメも、カサルも、ベルグタイも、そしてカチグンもテムゲも、それからまた背の低い兄弟である頭の大きいチンベ、斜視のチラウンまで、そこに居る一人残らずが蒼き狼であった。鉄木真は実際に彼等が今やどこかに出動せんとして屯《たむろ》している狼たちに見えた。眼は千里の遠くを見透《みとお》す鋭さと、いかなる物をも自分のものとする強い意志を現わす烈《はげ》しさを、その光の中に持っていた。攻撃のために作られた体軀《たいく》は今やみごとに仕上がっていた。艶《つや》やかな胴体は美しく引き緊《し》まり、四肢《しし》は雪原と強風の中を駈けるために必要な肉だけをつけ、尾は宙間を切る一本の刃《やいば》となるために充分ふさふさしていた。

鉄木真はまた女たちの一団を見た。五十五歳のホエルンは、メルキトの一粒種である十五歳のクチュと、タイチュウトの部落に生まれながら、この帳幕に育つという不思議な星を持ったやはり十五歳のケクチュとを、その左右に侍《はべ》らせていた。鉄木真は母ホエルンの顔がこの時ほど誇りやかに輝いているのを見たことはなかった。ホエル

ンはいつも口癖のように、

「親を持たない子供たちのために、昼は見る眼となり、夜は聴く耳となってやることのできる人が、わたしのほかに誰《だれ》があるか」

人の顔さえ見ればそう言っていたが、まさしくその通りであった。他種族の血を持った子供たちを、ホエルンは優しい心で、併し逞しく育て上げていた。

ホエルンの横には妻のボルテがいた。ボルテは傍に十歳の春を迎えたジュチを従えていたが、それは従えているというより、誰の眼にも彼女の方がジュチにかしずいているように見えた。ボルテはこの帳幕の客人を、この十年間、時に鉄木真が不気味に思う程の異常な熱情で厳しく育て上げていた。彼女はジュチの他に、チャプタイ、エゲデイ、ツルイの三人の子供たちを次々に産んでいたが、こうした公式の席上では、他の三人の子供たちは侍女に任せ、自分はいつもジュチの傍に席を取っていた。父の鉄木真からも母のボルテからも共に狼になることを念じられた少年は、果して狼になるかどうか判《わか》らなかったが、普通の子供と違っていることだけは明らかだった。彼は唖《おし》ではないかと思うほど無口であり、絶対に笑うということがなかった。彼は幕舎の外の風の音や、人や獣の通りすぎる音に敏感であり、それを驚くほどよく聞き分けた。

鉄木真には、居並ぶ男たちが狼に見えたように、ホエルンとボルテが、この時惨白《なまじろ》き牝鹿《めじか》に見えた。ホエルンとボルテ許《ばか》りでなく、二人を真ん中にして、その背後に控えている女たちも、狼たちの出陣に臨んでいる惨白き牝鹿の一群に見えた。

「今年は一合戦あるかも知れぬ」

と、老いたゴルチが言うと、

「俺《おれ》もそんな気がする」

と、自分の子供である七人の精悍《せいかん》な少年たちを従えたムンリクが言った。ゴルチは六十歳を越し、ムンリクは五十歳を越していた。この二人の年長者はこうした席ではいつも上座に坐《すわ》っていた。合戦があるとすれば相手はジャムカかトオリル・カンであった。戦端の開かれる理由は考える必要はなかった。それが誰であれ、闘おうという意志を持った時、相手はすぐにでも敵となる筈《はず》であった。一座では、戦闘があるとすれば、それはジャムカを相手としたものであろうとする見方が強かった。

鉄木真にもまた二人の老人の言うように、いまここに居る狼の群れは今年敵を倒すために出動するであろうと思われた。そうした予感があった。ただ鉄木真の場合は、その相手がはっきりと判らなかった。ジャムカが闘いをしかけて来そうにも思われなかったし、トオリル・カンが積極的に出て来ようとも考えられなかった。そうなるとあとは自分自身の心の問題であった。鉄木真には自分の心がどのような動き方をするか、明日のことは全く見当がつかなかった。

その年、鉄木真の予感が現実となって現われたのは、それから半歳を経た六月の下旬であった。金国の大軍が長城を越えてタタル部に攻め込んでいるという報《し》らせ*を、ボルテの生国であるオンギラトの商人から聞いた時、鉄木真は瞬時にしてタタル部を討つ決意を為《な》した。金もモンゴル部の仇敵《きゆうてき》であったが、タタル部もまたモンゴルの恨み重なる仇敵であった。鉄木真は父エスガイが口癖のように、〝タイチュウトの奴《やつ》をやっつけ、タタルをやっつけ〟と言っていたのを忘れてはいなかった。タイチュウトをやっつけ、タタルをやっつける、その順序は逆になるわけであったが、やっつけ得る時にはやっつけておかなければならなかった。この時を逃したら、長く高原の東北に威を揮《ふる》っているタタル部族をいつ征服できるか判らなかった。まさに千載一遇の好機と言うべきであった。

鉄木真は十年前に、トオリル・カンがメルキト部を急遽屠《きゆうきよほふ》り去った時と全く同じことをしたのであった。十年前はトオリル・カンが主役であったが、いまは鉄木真が主役であった。鉄木真は、曾《かつ》てトオリル・カンがジャムカを誘ったように、こんどは彼がトオリル・カンを誘わなければならなかった。トオリル・カンを誘うことで、タタル部攻略軍の力を倍にすると共に、こんどの行動に対する他種族の非難を封じなければばならなかった。

トウラ河畔の黒い森への使者にはベルグタイとその部下が立った。ベルグタイが戻って来るまでに、鉄木真は全軍に出動の準備を調えさせておいた。ベルグタイは戻って来ると、すでにトオリル・カンがケレイト部の全軍を率いて黒い森を発したことを告げた。鉄木真には、獲物《えもの》をめがけて襲いかかるトオリル・カンの禿《は》げ鷹《たか》のような俊敏な行動が胸のすく快さで感じられた。

鉄木真の率いる三万の軍勢は昼夜兼行で蒙古高原の原野や漠地《ばくち》を東北方に向けて進軍した。そして十日目に鉄木真はトオリル・カンの軍勢と、ケルレン、ウルサド両河の合流点近くで合した。

鉄木真は十年振りで、いまは六十歳を越しているトオリル・カンと会った。

「息子よ」

老いた武将は、昔と少しも変らぬ冷たい眼と額を鉄木真に向けて言った。

「タタルを屠ったら、男は尽《ことごと》く殺さねばならぬ。女と財宝と羊は正確に二つに分けねばならぬ。異存はないであろうな。タタルは汝《なんじ》らモンゴルの憎んでも憎みきれぬ敵だ」

「諾」

鉄木真は答えた。タタルは当然報復されねばならぬだろう。モンゴルの祖先の血は幾度も彼等のために流されているのである。クトラ汗《カン》も、その六人の兄弟も、タタル族との闘いに生命を落している。アムバカイ汗はタタル人の手で捕えられて金国へ送られたのである。そして木の驢馬《ろば》に釘付《くぎづ》けにされ、生きながらにして皮を剝《は》がれ、躰《からだ》はこま切れにされた。汝ら、十本の手の指の爪《つめ》が全部擦り切れ、更に十本の指を失うとも、必ずわがために仇《あだ》を報ぜよ。幼時に語ってくれた老人ブルテチュの声を鉄木真はいまでも思い出すことができた。

「わが安達《アンダ》よ」

トオリル・カンはまた言った。

「分捕品を分け終ってから三日目の日の出と共に、余は軍を占領地よりかえす。汝もまた同じように為せ」

「諾」

鉄木真が答えると、トオリル・カンは初めてお互いにいつ敵にならないとも判らぬ盟友に笑顔を見せた。

分捕品の分配と、引き揚げの協定までできてから攻撃は開始された。装備の優れた金国軍と交戦しているタタル部に、トオリル・カンは北西より、鉄木真は南西より襲いかかった。

　タタル部は三方より敵を受けて、七日間の死闘の果てに完全に潰《つい》え去った。鉄木真はこの戦闘に於《お》いては一兵をも生かしておかぬ方針をとった。タタル部の長メクジン・セルウトは捕えられて鉄木真の前へ引き出され、脳天を真っ二つに割られて息絶えた。捕虜の男は尽く斬《き》られた。女たちは縛されたまま一カ所に集められ、二つに分けられて、それぞれトオリル・カンと鉄木真の陣営に引き立てられた。タタル部の付近の聚《しゅう》落《らく》はめぼしい財宝を取り上げられた上で尽く焼かれた。

　トオリル・カンと鉄木真は金軍の首領から協力を謝され、トオリル・カンは王号を、鉄木真は百戸の長である官名を与えられた。鉄木真は〝招討〟という、現在の彼にとっては実質的には一文の価値もない奇妙な官名を、素直に受取った。トオリル・カンは満更でもないらしかったが、鉄木真の方は複雑な気持であった。彼にとっては、金という長城の向うの大国もまた不倶《ふぐ》戴《たい》天《てん》の仇《きゅう》敵《てき》であった。鉄木真はこの招討の官名をいつか逆に、こんどは彼の方から金国王に返したいと思った。併《しか》し、鉄木真はただそう思っただけで、それが一つの決意としての形を取ることはできなかった。現在の鉄木真にはまだ長城の向う側に思いを馳《は》せるゆとりはなかった。

　部隊の引き揚げは、トオリル・カンとの間に交わされた盟約通りに為された。鉄木真の部隊もトオリル・カンの部隊も、略奪品を山のように積んだ何百台もの車を持っていたが、鉄木真の分捕品はトオリル・カンのそれに較《くら》べると多少の違いがあった。鉄木真の方にもトオリル・カンの方と同じように銀製の乳母車や大きな宝石や貝を鏤《ちりば》めた寝台なども見られたが、併し、その大部分は戦車や武器や武具であった。タタル人の使っていたものは勿論《もちろん》のこと、金国の軍の持っていた物も、あらゆる種類に亙《わた》って集められてあった。戦場から拾ったものもあれば、わざわざ金軍から購入したものもあった。

それからもう一つ変った分捕品があった。それは自らの任務を果すために従軍したゴルチが、タタル部のある駐営地に於て手に入れた一人のみなし児であった。貂鼠《ちょうそ》の皮で裏打ちした三色の緞子《どんす》の腹掛けをしており、その腹掛けには黄色の輪が装飾としてつけられてあった。幼児は漸《ようや》く片言を話すくらいであったが、その顔にはいかにも家系のよさを思わせるような気品があった。ゴルチはそれを命じられてから何年目かにホエルンの希望に応《こた》えることができたのであった。

この少年はホエルンに献じられ、彼女に依《よ》ってシギ・クトクと命名された。タタル族の鳶《とび》のみなし児はモンゴルの鷹《たか》となるために、ホエルンの幕舎で育てられることになったのである。

鉄木真は己が帳幕に凱旋《がいせん》すると、留守中にジョルキン氏族のサチャ・ベキ、タイチュに依って、自分に直属する一聚落が襲われて、数十名が衣を剝《は》がされ、十余名の者が殺された事件の起っていることを知った。こんどのタタル部攻略戦に於ても、鉄木真はジョルキン氏族に対して動員令を降《くだ》してあったが、彼等はそれに応じない許《ばか》りか、留守中にこの暴挙を敢《あえ》てしたのであった。

鉄木真はすぐジョルキン氏族討伐の軍を起した。サチャ・ベキ、タイチュ等を一掃するにはいい機会であった。彼等の非は歴然たるものがあった。鉄木真は他の近親者たちに口を出す暇を与えず、いきなりジョルキン氏族をケルレン河畔に急襲し、サチャ・ベキ、タイチュの兄弟を捕えて、その首を刎《は》ねた。そして部族の者の幕舎を尽く自分の帳幕に移動させた。

この戦闘でゴルチはまた一人のみなし児になったボロクルという幼児を手に入れ、これを連れ帰って、ホエルンに献じた。

「ジョルキンの輩は、その豪胆さにかけてはモンゴル第一であった。ボロクルも亦《また》そのような若者になるだろう」

ゴルチは言った。そして、

「鉄木真が蒙古《もうこ》高原の王者となるまでに、この幕舎にはまだまだ沢山のみなし児共がひしめき合うだろう」

ゴルチは征服した他種族のみなし児を集める仕事に身を入れ始めていた。ホエルンはそんなゴルチの言葉には少しも怯《ひる》まなかった。彼女は彼女で、それらのみなし児共を、モンゴルの若者として育てることに驚くべき熱情を持っていた。クチュ、ケクチュ、シギ・クトク、ボロクルの四人は同じ幕舎の中で、四人の兄弟として育てられて行った。


タタル部が蒙古高原から消えて失《な》くなると、モンゴルの鉄木真、ケレイト*のトオリル・カン、ジャダランのジャムカの三つの勢力が高原の二十万の遊牧民を三つに分けている形になった。鉄木真、トオリル・カンの同盟軍が、ジャムカと闘ったのは鉄木真の三十九歳の時であった。タタル部が征服されてから四年経《た》っていた。

このジャムカとの決戦は鉄木真にとっても、トオリル・カンにとっても、決死的なものであった。ジャムカはカタギン、サルジュウト、イキレス、ゴルラス、ナイマン、タイチュウト、オイラトの諸族をその傘下《さんか》に集めており、タタル、メルキトの亡滅部族の流れを汲《く》む聚落をも全部収めていた。そしてまたボルテの生国であるオンギラトも亦《また》地理的関係からジャムカに属していた。*

合戦はジャムカの方から仕掛けられて来た。ジャムカ進攻の報が伝わると、それが真実かどうか判明しないうちに、トオリル・カンは全軍を率いて自ら鉄木真の帳幕へとやって来た。

鉄木真は老武将を幕舎に迎えて、ジャムカの大軍を迎え撃つ作戦を練った。

「安達《アンダ》よ。われわれは後々まで悶着《もんちゃく》が起らないように、最も強力な部隊を同兵力ずつ前線に繰り出すことにすべきであろう」

トオリル・カンは提議した。

「諾」

鉄木真は答えた。そして鉄木真はアルタン、クチャル、ダリタイ・オッチギンの三人の部隊を先鋒《せんぽう》として派遣することにした。トオリル・カンはセンゲン、ジャカ・カンボ、ビルゲ・ベキの三武将の部隊を選んだ。

最初はこうした多少計算された作戦であったが、戦端が開かれると、トオリル・カンも鉄木真も、それぞれ自己の犠牲は考えず、次々に強力な兵団を適当な時に前線に送り出さないわけには行かなかった。鉄木真は自分の許《もと》にジェルメの部隊だけを残して、ボオルチュの部隊も、カサルの部隊も、ベルグタイの部隊も、次々に戦火の中に投入した。トオリル・カンも亦同じであった。

戦線は驚くべき広い地域に亙って展開した。セレンガ河、オルコン河、オノン河、ケルレン河等の各河川の上流でも下流でも戦火は交えられていた。斥候《せっこう》は朝から晩まで、殆《ほと》んどひっきりなしに各方面の戦況を伝えて来た。勝利の報もあれば、敗戦の報もあった。戦闘を開始してから五日目に、情勢は両主力の決戦を必要とした。ジャムカは主力を率いてケルレン河の下流に移動し始めていた。

このことを知った時、鉄木真はトオリル・カンに向い、

「老いたる父よ。＊貴方《あなた》はここに留まれ。俺《おれ》が行こう」

と言った。鉄木真はトオリル・カンに任せておけない気持であった。いかに漠北《ばくほく》の覇者《はしゃ》として長い過去を持っているにせよ、トオリル・カンは既に六十の半ばを越していた。併し、トオリル・カンに任せられないと言ったところで、鉄木真自身、必ずしもジャムカとの決戦に勝算を持っているわけではなかった。勝敗は全く闘ってみなければ判らぬことであった。勝っても敗けても、孰《いず》れにせよ今度の決戦には相当の出血を覚悟しなければならないと思われた。それでもなお且《かつ》、鉄木真は自分が出て行かなければ安心できぬものを感じていた。

鉄木真の発言に対し、トオリル・カンは、

「雛《ひな》よ。汝は何を好きこのんで全滅されるを承知で出動するのか。ジャムカはお主の

敵ではない。――わしが行く」

と言った。鉄木真がなおも自分の考えを主張しようとすると、トオリル・カンは細《ほそ》面《おもて》の蒼《あお》い顔を真赧《まっか》にさせて呶鳴《どな》った。

「この決戦は敗けてはならぬのだ。お前などに任せておけるか。お前は左翼へ廻《まわ》れ。左翼側のタイチュウトをやっつけろ」

鉄木真は勝敗の鍵《かぎ》を握る最も苦しい戦線を、トオリル・カンに譲るよりほかはなかった。

トオリル・カンは主力一万を率いてケルレン河の下流をめざし、鉄木真も亦一万の将として、ジャムカを援護しようとしているタイチュウトを討つべく、その根拠地であるオノン河中流をめざして進軍した。

鉄木真は永年の仇敵タイチュウトとここに初めて大々的な戦闘を交えたのであった。鉄木真は軍を幾つかに分けてタイチュウトの拠点を包囲し、それを徐々に縮めて行った。戦闘は夜となく昼となく行われた。

この戦闘に於て、鉄木真は日没時に敵の矢に当って頸脈《けいみゃく》を負傷した。傷からは血が噴き出していたが、戦闘はつづいており、しかも夜の帳《とばり》がたち込めていたので、手当をすることができなかった。夜になって戦闘が休止してから、ジェルメは鉄木真の傷口に唇《くちびる》をあてて血を吸った。吸っては吐き、吸っては吐き、鉄木真の体内に毒の一滴も残すまいと、あらん限りの力をこめて血を吸い上げた。ために、朝になってみると辺りの土は、一面の赤黒い血で染まっていた。

翌日包囲されているタイチュウトの聚落から二人の者が鉄木真の陣営に移って来た。チンベ、チラウンの父であるソルカン・シラと、真黒い顔をした二十五、六歳の若者であった。鉄木真はソルカン・シラには曾《かつ》て救《たす》けられた恩義があったので、これを保護することにし、若者の方を訊問《じんもん》した。

「何兵だ」

「弓箭兵《きゆうせんへい》だ」

「何故《なにゆえ》、投降して来たか」

「矢が無くなったからだ」

「余の黄色の戦馬の顎骨《がくこつ》を折り、余の頸脈を傷つけた強い射手は何人であるか知らぬか」

すると若者は暫《しばら》く考えるようにしていたが、

「それはおそらく俺だ。嶺《みね》の上から射た俺の矢に相違ない」

と答えた。

「そうと知っては生かしておくわけには行かぬ」

「仕方がない、いつでも殺せ」

若者は言った。併し、鉄木真はこの若者を殺す気はなかった。自分の保身を考えず、ありのままに答える若い雑兵の眼の輝きは美しく鉄木真の眼に映った。若者は鉄木真の視線を受けとめたまま、それをそらさず、

「早く首を落せ」

と呶鳴った。

「死を急ぐな。余の傍《そば》に仕えよ。余が命じたならば、青い石も砕き、黒い石も砕け」

鉄木真が言うと、若者は黙って鉄木真の顔を見守っていた。

「ジェベ（矢）という名を汝に与える」

鉄木真は言った。若者はなお沈黙したまま表情を変えなかった。そこにいた誰《だれ》にもジェベという名は彼にはふさわしく思われた。強力な射手でもあったし、頭の恰好《かっこう》が何となく矢尻《やじり》のように尖《とが》っていた。トオリル・カンの許《もと》から、ジャムカの主力を粉砕し、いま敗走中のジャムカを追撃しているという伝令が鉄木真の許に届いたのは、その晩のことであった。

鉄木真はタイチュウトを徹底的に掃蕩《そうとう》した。首領タルクタイを捕えることができなかったことだけが心残りであったが、タイチュウトという名が再び蒙古高原に於て誰の口からも出ることのないように一族の者を殲滅《せんめつ》し尽した。タイチュウトの者たちは鉄木真にとっては謂《い》わば同族であり、同じ祖先を持っている間柄《あいだがら》であったが、鉄木真はその掃蕩に於て、何の容赦もしなかった。捕虜の中には幼時同じ幕舎で顔を知り合ったボルジギン氏族の者たちも多く、中には近親者も少なからず混じっていたが、鉄木真はそれらの者に全く不倶《ふぐ》戴天《たいてん》の仇敵《きゅうてき》として対した。いかなる哀訴も弁明も受けつけなかった。

「タイチュウトの男たちはその子孫の子孫に到《いた》るまで息の根をとめ、吹き飛ぶ灰の如《ごと》くにせよ」

この鉄木真の命令によって、タイチュウトの聚落にあった男たちは悉《ことごと》く首を刎ねられた。そして女子供は一カ所に集められた上で、来る日も来る日も処刑場の後片付けをさせられた。

鉄木真がタイチュウトの陣営にあった者で、その生命を助け自分の陣営に属することを許したのは、チンベ、チラウンの父であるソルカン・シラと、鉄木真がジェベという名を与えた若者の二人だけであった。

鉄木真がタイチュウトを掃蕩し終った頃《ころ》から、毎日のように各戦線から部隊が引き揚げて来た。ボオルチュも、ベルグタイも、カサルも帰って来た。そしてまたトオリル・カン麾下《きか》の幾つかの部隊も帰って来た。いずれも各戦線で輝かしい武勲を樹《た》てていた。そして一番最後に、ジャムカの本軍を敗走せしめたトオリル・カンの本隊が戻《もど》って来た。

まだ辺りに血腥《ちなまぐさ》い臭《にお》いの残っている新戦場の一劃《いっかく》は、やがて鉄木真とトオリル・カンの二つの兵団の兵たちで埋まった。丘陵の上に登ってみると、高く青い空の下で、夥《おびただ》しい数の部隊が見渡す限りの平原を埋めている様は、一枚の豪華な分厚い絨毯《じゅうたん》でも繰り展《ひろ》げてあるように見えた。

トオリル・カンが凱旋《がいせん》して来てから三日目にトオリル・カンと鉄木真は、二人の会見のために設けられた丘の裾《すそ》の幕舎へと赴いた。二人はそれぞれ、ものものしい護衛の兵を引具して行ったが、会見場の幕舎の中には、二人だけではいった。

「厄介《やっかい》なことじゃ。二人が協力してジャムカを倒し、互いに戦捷《せんしょう》を報告しあおうというのに、どういうわけでこのような会い方をしなければならぬのか」

トオリル・カンは苦笑して言った。鉄木真もまた苦笑した。トオリル・カンの言う通りであった。併《しか》し、お互いにそうしなければならぬものを感じてそうしたのであった。

今や、鉄木真とトオリル・カンは、蒙古高原を二分する二人の支配者であった。曾てジャムカを加えて三分していたものを、これからは二分すればよかった。ジャムカは逃亡したが、彼の率いた大部分の部衆たちはトオリル・カンの手に依《よ》って武装を解除されたまま、それぞれの聚落に於《おい》て裁きを待っている筈《はず》であった。

こんどの合戦の前に、二人が取り交わした盟約によれば、ジャムカに属した諸部族のあらゆるものは、つまり、男も、女も、羊も、馬も、財宝も、武器も、総《すべ》て二分さるべきであった。併し、メルキトやタタルを亡《ほろ》ぼした場合と異って、こんどは分けなければならぬ獲物は余りにも多かった。主な部族だけ拾ってもサルジュウト、イキレス、ゴルラス、タイチュウト、オイラト、オンギラト、ナイマンがあり、小さい氏族や聚落は、広大な蒙古高原の到るところに散らばっていた。これらを公平に二分するということは実際問題として不可能なことであった。

トオリル・カンは、

「息子よ。一つずつお互いに欲しいと思う部族を挙げて行こう。先ず汝《なんじ》より為《な》せ」

と言った。鉄木真は、

「ジャムカの本軍を破ったのは父安達《アンダ》の功績である。汝、先ず希望する部族を挙げよ」

と、トオリル・カンの方に先きに選ぶ権利を譲った。するとトオリル・カンは、

「オンギラト」

と、いきなり言った。オンギラトは高原に於ける最も富裕な部族であった。鉄木真にしても、どの部族より、この妻ボルテの出生の部族が欲しかったが、この際致し方なかった。ボルテの父デイ・セチェンは既に故人となっていた。

「タイチュウト」

鉄木真は言った。それに続いて、

「オイラト」

トオリル・カンが言うと、

「サルジュウト」

鉄木真は応じた。こうして二人の征服者は極く大雑把《おおざっぱ》な分け方で、高原に散らばっている獲物の所有権を一つ一つはっきりさせて行った。最後にナイマン部族*だけが一つ取り残された。ナイマン部族が残ったのは、これを所有したところで単に名前だけに過ぎず、実質的には何も得ることにはならなかったからである。ナイマンは蒙古高原に於ても、一番毛色の変っているトルコ系の民族で、もともとジャムカ、トオリ

ル・カン、鉄木真のどの部族にも属す必要はなかった。同じ蒙古高原と言っても、アルタイ山脈の向う側にあって、地理的には孤立していたし、経済的にも彼等自身で生活して行けるものを持っていた。それがどういうわけか、ジャムカの誘いに応じ、こんどの合戦には僅《わず》かながらも兵を出して、ジャムカを援《たす》けたのであった。

「ナイマンには遠からず共同で兵を差し向けねばならぬだろう」

トオリル・カンは言った。

「時期は？」

鉄木真は訊《き》いた。

「一年先きになるだろう。それまでお互いに為さなければならぬことがある筈だ」

トオリル・カンの言うように、お互いに為さなければならぬことは沢山あった。新たに己《おの》が傘下《さんか》にはいることになった諸部族を懐柔することだけでも容易ならぬ仕事であった。

鉄木真とトオリル・カンは、獲物の分割を終ると、あとは二人だけで形ばかりの戦捷を祝う盃《さかずき》を取り交わした。本来なら多勢の武将たちを交えて大酒宴を開く筈のところであったが、二人はそれをしなかった。二人の孰《いず》れの心の中にも、どちらかと言えば、それを避けた方が無難だという気持が働いていた。

鉄木真は、一年先きにトオリル・カンと共同でナイマンを討つのはいいが、ナイマンを討ったあとは、好むと好まないに拘《かかわ》らず、こんどはお互いが闘わなければならぬことを知っていた。蒙古高原の支配者は一人でなければならなかった。トオリル・カン、鉄木真の二人が、並び立つことはできなかった。

二人の武将はお互いに明朝日の出の時刻を合図に、おのおの自分の帳幕を目指して軍を返すことを約して席を立った。そしてそれぞれが来た時と同じように、ものものしく武装した兵たちに護衛されて、己が駐屯地《ちゆうとんち》へ引揚げた。

翌早暁《そうぎよう》、二つの兵団は各々《おのおの》反対の方向に向かって新戦場を離れて行った。部隊が半刻程行進した時、鉄木真はふいにトオリル・カンの部隊を急襲したい欲望を烈《はげ》しく感じた。いまこの瞬間行動を起し、十万の部隊を三つに分けて、一本の鎖のように行軍しているトオリル・カンの部隊に、横合から三本のくさびを打込めば、トオリル・カンを殪《たお》すことはさして難事ではないと思った。併し、鉄木真は自分のその欲望を向うへ押し遣《や》ると同時に、トオリル・カンもまた同じ欲望を感じているのではないかということに気付くと、時を移さず全軍に戦闘隊形を取る命令を下した。万一のトオリル・カンの来襲に備えるためであった。

戦闘隊形を取ったまま、部隊はその日一日休みなしに行軍した。そして露営地に着いて初めて、鉄木真はトオリル・カンが来襲して来まいものでもないという警戒心を解くことができたのであった。

何日間かの行軍の後、凱旋部隊は己が帳幕に帰り着いた。併し、一夜をそこで明かしただけで、何分の一かの兵たちはまた帳幕を後にして進発しなければならなかった。新たに自分たちの傘下にはいる諸部族に対して、適切な措置を講じるためであった。

鉄木真はこの仕事の采配《さいはい》を二人の若い武将に任せた。一人はジェルメの弟スブタイであり、一人はムカリであった。共に鉄木真がジャムカの帳幕から引き揚げてからあとの時期、他の多勢の者と同様に鉄木真の陣営にはいって来た若者たちであった。その当時は少年であったが、現在スブタイは二十八歳。ムカリは三十一歳になっていた。

この二人はこんどの戦闘に於て、抜群の働きをして、幾つかの勝因を作っていたので、鉄木真はそれに対する褒賞《ほうしょう》として、初めてこの二人に大きな権限を有する重大な任務を与えたのであった。二人は休む暇もなく帳幕に一夜を明かすと、二千の兵を率いて、幾つかの被征服部族の聚落《しゅうらく》に進駐するために出掛けて行った。

半月程すると、タイチュウトの女子供の一団と、夥《おびただ》しい数の羊と馬が送られて来た。鉄木真はタイチュウトの女子供を奴婢《ぬひ》として、己が部衆に分け与え、馬は軍馬として、羊は共同の牧場の中へ放した。

その他の被征服部族からは軍隊へ編入される若者たちだけが送られて来た。老人、女子供、羊群、財宝といったものは一物も送られて来なかった。鉄木真は若い二人の武将のすべての措置に満足であった。曾てボオルチュとジェルメが受持った役割を、いまはスブタイとムカリがやっていた。

この二人の場合ばかりでなく、鉄木真は若い者たちをどしどし登用して、一線の部署に就けた。このために、鉄木真の帳幕に於ていまや重臣の地位にあるボオルチュ、ジェルメ、カサル、ベルグタイたちは、それぞれもっと重要で複雑な各方面の仕事に没入することができた。二十万近い部衆を統轄《とうかつ》するとなると、鉄木真も、彼の重臣たちも忙しかった。

翌一二〇二年、鉄木真は四十歳の春を迎えた。正月の賀筵《がえん》に、前に殲滅《せんめつ》的打撃を与えた筈のタタル部の残党が、鉄木真の傘下にある一部族を襲ったという報がはいって来た。鉄木真は直ちに新年の祝宴を打切ると、タタル部攻略の軍を動かすことを決定した。

タタルの残党が蠢動《しゅんどう》し始めているという報告は前年の秋から度々はいっていたが、鉄木真はトオリル・カンに気兼ねして軍を動かすことを躊躇《ためら》っていたのである。蒙古《もうこ》高原に大軍を動かす場合は、鉄木真とトオリル・カンの間ではお互いに相手の諒解《りようかい》を得ることが必要であった。別にはっきりとそうした盟約があるわけではなかったが、何となくそうしなければならぬ黙契のようなものが出来上がっていた。それに、相手がどちらの所属とも決まっていないタタル部の場合に於ては尚更《なおさら》のことであった。

併し、鉄木真はこの場合、トオリル・カンには無断で作戦を展開した。トオリル・カンに報告するために要する時日も惜しかったし、それに疾風迅雷《しっぷうじんらい》の出兵に依ってタタル部を平定し、トオリル・カンに口をさしはさむ暇を与えず、タタル部の旧地を自分のものとしてしまおうと思ったのであった。

出陣に先立って、鉄木真は二つの軍令を出した。一つは占領地に於ける一切の略奪行為を禁じたものであり、一つは撃退された場合必ず最初の突撃地点に戻《もど》って、そこで敵を迎え撃ち、無制限に敗走することを禁じたものであった。

鉄木真は一万の軍勢を率いて、冬の高原を横切って行った。全員騎馬隊で、兵も馬も烈《はげ》しい風の中を、絶えず鞭《むち》でも鳴るような音をたてて進んだ。戦闘はダラン・ネムルゲスの地からウルクイ河畔にかけて行われたが、僅《わず》か三日間で片付いた。この戦闘でめざましい働きをしたのはジェベであった。曾て鉄木真の乗馬の顎骨を折り、鉄木真自身の頸脈を傷つけた若者は、射手としても優れていたが、白兵戦になると一層強かった。馬体を両脚で緊《し》め、馬上高く躰《からだ》を浮かせて両手を自由自在に動かして槍《やり》を揮《ふる》いながら、疾風の如く突撃して行く様は人間業《わざ》とは思われなかった。突撃路を開くのはいつもジェベの働きによった。まさに彼は不死身の一本の鋼鉄の矢であった。

タタルの捕虜のうち、男たちは悉く一カ所に集められて斬《き》られることになった。鉄木真はタタルとタイチュウトに対しては、いつの場合もいささかも憐憫《れんびん》の情をかけることをしなかった。異母弟ベルグタイはこの時小さい失策を演じた。それは彼が捕虜の一人に、タタルの一人の男をも生かして置かないという評議の決定を口走ったことであった。

ためにタタルの捕虜たちは再び暴動を起し、武器を執《と》り、塞《とりで》に拠《よ》った。このため再び小戦闘が繰返され、鉄木真の部隊でも何十人かの兵の生命が失われた。鉄木真は初めて自分の異母弟であり、長く己が片腕であったベルグタイを烈しく叱責《しっせき》し、今後彼が一切の評定の席に加わることを禁じた。

それからこの作戦ではもう一つ大きい事件があった。それは鉄木真の近親者であるアルタン、クチャル、ダリタイの三人の武将たちが軍律に背《そむ》いて、財貨を略奪し、私有したことである。鉄木真はこれを知ると、直ちにジェベとクビライの二*人を遣わして彼等三人から略奪品の馬群や財貨の尽《ことごと》くを没収せしめた。

鉄木真は、空っぽになったタタルの部落に居る間に、略奪品の悉くを全兵士に分け与え、女たちも何人かに一人の割で兵士たちの自由にさせた。そして鉄木真自身は、自分の分けまえとして、タタルの頭領の娘であるイェスゲンとイェスイの二人の女を選んだ。父祖代々の宿敵であるタタル部の女たち一人残らずに、鉄木真はモンゴルの私生児を産ませようと思ったのである。そして鉄木真自身は、タタルの最も純粋な家系を持つ二人の娘に、自分の血を頒《わ》け与えた子供を産ませようと思った。鉄木真は軍旅の寝所で、一夜のうちに二人の若い姉妹を犯した。被征服者の女を自分のものにしたのは鉄木真にとってはこの時が初めてであったが、鉄木真は妻ボルテとは全く異ったみずみずしい異民族の女の躰に、単に復讐《ふくしゅう》のためとのみは言い切れぬ陶酔を味わった。

やがて鉄木真は帰還の途に就いた。女子供や羊や馬の群れは、長い隊列の最後尾に配せられた。こんどは隊列は戦線に向かう時のように、風の中に烈しい音をたてることはなかった。風には鳴らなかったが、隊列の後尾に続く女たちの慟哭《どうこく》が、夜となく昼となく聞えた。彼等は自分たちの上を見舞った非運をなかなか諦《あきら》めようとはしなかった。

鉄木真は凱旋して程なく、自分がタタルを襲ってそれを自分のものとしたように、トオリル・カンはトオリル・カンでこれまた残党の動きが漸《ようや》く活発になろうとしているメルキトへ出兵し、そこを彼のものとしたことを知った。トオリル・カンのやり方には、鉄木真がそういうことをするなら自分は自分でこういうことをやるぞといったようなところが感じられた。

二人はお互いにお互いの行動については咎《とが》め合わなかった。そして蒙古高原は、春の光が差し始める頃《ころ》、再びもとの静けさを取り戻した。トオリル・カンも鉄木真も、互いにいつかやって来るに違いない相手をやっつける日のために、自分の兵力を相手より強力にすることに忙しかった。

鉄木真は全部衆を兵として訓練することを怠らなかった。いまやモンゴルに属するあらゆる種族のものが、交替で牧場に出て働き、牧場に出ない日は烈しい戦闘の訓練を受けた。演習は専ら騎馬隊の集団訓練に終始した。カサル、ベルグタイ、ボオルチュ、ジェルメの重臣たちから、カチグン、テムゲ、スブタイ、ムカリ、クビライ、ジェベ等一線級の壮者たちも、それからまた鉄木真の息、モンゴルの客人、少年ジュチに到《いた》るまで、草原を埃《ほこり》と汗に塗《まみ》れて疾駆した。いまや彼等はみな強敵トオリル・カンを窺《うかが》う狼《おおかみ》たちであった。ある時カサルは統率者として部隊全員に訓辞した。

「進みに進んで草原の如く拡《ひろ》がれ。海の如く布陣せよ。そして、鑿《のみ》の如く闘え」

モンゴルの軍隊は、このカサルの言葉の如く訓練された。

この年の秋、鉄木真は思いがけぬ一つの情報に接した。トオリル・カンの陣営にジャムカが属したということであった。ジャムカは、鉄木真、トオリル・カンの連合軍に破れた後、遠く北方に逃れていたが、この程部衆を率いて現われ、トオリル・カンの陣営に身を投じたとのことであった。トオリル・カンはジャムカの息の根をとめる替りに、自分の戦力の一つとしてジャムカとその部下を迎え入れたのであった。

このジャムカに関する情報を得た直後、アルタン、クチャルの二人は、相謀《あいはか》って、それぞれ部衆を引き連れてモンゴルの陣営からトオリル・カンのそれへ引き移って行った。アルタン、クチャルは先きに軍律をおかして鉄木真から罰せられたことを恨みに思って、ついにこうした挙に出たのであった。併し、現在の鉄木真にとっては、アルタン、クチャルの離叛《りはん》はたいしたことではなかった。彼等自身が叛《そむ》かなくても、それはやがて鉄木真の手によって切り取らねばならぬ病根であったのである。こうしたことによって、鉄木真はいよいよトオリル・カンとの対立が表面に露《あら》わになって来たのを感じた。

翌一二〇三年の春、トオリル・カンの許《もと》より使者が派せられて来た。

「わが安達《アンダ》、わが親しき息子よ。ナイマンに軍を進める時はやって来た。わが軍はいまやアルタイを越えるためのすべての準備を整えた」

トオリル・カンの使者に対して、鉄木真はすぐ自分の方からも使者を送った。

「わが安達、わが父よ。モンゴルの部隊もまた既にナイマン攻略に備えて待機し、父安達の命令が降るのを待っている。——安達よ、大虎《おおとら》の咆哮《ほうこう》するが如く吼《ほ》えよ。アルタイを越えよと」

鉄木真は、ナイマン攻略戦はそのまま、ケレイトとモンゴルの、高原に於《お》ける覇《は》を決する戦闘に移行することを知っていた。ナイマンを滅ぼしたその瞬間から、両者は敵として対《むか》い合う筈《はず》であった。このことは鉄木真が予想しているばかりでなく、より以上にトオリル・カン自身が知っている筈であった。その意味では、トオリル・カンと鉄木真の交わしたナイマン攻略の宣言は、そのまま両者相搏《あいう》つ宣戦の布告に他ならなかった。

それから一カ月を経ずして、両軍は相呼応して、高原の西部に蟠踞《ばんきょ》するトルコ民族の根拠地へと軍を進めた。鉄木真は精鋭三万を選《え》りすぐって、自らその指揮者として出征した。

鉄木真はトオリル・カンの部隊が残雪の深い大アルタイをそう簡単には越え得ない

だろうと思っていた。トオリル・カンはトオリル・カンで、彼の方もまた鉄木真の部隊がアルタイを越え得るとは思っていなかったようである。併し、両軍は相前後してアルタイ山脈を越え、ナイマン部族の中では最も強力な軍隊を持つグチュグト氏族の帳幕へと雪崩《なだ》れ込んで行った。そして、大いに殺戮《さつりく》と略奪をほしいままにした。

グチュグト氏族を討つと、両兵団は長くそこには留まらず、この場合もまた、時を同じくして互いに軍を収めた。表面には出さなかったが、共にナイマン攻略にかこつけて、互いに相搏つ戦機の熟するのを覗《うかが》っている恰好《かっこう》であった。

ナイマン攻略から帰陣して間もなく、鉄木真は、ナイマン部隊が逆にトウラ河畔の黒き森に侵攻して来て、ためにトオリル・カンの部隊が苦戦しているという情報を得た。カサルはこの機を逸せずトオリル・カンを討つべきだと主張した。ジェルメ、ボオルチュもその意見に賛成した。併し、鉄木真は躊躇《ちゅうちょ》した。なるほどトオリル・カンを屠《ほふ》るには絶好無二の好機であるに違いなかったが、その勝利はひどく後味の悪いものになりそうであった。

鉄木真は言った。

「十六年前、非力なわれわれがメルキトからボルテを奪い返すために勝算のない戦闘をしようとした時、トオリル・カンはわれわれを援《たす》けてくれたではないか。そのお蔭《かげ》で、われわれは今日あるのだ。トオリル・カンを一度だけ救い、その恩義に報いよう。いまここで、トオリル・カンを救っても、よもや後で後悔することはないであろう。余はこんどのナイマン作戦で、トオリル・カンの部隊に特に恐るべき何ものも感じなかった」

鉄木真は実際そのように思っていた。トオリル・カンの部隊の戦闘ぶりは、モンゴルの兵に較《くら》べて決して拙劣とは言えなかったが、特に優れているわけでもなかった。指揮者たちはいずれも戦巧者であり、常に犠牲を少なくして勝利を占めているところがあったが、それだけに一兵が一兵を倒す白兵戦の場合は思いがけぬ弱点を露呈するのではないかと思われた。それに較べると、モンゴルの兵たちはいかなる小戦闘に於ても、一人一人が相手を倒すことによって勝ちを制していた。鉄木真にはケレイトの兵は単なる勇敢な兵に見えたが、モンゴルの兵は長い舌を出し、よだれを垂らし、息をはずませながら血を求めてうろついている狼に見えた。

鉄木真は武将たちを説得すると、トオリル・カンを救援するためにバイダラク河畔へと急行した。そしてトオリル・カンの子、サングンの部隊が苦戦しているのを助け、捕虜となっているその妻子を救い出してやった。

鉄木真が自分の帳幕へ軍を返すと、間もなくトオリル・カンは僅《わず》かな手勢を連れて、鉄木真の陣営にやって来た。大胆極まる行動であった。鉄木真にこんどの救援を謝し、改めて盟友の誓いをたてることを求めて来たのであった。二人はこれまで互いに、〝わが安達《アンダ》、父よ〟〝わが安達、息子よ〟と呼びあって来ていたが、正式に二人が盟友の誓いをたてたことはなかった。

それにしても、いま改めてそうしたことを要求してくるトオリル・カンの真意のほどが、鉄木真には計りかねた。現在の二人の間の盟友の誓いほど無意味で滑稽《こっけい》に思われるものはなかった。併し、鉄木真はトオリル・カンの申出に応じた。鉄木真は自分の帳幕の広場の前に酒宴の席を設け、そこへ何千人に亙《わた》る部衆を集めて、トオリル・カンとの盟友を約す儀式を執り行った。

鉄木真は老武将トオリル・カンと対《むか》い合って酒盃《しゆはい》をあげていたが、トオリル・カンは若い時と同じように冷たい額と冷たい眼を持っており、そこには老いの衰えのいかなる徴候もみられなかった。捲《ま》き上がっている髪の一本残らずが銀色に光っているのが美しくもあり、異様でもあった。

トオリル・カンは言った。

「余は娘チャウル・ベキを汝《なんじ》の嫡子《ちやくし》ジュチの妻として贈りたい。これに依《よ》って両家の絆《きずな》を一層固いものにして、両家の離間を策する牙《きば》ある大蛇《おろち》には互いに一体となって闘おう」

鉄木真はそれに応じた。その言葉をそのまま信じる気はなかったが、併しトオリル・カンの差し延べて来た手は払う必要もなかった。

トオリル・カンは黒い森へ帰ると、すぐこんどはジュチとチャウル・ベキとの婚約を祝う宴を張るからといって鉄木真を招待して来た。鉄木真は、この時トオリル・カンを敵ながら天晴《あっぱ》れだと思った。トオリル・カンは鉄木真を自分の帳幕におびき寄せるために、先ず自分が先きに無防備のままモンゴルの帳幕へやって来たのに違いなかった。そうしたやり方にはトオリル・カン一流の身の張り方があった。

鉄木真はケレイトの黒い森へ出掛けて行く気はなかった。そこへ行くことは死を意味するに違いなかった。鉄木真はトオリル・カンにいかに返答するか、そのことをカサルやボオルチュに図った。一応理由らしい理由をつけて、そこへ出掛けて行くことを断わらねばならなかった。

そうした評定の席へ、トオリル・カンの衆落《しゅうらく》のバタイ、キシリクという二人の下僕《げぼく》がやって来て、トウラ河畔の黒い森が、いま武装した兵たちで充満していることを告げた。それを聞くと、鉄木真の眼は急に生き生きとして来た。トオリル・カンと雌雄を決しようと思った。鉄木真は直ちにトオリル・カンの使者に、自分が悦《よろこ》んでその祝宴の招きに応ずるであろうことを告げた。

使者を帰すと、鉄木真は全軍に出動の命を下し、最上の武器を持たせ、最上の装備をさせた。祝宴の当日黒い森に到着するように、翌夜数万の騎馬隊は帳幕を発した。何十もの兵馬の集団は帳幕を出ると、草原の中に扇形に拡がって行った。

予定された祝宴の日の早暁《そうぎょう》、トオリル・カンと鉄木真はそれぞれ数万の兵団を率いて、黒い沙地《すなち》と呼ばれる原野に於て見《まみ》えた。両軍共に堂々たる布陣であった。

鉄木真は、ボオルチュ、ジェルメ、カサル等に計って、モンゴル部隊の中で最も勇敢なことを以《もっ》て知られているウルウト氏族とモンクト氏族を、第一陣に配することにした。鉄木真は、この両氏族が戦闘に於ていかに優秀であるかは幼い時から聞き知っていた。驚くべき記憶力を持った老人ブルテチュが、蒼《あお》い狼《おおかみ》と惨白《なまじろ》い牝鹿《めじか》の祖先から二十何代目かにこの二つの氏族の名を挙げたのを、鉄木真はいまでも憶《おぼ》えていた。

——勇者ハビチの子が子沢山のトドン。トドンは七人の子があった。長男のハチ・クルクは駿馬《しゅんめ》のように早く駈《か》けた。嫁さんはナモルン。二人の間に出来たのが有名なハイドゥ祖先じゃ。ハチ・クルクの六人の弟たちは、ずらりとその名を並べてみれば、ハチン、ハチグ、ハヂュラ、ハチグン、ハランタイ、一番末が勇者ナチン、これに二人の子があって、二人とも生命のやり取りが飯より好きな、戦いの神様、これがあの生命知らずのウルウト氏族、モンクト氏族の祖先じゃ。

生命のやり取りが飯より好きな戦いの神様の血は、いまもそのままウルウト、モンクト両氏族の民に伝わっているようであった。これまでの合戦に於ても、この両氏族の集団としての動きは他の追随を許さぬものがあった。小さい時から環刀《かんとう》や槍《やり》を使い慣れており、一人一人が勇敢な上に、陣形を転換する時や、敵方の後方へ迂回《うかい》作戦を取る時など、ウルウトの黒い旗と、モンクトの緋色《ひいろ》の旗は胸のすくような進退の妙を見せていた。

鉄木真はウルウトの長老ジュルチェデイを呼び出した。背の低い貧相な恰好をした赧《あか》ら顔の老人は、先鋒《せんぽう》の命を受けると、途端に小さい眼を光らせて、嗄《しわが》れた低い声で、

「仰《おお》せとあらば受けずばなりますまい。どれ、わしが一族の者たちで、ケレイトの衆を食い散らかしましょう」

と言った。鉄木真はまたモンクトの長クイルダルを呼び出して、同じ命令を伝えた。内気で吃り《ども》のクイルダルは恥かしそうな顔をして、

「わしらもウルウトの衆のまねをして、ケ、ケ、ケレイトの衆を、一人、一人ひっつかまえて、く、く、食い散らかすことにいたしましょう」

と言った。

戦端が開かれると同時に、夥《おびただ》しい数の緋色の旗と、黒い旗は、前線に広く散開した。騎馬隊もあれば、徒歩部隊もあった。これに対してトオリル・カンはジルギン氏族の精悍《せいかん》な騎馬隊を前に出した。黒い旗と緋色の旗は、ひどくのびやかな感じの懸声をかけては進んで行って、敵の騎馬隊を小さい塊りに分けて押し包み、あれよあれよと言う間にそれを失《な》くして行った。彼等の言葉で表現すれば、一つ一つを確実に食い散らかして行っているわけであった。

ジルギン氏族の騎馬隊のあとからは、トオリル・カン自慢のトメン・トベゲン姓の兵たちが津波のようになだれ込んで来た。ウルウトはこれを押し包もうとして蹴散《けち》らされたが、モンクトが横から廻《まわ》って押し包んだ。トメン・トベゲンの旗は激闘の果てにモンクトに食われた。

すると、敵陣からはオロン・ドンカイト氏族の旗を樹《た》てた一団が突撃して来た。モンクトはこれに破れて半数を失ったが、こんどはウルウトがまた背後に廻って、背後から食い散らかした。ドンカイトの救援に、こんどはトオリル・カン一千の侍衛が砂煙と共に驀進《ばくしん》して来た。モンクトはこれを破った。が、クイルダルはこの合戦で敵兵に刺されて田楽刺《でんがくざ》しのまま馬から落ちた。

その次に、トオリル・カンの本営一万が地軸をどよめかして進んで来た。鉄木真の主力がこれを迎えるために前線へ出た。ウルウト、モンクトの緋と黒の旗はその頃から雲霞《うんか》の如き敵味方の大軍の入り混じる中に呑《の》みこまれてしまい、どこへ行ったのか見えなくなってしまった。

それから夕刻まで、平原を埋める砂塵《さじん》の中から叫喚と喚声と軍馬の嘶《いなな》きがひっきりなしに沸き起っていた。いつもより赤いただれたような夕焼雲が空の半分を覆《おお》った時、終日展開されていた死闘は終った。

鉄木真は一千の親衛隊に護衛されて小高い丘陵の上に立っていた。新戦場は両軍の死体で埋まり、破れ傷ついた部隊の旗が波状に展《ひろ》がっているあちこちの小丘陵の上に立っていた。

ボオルチュの旗もあれば、ジェルメの旗もあった。また遠く北方にはカサルとベルグタイの旗が並んで立っていた。カチグンの旗も、テムゲの旗も、ジュチの旗も、ジェベの旗もあった。それらの旗はそれぞれ丘の上に立てられてあったが、旗の周囲に拠《よ》る部隊の人数は、どれもひどく少なくなっており、その表情は静かであった。

鉄木真はトオリル・カンを破り、敗走せしめたが、それを追撃する命令は下さなかった。一千の親衛隊が彼の周囲にあるとは言え、その多くの者は傷ついていた。顔を血で赤くしたムンリクが、平原のあちこちの部隊から派せられて来る伝令に依って情報を集めていた。ボオルチュと、鉄木真の三子エゲデイと、ホエルンが手塩にかけて育て上げた拾い子のボロクルの三人は、その行方が知れなかった。

ムンリクからそうした報告を聞く度に、鉄木真は微動だにせぬ直立の姿勢のままで、右の頰《ほお》の筋肉だけを極く僅かに動かした。頰の筋肉は絶え間なく動いた。多勢のモンゴルの勇者の死が、次から次へとムンリクの口から告げられた。

鉄木真は全軍に集合の命令を下した。部隊は続々集まって来た。半分になった部隊もあれば、三分の一になった部隊もあった。ウルウト、モンクトの両氏族はついに一人も出て来なかった。敵に呑み込まれたまま潰滅《かいめつ》し去ったかに見えた。

鉄木真は全軍にその場に宿営することを命じた。翌日朝日が新戦場を照らし始めた時、ボオルチュがただ一人で徒歩で帰って来た。身に無数の傷を負っていた。鉄木真はボオルチュの顔を正面から見入ると、涙で顔を濡《ぬ》らしながら、

「天なる神よ、照覧あれ、モンゴルの勇者ボオルチュはいま戻《もど》って来た」

そう言って、自分の手で自分の胸を打った。ボオルチュの話に依れば、彼は敗走する敵の一部隊を追う途中騎馬から落ちてしまった。そして、長い失神から覚めて、一夜を歩き詰めに歩いて帰って来たということであった。

正午頃になって、こんどは少年ボロクルが重傷を負ったエゲディイを馬に乗せて帰っ

て来た。ボロクルはエゲディを馬から降ろして人の手にゆだねると、

「敵はマウ・ウンドル山の麓《ふもと》をクラアン・ボロガトの方へ敗走して行き、その姿を消しました」

ジョルキン氏族の血を持っている不敵な少年は報告した。

鉄木真は人員を点検した。負傷者をのぞくと、二千六百人が戦闘能力を持つものとして残っていた。鉄木真はその中の半数を戦場に留め、半数を率いて敗走したトオリル・カン傘下《さんか》の聚落を収めるために移動した。途中で、戦場からは全く姿を消していたウルウト、モンクトの二部の生残り千三百が合流した。モンクトの勇者クイルダルは重傷を負っていて、鉄木真に会うと間もなく息を引取った。鉄木真はその遺骸《いがい》をカルカ河畔のオルナク山の山巓《さんてん》に近いところに埋めた。ここは四六時中風が岩壁にぶつかって鳴っており、クイルダルの墓所として最もふさわしい場所であった。

鉄木真は近くにオンギラトの一氏族が居ることを知って、チンベ、チラウン兄弟を派して投降を促しこれを収めた。鉄木真は更に進んで、トゥンゲリクの小河の東に駐営した。そこはトオリル・カンの黒い森から半日行程のところであった。

鉄木真は、トオリル・カンに使者を送った。

——わが父、安達《アンダ》よ。余は汝《なんじ》の恩を忘れなかった。そのために余は汝の息サングン

が苦戦している時救ってやったのだ。それにも拘《かかわ》らず汝は偽って余を殺そうと計った。わが父、安達よ。余はやがて幾許《いくばく》もなくして汝の黒い森を襲うであろう。そこで最後の闘いを闘おう。

鉄木真は、併し、トオリル・カンの黒い森を襲うのに幾許の時日をも藉《か》さなかった。その夜鉄木真は、全軍に黒い森へ突入することを命じた。狼《おおかみ》たちは傷ついていたが、まだ攻撃力も、攻撃の意志も失ってはいなかった。

三日三晩にわたって、決戦は続けられた。一本の木、一個の石を廻《めぐ》って、死闘が展開された。ここでも、緋の旗と、黒い旗は夜となく昼となく森の中を駈け廻《まわ》った。

三日目の深夜、ケレイトの最後の抵抗は打破られた。何百という聚落はモンゴルの狼たちの餌食《えじき》となった。男たちは殺され、女たちは縛された。トオリル・カンの死骸はそれから四日目に、黒い森の遥《はる》か北方で発見された。他部族の者に襲われて死んだのであった。それに続いて息子サングンの死体も現われた。ジャムカの行方だけが判《わか》らなかった。

鉄木真は、優れた武将トオリル・カンの死にふさわしいように、ケレイトの男子一人残らずトオリル・カンに殉ずることを命じた。ケレイトの男たちは次々に斬《き》られた。鉄木真は一人の男も居なくなった黒い森に部隊の一部を駐屯《ちゅうとん》させ、自分は女子供と財宝とを携えて凱旋《がいせん》の途に就いた。今や蒙古《もうこ》高原には鉄木真に対抗する勢力は一つもなかった。タタルをやっつけ、タイチュウトをやっつけ、ジャムカの軍を破り、長く蒙古高原に於《お》いて強盛を誇ったケレイト族を滅ぼしたのであった。併《しか》し、鉄木真には勝利者の気持は沸かなかった。長く苦しかった内輪のもめごとが漸《ようや》くいま片付いたというたそんな気持であった。

鉄木真は行軍の第二夜、夜遅くなってから傷つき痛んだ部隊の宿営している草原の傾斜地を歩いた。何百という幕舎は墓のように静かに立ち並んでいた。どの幕舎を覗《のぞ》いても武将も兵も死んだように眠っていた。ボオルチュも眠っていれば、ジェルメも、ムカリも眠っていた。将兵は悉《ことごと》く乞食《こじき》のような風体をしていた。

鉄木真が己《おの》が幕舎へ帰った時、カサルは眼を覚まし、寝床の上に起き上がっていた。カサルもまたぼろぼろの戎衣《じゅうい》を身につけていた。鉄木真は、

「今年中は軍を休めて、年が変ったらアルタイを越えよう」

と言った。

「ナイマンを撃つのか」

カサルは訊《き》き返した。

「ナイマンを討とう。モンゴルの優れた勇者たちは、もっと美しい衣服を着、立派な

館に住み、大きい水甕《みずがめ》と豪華な寝台を持つべきだ。そしてモンゴルの優れた兵たちはもっと優秀な武器を持ち、優秀な戦車を駆るべきだ」

鉄木真は言った。鉄木真はトオリル・カンと一緒にアルタイを越えて、ナイマンの一部落に攻め入ったが、それは攻略とは言えない短い期間の入寇《にゅうこう》でしかなかった。併し、その入寇に於て鉄木真は貧しいモンゴルとはまるで違った人々の生活を見て来ていた。珍しい楽器を、豪華な祭壇を、しゃれた気の利《き》いた厨房《ちゅうぼう》を、そして何事をも記録することのできる文字を*、多勢の人々が集まる寺院を、そしてまた、地上に固定して動くことのない住居を。

「年が改まったらアルタイを越えよう。そしてナイマンを平定し、彼等が持っていた新しい武器の操作をわれわれのものにしよう」

鉄木真は言った。鉄木真の頭に、この時初めて、やがては闘わねばならぬ国として金国というものが浮かんで来たのであった。タイチュウトをやっつけ、タタルをやっつけ、いま父祖代々の仇敵《きゅうてき》としては金国だけが、最後にやっつけなければならぬ国として残されてあった。鉄木真は併し、それについてはカサルに何も洩《も》らさなかった。金国攻略などということは、鉄木真以外のモンゴルの狼たちには、まだ一場の夢物語でしかなかった。鉄木真は三度目に口を開いた。

「アルタイを越えねばならぬ」

鉄木真はその年から翌年にかけて、蒙古高原の被征服部族の鎮撫《ちんぶ》と建直しに当った。いかなる場合であろうと、人を傷つけ殺すことは厳しく禁じた。人を害したものは斬罪《ざんざい》に処することにした。それから窃盗も同様に厳しく取り締り、羊や馬を盗んだ者は、やはり斬罪に処した。

一方、蒙古高原のあらゆる聚落《しゅうらく》に於ける男という男には兵としての訓練を施した。軍隊の編成に当っては、千人を以て一隊とし、千人の長をつくり、その下に百人の長、十人の長を設けた。鉄木真はいまや蒙古高原のいかなる場所にも部隊を置き、いかなる地にも軍を動かすことができた。

鉄木真はまた各部族の聚落とその羊群を自由に移動させ、新しい牧地を開拓することによって、彼等の生活をゆとりのあるものにすると共に、軍国として必要な聚落の配置を徐々に完成して行った。

鉄木真はトオリル・カンを殪《たお》した翌一二〇四年の初夏、ナイマン攻略軍を起し、纛《とう》を祀《まつ》って出陣した。この前トオリル・カンと協力して討ったのは、ナイマンのグチュグト氏族であったが、こんどの相手は全ナイマン部の権力者タヤン・カンであった。

鉄木真はナイマンのあらゆる部族をば己が傘下《さんか》に収めることを期したのであった。部隊はケルレン河に沿って溯《さかのぼ》って、アルタイの一支脈を越えると、ナイマン部へ続々と侵入して行った。タヤン・カンも亦《また》、これを迎え撃つべくタミル河下流に集結して布陣した。鉄木真にとっては、いままでのいかなる戦闘とも勝手が違っていた。敵は何百台かの戦車を持ち、戦車と戦車の間を埋めるようにして、甲冑《かっちゅう》を纏《まと》ったいかめしい弓箭兵《きゅうせんへい》が布陣していた。

戦端が開かれるまで、モンゴルの武将たちにも戦闘がいかに展開されるものであるか見当がつかなかった。それにナイマンの兵の中には、ナイマンとは異った他種族の部隊も加わっていた。彼等は彼等でまた、ナイマンとは違った新しい武器を持っていた。

ナイマンの陣地からは、盛んに不可思議な太鼓や鉦《かね》の音が打ち出されていた。それは草原を渡って鉄木真の陣営にも鳴り響いて来ていたが、戦端は容易に開かれず、夜になるとやたらに沢山の篝火《かがりび》が敵の陣地に焚《た》かれるのが見られた。

二日間、両軍は戦機の熟するのを待ってそのまま対峙《たいじ》していたが、三日目の朝、鉄木真は諸将を招いて、午刻を期して攻撃を開始することを命じた。前軍の指揮者カサルは、

「どのように闘うべきであろうか」

と言った。

「カサルよ。汝《なんじ》は常に言っていたではないか、――草原の如《ごと》く拡《ひろ》がれ、海の如く布陣せよ、そして鑿《のみ》の如く烈《はげ》しく闘え、と。そのように為したらよいではないか。それ以外いかなる方法を知るか」

鉄木真は言って笑った。

カサルはそのように為した。モンゴルの各部隊は喚声と共に草原の如く見事に拡がって行き、海の如く豊かな布陣をとげた。そして忽《たちま》ちにして鑿の如き烈しい戦闘は開始された。戦闘は一進一退のまま夕刻まで続いた。

「ああ、モンゴルの四匹の狼が行く」

戦場を俯瞰《ふかん》していた鉄木真の口から、ふいにそんな言葉が洩れた。それまで前線へ出て行く機会を待ちに待っていたジェベ、ジェルメ、クビライ、スブタイの四人はカサルの命が降《くだ》ったのか、それぞれ部隊を率い、その先頭に立って、ゆるやかな傾斜をなしている広野を斜めに駈《か》けていた。まさにそれは鎖を放たれた四匹の狼であった。彼等の躰《からだ》と心は鋼鉄で造られてあった。必要とあらば、嘴《くちばし》は鑿となり、舌は錐《きり》となるであろう。鞭《むち》の代りに環刀《かんとう》を持っている。露をはらい、草を薙《な》ぎ、風に乗って走って行く。

四匹の狼が前線になだれ込むと同時に、それが合図ででもあるかのように敵陣はいっせいに後退し始めた。

「ああ、走り廻っている！　朝早く放れた狼の子が、母の乳を吸ってその周囲を走り廻っているようだ」

鉄木真はまた呻《うめ》いて言った。戦線では後退する敵を追って、全く突然といってもいいような出現の仕方を見せたウルウト、モンクトの生命知らずの兵たちが、到《いた》るところで戦車を囲み、騎馬隊に食らいつき、徒歩部隊を囲み始めていた。ウルウト、モンクトの兵はこの前の戦闘によって数こそ少なくなっていたが、より一層精悍《せいかん》なものをその部隊の動きにつけていた。

彼等の出現に依って、敵軍はまた後退を始めた。

「ああ、大うわばみが行く。首をふりたて、ふりたてて行く！」

鉄木真はまた叫んだ。前軍の統率者カサルはこの時指揮下にある全軍を率いて広野の一劃《いっかく》にその姿を現わしていた。鉄木真には、カサルの小さい躰が身長三尋《みひろ》もある大うわばみに見えた。大うわばみは三歳の馬牛を食らう大きな口を開け、いまナイマンの全軍を呑《の》み込むために広野を疾駆し始めていた。

ナイマンは更に退却を余儀なくされた。一陣も、二陣も、三陣もみな退いた。鉄木真は自分の率いる後軍に攻撃の命令を下した。鉄木真はゆっくりと丘を降り、部隊の来るのを待ってその先頭に立った。馬上に低く身を屈《かが》めながら、自分の左右に拡がっている何十という兵団と一緒に、恰《あたか》も平原を捲《ま》くように進んで行った。ナイマン軍は崩れ崩れて、後方のナグ山へ逃げ込んだ。モンゴルの狼たちはそれを追っていっせいに山麓《さんろく》のあらゆる個所を登り始めた。

鉄木真はその夜ナグ山を取り巻いて宿営した。攻撃の手は夜になっても緩められなかった。次々に新手の部隊が麓《ふもと》から山へと派せられた。暁方《あけがた》、山の頂近くへ追いつめられたナイマンは必死の反撃を繰返したが、僅《わず》か三分の一が峰伝いに逃走しただけで、三分の一は谷へ落ち、残りの三分の一がモンゴルの捕虜となった。

ナイマンの主力をナグ山の頂きに破った翌日、鉄木真の軍はナイマンの首領タヤン・カンを捉《とら》え、アルタイ山脈の南腹に散在しているナイマンの部落を収めた。

捕虜の口から、鉄木真はナイマンの陣営にジャムカが来《きた》り投じていたことを知った。ジャムカの名を耳にすると、鉄木真はひどく懐《なつか》しい気持を覚えた。曾《かつ》て漠北《ばくほく》一方の雄として名を馳《は》せた英雄も、已が帳幕を失ってから、トオリル・カンの許《もと》に奔《はし》り、トオリル・カンが破れると、こんどはナイマン部族に身を投じているのであった。この三年の歳月は、ジャムカにとっては容易ならぬものであったのである。

鉄木真は、いつも笑いをその面《おもて》から消さなかったジャムカの顔を眼に浮かべながら、彼が全く自分と闘うことを生甲斐《いきがい》として、そのためにいまもなお生きているであろうことを思った。ジャムカが率いていたジャダラン、カタギン、チェルジグト、ドウルベン、タイチュウト、オンギラト各氏族部族の者たちは、その日の夕刻までに、みな鉄木真の許に降伏して来た。ジャムカの消息を知っている者はなかった。

鉄木真は、首領タヤン・カンの母を捕えて、彼女がまだ若々しい姿態を持っていることを知ると、それを自分の側室の一人に加えた。鉄木真は被征服民族の女たちを自分のものにすることに、漸《ようや》く異常な関心を持ち始めていた。二年前、タタル部族の残党を平定し、敵の首領の娘であるイェスゲン、イェスイを自分の妾《しょう》としてから、それを皮切りに何人もの女を次々に自分のものとしていた。決して自分の部族の女たちに手を出さない代りに、打破った他部族の女となると、少しでも興味を感じた女を見つけると有無を言わせず自分の傍に侍《はべ》らせた。

鉄木真は合戦のあとで、多くの女たちが数珠《じゅず》繋《つな》ぎになって引立てられて来るのを見ると、いつも一種名状し難《がた》い兇暴《きょうぼう》な気持に駆り立てられた。曾て、母ホエルンも、また妻ボルテもあのようにして引立てられたことがあったのだと思った。鉄木真はいつもそうした女たちの中から、気に入った女を選んで自分の帳幕に招いたが、ただ一人も自分の躰を守るために抵抗を試みる者はなかった。鉄木真の言うなりに自由になり、さして苦しそうな顔も悲しそうな顔もしなかった。

鉄木真は女というものが判《わか》らなかった。男たちは戦闘のために自分の生命を失うことさえも辞さないというのに、女たちは例外なく合戦に敗けたとなると敵方の男たちに従順であった。鉄木真は母ホエルンも妻ボルテをも引っくるめて、女というものを信じることはできなかった。幼時から持ち続けている女というものに対する認識を、鉄木真はいまも少しも変えていなかった。

ある時弟のカサルが、合戦ごとに捕虜の女たちを兵に頒《わか》ち与えることは軍律を乱すものであると主張したことがあった。すると鉄木真は大きな声を出して笑って言った。

「合戦に勝った時は、宜《よろ》しく敵の女たちを寝台の上に並べて敷きつめ、それを褥《しとね》として寝《やす》むことである。女という女にはモンゴルの子を妊《はら》ませ、モンゴルの子を産ませよ。それ以外に女の使い道はないではないか」

鉄木真の言い方は多少投げやりであったが、カサルがはっとしたほどその時の鉄木真の顔は暗かった。鉄木真は自分がモンゴルの血を持っているかどうかについては、そうした疑いを持ってからいつか二十余年の歳月を送っていたが、依然として解決できないでいた。自分と同じように、自分の長子ジュチの血についてもまたいかなる判断も下すことはできなかった。ジュチは自分に似ているようでもあり、似ていないようでもあった。

今や鉄木真は蒙古《もうこ》高原を支配しているただ一人の権力者であり、己が体内の血がモンゴルであろうと、メルキトであろうと、たいした問題ではないわけであったが、併《しか》し、鉄木真は自分の心が少年時代望んだように、依然としてモンゴルの蒼《あお》き狼《おおかみ》の裔《すえ》でありたいことを願っていることを知っていた。

鉄木真はナイマン遠征より帰ると、メルキト部族に不穏な空気が流れていると聞いて、すぐそれを撃つことにした。曾てメルキト部族を破った時、一人の男子も残さないように徹底的な殺戮《さつりく》を行ったが、併し、雑草のような根強さをもってメルキトの残党はどこからか集まり来り、再び一つの新しい部族を形成しつつあった。

鉄木真はメルキトに対しては、曾てのタイチュウト、タタルに対すると同じように厳格であった。他部族の者に対しては許せることも、この自分と同じ血を持っているかも知れぬ部族に対しては許せなかった。

秋の初め、鉄木真はメルキト部の首領トクトアと対戦し忽《たちま》ちにしてこれを破り、付近一帯の地を掠奪《りやくだつ》した。この時、ダイル・ウスンという者が自分はこの部族きっての美人といわれる娘を持っている、若《も》しお望みならこれを献上したいと申し出て来た。鉄木真は娘を差し出すように命じた。併し、娘はそれを知ると出奔して父の眼から姿を匿《かく》してしまった。鉄木真は直ちに兵を差し向け、彼女を探して連行することを命じた。

娘は十日程してから兵たちに発見された。彼女の衣服は泥《どろ》に塗《まみ》れ、顔も頭髪も土に汚れていた。鉄木真は娘を自分の前に引き出させた。

「名は何と言う？」

「忽蘭《クラン》」

娘ははっきりとした口調で、併し反抗するように眉《まゆ》を上げて答えた。

「十日間もどこに匿れていた？」

すると、女は、自分が匿れていた幾つかの種族の名を次々にあげた。

「どうして一カ所に留まっていなかったか」

鉄木真が訊《き》くと、忽蘭は、

「どこへ行っても部族の若者たちが自分を襲って来た。男という男はみんな野蛮な獣たちばかりだ」

と、怒りを面《おもて》に表わして言った。忽蘭が言う通りであろうと思われた。合戦は終ったばかりで、まだ到《いた》るところで殺戮は行われており、秩序というものは全く回復されていなかった。特別な保護者を持たぬ女が、そうした状況の中に身を置いた場合、いかなる運命が彼女を見舞うかは語らなくても判っていた。

鉄木真は、自分に躰を捧《ささ》げることを拒んで、却《かえ》って他部族の暴徒たちの慰みものになるに至った忽蘭という娘に、烈しい怒りを感じた。己が征服した民族の女に自分が拒否されたということも、鉄木真にとって初めての経験であり、そのことだけでも彼を怒らすに充分であったが、その上部族部族の暴徒に犯されたということは鉄木真にはいかにもそれが自分に対する面当《つらあ》てのように思えた。

「汝《なんじ》も、汝を犯した奴輩《どはい》も全部引捉《ひっとら》えて処刑するであろう」

鉄木真は宣言するように言った。すると忽蘭は一瞬烈しい眼をした。

「自分は自分を犯されるようなことはしていない。いつも生命を盾《たて》にしてそれを防いだ。若《も》しそのような目にあったとしたら、自分は死を選んだであろう」

「何をほざくか！　メルキトの雌め」

鉄木真は忽蘭の言葉を信用しなかった。そのようなことがあり得ようとは思わなかった。併し、女は、やがて自分を襲う死の運命を、免れ得ぬものとして受取っている

者だけの持つ落着きを持って、

「わたしは神に向かって話しているのだ。神だけは信じてくれるだろう」

と言い、それから忽蘭は土に汚れた顔の中で、きらりと冷たく光る眼を鉄木真に当てて笑った。鉄木真はこれまでに一度も忽蘭のような笑いを見たことはなかった。その顔は誇りに満ち、その声は誇りに輝いていた。

「女を縛しておけ」

鉄木真は傍の者に忽蘭を民家の一室に引立てることを命じた。

二日後、鉄木真は閉じこめてある女の部屋へ出掛けて行った。忽蘭は寝台の上に坐《すわ》っていたが、入口に立った鉄木真の姿を認めると、すぐ寝台から降りて、身構えるようにして、

「はいってはならぬ。部屋へ一歩でもはいったら、わたしは自分の生命を断つだろう」

と強く言った。

「いかなる方法で死を選ぶか」

鉄木真が訊くと、

「自分の歯で自分の舌を咬《か》み切れば、死は容易にわたしのところへやって来る」

忽蘭は言った。そこには心を決めた者だけがもつ居坐った気持が覗《のぞ》かれた。全蒙古高原の民族を怖《おそ》れさせる鉄木真も、忽蘭の前にあってはその威力がなかった。鉄木真は忽蘭の方へそれ以上近付いて行くことを躊躇《ちゅうちょ》した。

鉄木真はその時忽蘭が最初会った時の女とは別人ではないかと思った。汚れの取り去られた顔は、なるほどメルキト部族の中で一番の美人と言われるだけあって、確かに美しかった。鉄木真には、彼女がメルキト部族一の美人というばかりではなく、これまで見た女性の中で一番美しいのではないかと思われた。曾て鉄木真は妻ボルテの輝くばかりの美しさに魅せられたことがあったが、いま眼の前にいるメルキトの娘は、ボルテより更に美しく、更に聡明《そうめい》に見えた。その彫りもののように刻みの深い顔には、ボルテが決して持たなかった憂《うれ》いを帯びた翳《かげ》があった。髪は半ば金髪で、眼は微《かす》かに青味がかっていた。

その日鉄木真はそのまま帰ったが、翌日も、翌々日も忽蘭を押しこめてある民家を訪れた。忽蘭の口から出る言葉は相変らず同じであり、鉄木真は彼女の顔を眼に収めるだけで満足して帰らなければならなかった。

鉄木真はメルキト部族の平定のために、二カ月間メルキトの聚落《しゅうらく》に留まっていたが、その間何回か忽蘭のもとを訪れた。鉄木真は、このように敵の捕虜である女から取扱われている自分が不思議だった。若し相手が忽蘭でなかったら、たちどころに相手を処刑する筈《はず》であったが、それが鉄木真にはできなかった。

いよいよ明日部隊が凱旋《がいせん》するという夜、鉄木真は忽蘭を訪ね、

「余は汝を他の女とは別に考えている」

と言った。鉄木真は、そのような言葉が自分の口から出るものとは思ってもいなかったので、自分で自分の言葉に驚いた。併し、一旦《いったん》口をついて出てしまった言葉は取《と》り戻《もど》せなかった。

「余は汝を余の帳幕に侍《はべ》らせたいのだ」

鉄木真はまた言った。すると忽蘭は翳のある顔を鉄木真の方に真直《まっす》ぐに向け、

「本気にそのようなことを言うのか」

と言った。

「勿論《もちろん》自分の言葉は自分の心から出たものである。それが汝には理解できぬか」

鉄木真が言うと、忽蘭は、

「おそらく、汝の言うことは真実であろう。そうでなかったら、私にはとうに死が訪れている筈である。汝のいま私に対して持っているものは愛であるか」

忽蘭はいつもとは全く異った、少ししんみりとした調子で言った。

「然《しか》り」

鉄木真は答えた。

「汝はいま愛だと言ったが、果してその愛は他のいかなる女に対するものより大きく深いものであろうか」

「いかにも」

「汝の妻に対するものよりもか？」

忽蘭は訊いた。鉄木真ははっとして、それに対してすぐには返事ができなかった。

「若《も》し、汝が汝の妻に対するよりも更に強く、更に大きく私に愛情を持っているならば、汝はわたしの躰《からだ》を奪うがよい。若しそうでないならば、どんな手段を用いようと、わたしは汝のものにはならないだろう。私の前にはいつでも死が用意されている」

それに対して、鉄木真は言葉を口から出す代りに部屋に足を一歩踏み入れた。そして忽蘭の方へ近付いて行った。忽蘭は後退《あとずさ》りして行ったが、併し、それ以上拒絶の言葉を口から出すことはなかった。鉄木真は忽蘭の躰を抱くと、自分は本当にこの女を一番強く愛していると思った。

鉄木真にとって意外であったことは、忽蘭が清浄無垢《むく》な躰を持っていたことである。彼女が初めて鉄木真の前に引き立てられて来た時、自分の生命を賭《か》けて躰の清浄を守って来たと誇りやかに言ったが、鉄木真はそのことを信じてはいなかった。動乱の渦《か》中《ちゅう》に十日も過している女に、そのようなことがあろうとは思われなかった。併し、彼女は彼女の言葉通り清浄な躰を持っていたのである。そして、それがいかに大変なことであったかを証明でもするかのように、忽蘭の白い躰には、肉付きのいい肩にも、形よく盛り上がっている両の乳房の間にも、きりっと緊《し》まっている胴のくびれにも、幾つかの打撲傷の跡が青い痣《あざ》となっていた。

鉄木真は翌朝忽蘭の部屋から出る時、もう一度、自分はこの女をいま誰《だれ》よりも愛しており、おそらく一生愛し続けることになるだろうと思った。自分が忽蘭に対して為した誓いを、よもや破るようなことはあるまいと思われた。

鉄木真はメルキトの残党を平定して凱旋の途に就いたが、ブルカン嶽《だけ》の麓《ふもと》の己《おの》が聚落にあと一日行程というところに露営した夜、鉄木真は自分が帳幕にはいる前に、忽蘭のことを妻ボルテに告げておこうと思った。イェスゲン、イェスイの姉妹を初め、その他の女たちのことは、鉄木真は殊《こと》さらにボルテに告げるようなことはしなかった。ボルテに告げなくても、それは当然ボルテの知るところとなることであり、お互いに不問に付しておいて、それで何となく片付いて行く問題であった。ボルテも、長い軍旅に於《お》いて、壮年期にある鉄木真が女体なしで過せようとは思っていなかった。併し、こんどの忽蘭の場合は、鉄木真は一応忽蘭という女の存在をボルテに承認しておいて貰《もら》いたいと思った。将来忽蘭を他の側室たちとは別の取扱いをしなければならないようになるだろうと思われたし、そうした場合、ボルテとの間につまらぬ悶着《もんちゃく》が起ることはできるだけ避けたかった。

鉄木真はムカリを使者としてボルテに送った。鉄木真より八歳年少の、いかなることに対しても誠実であることをもって知られている武将は、翌日ボルテのところより帰って来て、彼女からの鉄木真への伝言を伝えた。

「――鉄木真よ。わが愛する蒙古高原の王者よ。貴方《あなた》は聚落に凱旋して来たならば、新しい家具に飾られた新しい幕舎を、貴方の妻ボルテの幕舎の横に見出《みいだ》すであろう。そこに住む若き忽蘭が、私の足りないところを補い、貴方の非凡な力の源泉となることを祈る」

ボルテの言葉は、鉄木真には充分満足なものであった。いかなる言葉を予想したとしても、鉄木真にとってこれ以上満足すべきものはないと思われた。ボルテは正室としての威厳をいささかも失うことなく、夫が自分に払った敬意に対するに寛容を以《もっ》てしたのであった。

鉄木真はメルキトの残党を平定して凱旋したが、凱旋後間もなく平定し残したメルキトの一部がタイカル山に拠《よ》って叛《そむ》いたので、鉄木真はすぐ討伐軍を差し向けた。この討伐軍の総帥《そうすい》にはソルカン・シラの子で、背が低く頭の大きいチンベが任命された。チンベはいかなることにも動じない剛胆な武将であったが、大きい責任のある地位についたのはこれが初めてであった。躰が小さく、馬に乗る時も人手を借りなければ乗れぬということで、彼はこれまで武人としては損をしていた。併し、チンベはこの出征でみごとに大任を果し、敵将トクトアとその子クドを遠く南へ奔《はし》らせた。

鉄木真は己が帳幕に長く留まることなく、その年のうちに、すぐ全軍を率いて、再度ナイマン部族を撃つためにアルタイの山中に出動した。併し、この冬は雪が深く、山を越えることは望めず、ために鉄木真は全部隊をアルタイの北麓《ほくろく》に駐屯《ちゅうとん》させたまま年を越さなければならなかった。鉄木真はこの出征に、忽蘭だけを伴っていた。

年が明けて春を迎えると、鉄木真は全軍を率いて三度アルタイを越え、三度ナイマン部へ侵入した。そしてメルキト、ナイマン両部族の残党たちの結成する連合軍とブクドルマ河の流域に闘って、これを破った。両部族の首領たちは小部隊に分れて四方に散った。

鉄木真は、ジェルメの弟で、前年のナイマン攻略の際、抜群の功績をたてたスブタイに鉄製の戦闘車を率いさせて、敵の残党を追撃させることにした。スブタイは三十歳を越えたばかりの若い武将であったが、鉄木真は彼の出陣に際して、スブタイに諭《さと》して言った。

「敵の逃亡者共が翅《はね》を持って天を駈《か》けるならば、スブタイよ、汝は大鷹《おおたか》となって捉えよ。若《も》し地中深くひそみ匿《かく》れるならば、汝は鍬《くわ》となりて地を掘って地へはいって行け。魚となって湖や海にはいったならば、お前は網となって彼等を捕縛せよ。汝は既に高い嶺《みね》を越え、大河を渡った。こんどの遠征はそれと較《くら》べられぬ果てしないものであろう。行先の遠く遥《はる》かなるを思って、軍馬を痩《や》せさせぬうちに労《いた》われ。食糧はそれのなくならぬうちに補給せよ。行途に野獣がいかに多くとも、巻狩してために軍馬を疲らせること勿《なか》れ。往け、天の加護は、敵の一兵をも逃すことなき使命に就くモンゴルの勇敢な武将の上にあろう」

スブタイは出陣した。そしてスブタイはそのようにした。アルタイ南麓の地にひそむ敗残部隊はしらみ潰《つぶ》しに撃破され、擒《とりこ》になり、そして斬《き》られた。

こうしてスブタイの徹底的な掃蕩戦《そうとうせん》が行われている時、鉄木真の本陣にジャムカがその部下である五人の者に縛されて連行されて来た。

天日が翳《かげ》り、森羅万象《しんらばんしょう》の悉《ことごと》くが灰色に見える日であった。鉄木真は本陣の己が幕舎の前で、ジャムカと対面した。ジャムカと三万ずつの軍勢で対戦して破れた苦い経験を嘗《な》めてからは十二年経《た》っており、亡《な》きトオリル・カンと連合してジャムカを破ってからは四年経っていた。鉄木真がジャムカと直接顔を合わせるのは実に十七年ぶりのことであった。

鉄木真はジャムカの顔をしげしげと見入った。ジャムカは別人と思われるほど、その相貌《そうぼう》を変えていた。昔はまる顔であったのが、いまは痩せて頬骨《ほおぼね》が目立っていた。併《しか》し、いつも笑みをその顔から消さないでいることだけは昔と同じであった。

鉄木真はジャムカと口をきく前に、彼を縛して来た彼の五人の部下を詰問して事実を質《ただ》した。ジャムカはスブタイの軍と戦って次々に破れ、ついに五人の部下だけとなり、最後にその五人の己が部下に縛されてしまう非運を持ったのであった。鉄木真は、己が主君に手をかけた者をどうして生かしておかれようと言って、その場でジャムカを縛した彼の五人の部下の首を、ジャムカの眼の前で斬らせた。

鉄木真は地面に坐《ざ》していたジャムカを起して椅子《いす》に坐《すわ》らせ、そして言った。

「わが安達《アンダ》、ジャムカよ。われわれは友となろう。曾《かっ》て余は汝と共に同じ聚落に暮したことがあった。それなのに、汝は余から離れてしまったのだ。それから敵味方として長い歳月を持った。併し、いま再び今日ここで一緒になった。余は二人がゴルゴナクの森で安達の盟約を為した日のことをはっきりと覚えている。あの酒宴の騒擾《そうじょう》はいまも余の耳に残り、あの夜の火の色は今も余の眼に映っている。その時われわれは誓ったのだ。われわれは、いま友となろうと」

鉄木真はジャムカを斬る気持はなかった。往年の恩義を思い、今は無力になった彼の生命を助けてもいいと考えたのであった。

すると、ジャムカは答えた。

「安達、鉄木真よ。いま余が汝の友となって、汝に何の益があろう。余は自分が汝に敗けたとは思っていない。余が汝に破れたのは天運である。生きている限り、余は汝を倒す日の来ることを希《ねが》い、それを信ずるであろう。汝は一刻も早く余の息の根をとめるべきである。ただ安達としての情けをかけたいと言うなら、余を血を流すことなく殺せ。*屍《しかばね》は高い丘へ葬《ほうむ》れ」

「よし、安達ジャムカよ、余が救《たす》けてやろうというのに、汝がそれを潔《いさぎよ》しとしないならば、言葉通り汝を殺そう」

鉄木真は言葉短くジャムカに言うと、すぐ傍の者に、

「血を流さずして殺し、余の前に屍を棄《す》てるな。礼を以て厚く葬れ」

鉄木真は言うと、すぐ座を立った。鉄木真はその日一日中自室にこもって出なかっ

た。

　スブタイは半年目に完全に使命を遂行して、陽焼《ひや》けした顔を鉄木真の前に現わした。彼は敵の首領たちの子は嬰児《えいじ》に至るまで捉《とら》えたものはみな斬っていた。ナイマン部族から奪《と》り上げた物は、モンゴルたちにとっては、みな珍しいものばかりであった。宝石、絨毯《じゅうたん》、衣類、武器などは鉄木真の本陣に幾つもの大きい山を作った。

　鉄木真は忽蘭に、宝石類の中で望むものを取らせようとした。併し、忽蘭は鉄木真の顔を見詰めて、

「これらの美しい物、珍しい物、価値ある物は悉くアルタイの向うの帳幕に留守を守っているボルテの許《もと》に送るべきである。私は、一つの石、一枚の布切れも要《い》らない。私の望むことはただ一つである。爾後《じご》いかなるところへ出陣する時も、私を傍からはなさないでいただきたい」

　と言った。

　鉄木真はその忽蘭の言葉をよしとした。異国の織物、絨毯、宝石、家具類は悉く馬の背につけられて、特別の部隊に守られ、ブルカン嶽の麓の帳幕に送り届けられるためにアルタイを越えて行った。

四章

鉄木真《テムジン》がナイマン攻略を終えて己《おの》が帳幕へ凱旋《がいせん》したのは、翌一二〇六年の春であった。鉄木真はナイマン攻略を最後にして、ここに蒙古《もうこ》高原一帯に帳幕を持つ悉《ことごと》くの部族を平定し終えたのであった。鉄木真は文字通り今や蒙古高原の唯《ただ》一人の権力者であり、王者であった。

鉄木真は凱旋後間もなくオノン河の上流の帳幕の周囲に、九つの白い尾をつけた大旗*をたてた。鉄木真は全モンゴルの汗《カン》としての自分を蒙古高原全域に散らばっている諸部族に宣言する必要があった。その儀式は盛大に且《かっ》厳粛に行われなければならなかった。

儀式の行われる一カ月前より、その準備のために、帳幕一帯の地は未《いま》だ曾《かっ》てなかった程の賑《にぎ》わいと混雑を呈した。各部族から馬につけて送って来る栄《は》えの日のための食糧や物資は毎日のように聚落《しゅうらく》の中へ運び込まれ、各部族から送られて来た労務者は聚落から広い牧場へかけて桟敷《さじき》を作る作業に従事した。またその日のための料理も女たちによって何日も前から用意された。何十という大釜《おおがま》は幾列にも並べられ、羊肉を架ける台も何十となくその傍に建てられた。また馬乳酒の甕《かめ》はこれもどこにこれだけのものが仕舞われてあったかと思われるほど、地面いっぱいに並べられ、その上に天幕が張り廻《まわ》された。聚落は儀式の日を何日も先きにしているのに、馬乳酒の匂《にお》いと羊の脂肪を煮る匂いとで満たされた。鉄木真の幕舎は天に聳《そび》える程の高さのものが新たに造られ、その天窓は下から仰ぐと遠く小さく見られた。

その日はやって来た。大帳幕の前の広場には、各部族からこの盛儀に参列することを許された人々が何千となく詰めかけ、式場を囲むようにして幾重にも亙《わた》って作られた桟敷には、この盛儀を見んものとこれまた高原の到《いた》るところから参集して来た何万という群集によって埋められた。

鉄木真の大帳幕のすぐ前は式場となっており、そこには九脚の大きな纛《とう》が建てられ、五月の風はゆるくその白い毛を靡《なび》かせていた。

定刻に、鉄木真は式場の所定の位置についた。鉄木真の右手には母ホエルンと妻のボルテ、それにジュチ、チャプタイ、エゲデイ、ツルイの四人の子供たちが並び、その背後には多くの側室が居並んだ。忽蘭《クラン》だけは前列に位置を定められてあったが、イェスゲン、イェスイたちは背後に席が作られてあった。ホエルンの育てた異民族の孤児であるシギ・クトク、ボロクル、クチュ、ケクチュ等の少年たちもそれぞれ逞《たくま》しく成長して、背後に居並んでいる。

鉄木真の左手にはカサル、ベルグタイ、カチグン、テムゲ、テムルンの弟妹たちが居並び、更にその横手にはボオルチュ、ジェルメの重臣から、チンベ、チラウン、ジェベ、ムカリ、スブタイ、クビライ等の武将たち、ムンリク、ソルカン・シラ等の老人たちが控えていた。

各部族の首領たちに依《よ》る大会議《クリルタイ》は厳粛に、併《しか》し、形式的に開かれ、そこで各部族の長老たちに依って、全蒙古の王として鉄木真を推戴《すいたい》することが決議された。大会議の長老たちに依っていっせいに聞き慣れぬ名が叫ばれた。

「チンギス・可汗――成吉思汗《チンギスカン》、成吉思汗！」

それは鉄木真に奉《たてまつ》られたモンゴルの汗（主権者）としての名前であった。その名は盛大なる大君という意味を持っていた。そしてこの時より全蒙古高原の諸聚落はすべてモンゴルの名の許《もと》に統一されることになったのであった。成吉思汗は立ち上がった。歓呼は式場からも式場を取り巻く群集からも起った。

「成吉思汗！　成吉思汗！」

人々はあらん限りの声を絞って、成吉思汗の名を呼んだ。

成吉思汗はそれに応《こた》えて手を挙げた。成吉思汗はこの時四十四歳であった。頭髪は既に半ば白く、鼻下の髭《ひげ》と顎鬚《あごひげ》だけが黒かった。成吉思汗の肥満した躰《からだ》は彼の動作を若い時とは異って緩慢に見せていた。

併し、成吉思汗はこの時、今までのいかなる時の彼より積極的な意欲を五体に漲《みなぎ》らせていた。モンゴルはいま一つの国家として体裁を持ったのであった。モンゴルは宿敵金と戦闘を交えることのできる体制を漸《ようや》くにして整えることができたに過ぎなかったが、併し、それは今や望んでできないことではなかった。

成吉思汗は群集の歓呼の声を浴びながら、いま自分が立っている地位を、改めて頭の中に思い描いてみた。アルタイ山脈を越えた向うから興安嶺《こうあんれい》山脈に到る地域は決して狭いものではなかった。北はバイカル湖付近から南は戈壁《ゴビ》の大不毛地を越えて万里の長城に到っている。そしてこの広大な蒙古高原には、二百万に近い遊牧民がばら撒《ま》かれている。そしてそのすべての聚落の代表者がいまここに集まって、自分を「可汗（大王）！」と呼んでいるのである。

成吉思汗は、いま自分がそれを望めば、全遊牧民を召集して、長城を越えることができる筈《はず》であった。成吉思汗はやがて自分はそれを為《な》すであろうと思った。若《も》し自分が蒼《あお》き狼《おおかみ》の裔《すえ》であるなら、それを為さなければならないのだ。

空は高く青く澄んでおり、陽射《ひざ》しは成吉思汗が群集の歓呼に応《こた》えて立ち上がった頃《ころ》から漸く烈《はげ》しく強くなり始めていた。成吉思汗はやがて可汗としての第一声を、相変らずどよめき渡っている群衆に向かって叫ぼうとした。彼は群集のどよめきを静めるために烈しく手を振った。併し、彼が手を振れば振るほど大群衆はどよめき渡った。

「上天より命あって生まれた蒼き狼があった。西方の大湖を渡って来た惨白《なまじろ》い牝鹿《めじか》があった。その二匹の生きものが営盤《いえい》して生まれたのが、モンゴルの祖バタチカンであった。モンゴルは蒼き狼の裔である。その蒼き狼を中心にして、蒙古高原の帳幕の民二十一部は、今日ここに一つの力として結集したのである。余はいま推されて可汗の地位に就いた。狼の群れは、興安嶺を越え、アルタイを越え、天山を越え、祁連山《きれんざん》脈を越えなければならぬ。蒙古高原のあらゆる帳幕をより美しく、より立派なものにするために、われわれはそれを為さなければならぬ。われわれの夢にも知らぬ豊かな生活、豊かな享楽《きょうらく》、豊かな労働を、われわれは自分のものにしなければならぬ。われわれはそれを望めば、固定して動かぬ家屋の中に住み、羊群と共に移動することなく羊群を追うことができるだろう。汝等《なんじら》の新しい可汗は、それを為すためのあらゆる命令を汝等に対《むか》って叫ぶことを許されたのである。余を信頼せよ。余の命ずることを為せ、勇ましく猛《たけ》き新しい国家モンゴルの狼たちよ」

成吉思汗はそれから祝宴を開くことを命じた。料理や酒は式場許《ばか》りでなく、群集の詰めかけている桟敷にまで運ばれた。酒宴の騒擾《そうじょう》は、それから昼となく夜となく何日も続いた。昼は毎日のように二十一部何十氏族かの持つ固有の武技が披露《ひろう》され、全く違った音調と言葉を持つ歌謡が歌われ、舞いが舞われた。夜になると、毎夜のように赤い月が出た。成吉思汗の帳幕の前の広場には何十という篝火《かがりび》が焚《た》かれ、酒宴はいささかの衰えもなく続けられ、人々は酔い、人々は踊り、人々は歌った。上も下もない無礼講であった。

成吉思汗は三日目の夜、貧しい服装の老婆《ろうば》たちが、異様な手振りで踊っているのを見た。老婆たちは羊群を追う歌を歌い、羊群を追う踊りを踊り、それを何回でも倦《あ》かず繰返していた。ふいに成吉思汗は自分の躰を烈しく感動が貫くのを覚えた。彼女等は惨白い牝鹿とは似ても似つかぬ醜く貧しい生きものであった。成吉思汗は、彼女等はもっと美しい衣服を躰にまとい、もっと沢山の歌と、もっと沢山の踊りを身につけなければならぬと思った。

成吉思汗は帳幕の中で酒宴の騒擾に揺られ続けていたが、その間に彼が痛切に感じたことは、モンゴルの男たちは狼の如《ごと》くもっと強く訓練されねばならぬということであり、女たちは牝鹿の如くもっと美しい衣服で飾られなければならぬということであった。

何日か続いた祝宴の最後の日に、成吉思汗は祝宴の行われている間中、考えに考えていた論功行賞を、彼の部下たちに発表することにした。その日、成吉思汗はまず永年彼と行動を共にして来た部下九十五人を千戸の長に命じた。ボオルチュ、ムンリク、ムカリ、ジェルメ、ソルカン・シラ等の名前があった。万戸の長は更にこれら九十五人の中から選ばれる筈であった。

論功行賞に移ると、成吉思汗は侍者を派しては広い会場のどこかに居るに違いない者たちを、次々に自分のところに招《よ》んだ。真っ先に呼ばれたのはボオルチュとムカリであった。鉄木真はボオルチュの手を握り、

「友よ、余は汝に今まで何の謝礼もしなかった。余のためすべてのことを犠牲にして働いた最も古い友よ」

成吉思汗は言った。成吉思汗は盗まれた馬八頭を取り返すためにボオルチュに応援して貰《もら》った若い日のことが懐《なつか》しく思い出されて来た。

「友よ、汝の父ナク・バヤンは富裕だった。その富裕な家の後継者の地位を、汝は放棄して、余と共に今まで苦難の道を歩いてくれた。ボオルチュよ、今こそアルタイ山一帯の地の万戸を支配せよ」

成吉思汗は言った。ボオルチュ自身も驚いた程のそれは気前のいい贈り物であった。

それから成吉思汗は続いて、

「ムカリよ、汝は興安嶺付近一帯の地の万戸を支配せよ」

と言った。青年武将は自分に与えられた破格の恩賞に対して、無表情で黙っていた。

成吉思汗が自分の親族のサチャ・ベキ、タイチュを討った時、グウングアという者が二人の少年を連れて、成吉思汗の陣営に身を投じて来たが、その時の少年の一人がムカリであった。ナイマン討伐に際して抜群の戦功を樹《た》てていたが、それよりも年の若いのに似ずその誠実な人柄《ひとがら》はすべての部下からの信望を集めていた。成吉思汗はこの青年武将を抜擢《ばってき》した。ボオルチュの場合は過去の功績に対してであったが、ムカリの場合は全くその未来にかける期待が含められていた。成吉思汗は金国侵入の時の総帥《そうすい》をこの青年武将に擬していたのである。

「やがて汝は百万の狼群《ろうぐん》を率いて長城を越えなければならぬだろう」

成吉思汗はそれだけ言った。この場合もムカリは無表情のまま、ただ黙って頭を下げただけであった。

第三番目に呼び出されたのはゴルチ老人であった。曾《かつ》て、将来鉄木真が全蒙古の汗となることを予言した老人は戦闘にも参加せず、使役からも解放されて、頗《すこぶ》る無為な十年を送って来ていた。この式典にもゴルチ老人は自分の席を持っていず、己《おの》が幕舎の前に椅子《いす》を出して、毎日のように祝宴の賑わいを一人の傍観者として見物していたのであった。

ゴルチは成吉思汗の前へ、近年目立って不自由になった脚を危なっかしく運んでやって来た。

「予言者ゴルチよ」

成吉思汗は限りなき親愛の情をこめて言った。成吉思汗は自分がジャムカの陣営から離脱して来た最も苦しい時期、この老人が夕陽に赤く顔を焼きながら自分の前に立っていた時のことをはっきりと記憶していた。その時この老人の口から出た予言の言葉は、いま実現されたのである。その時のゴルチの予言が、いかに強く自分に作用したかを、成吉思汗はよく知っていた。

「汝はその時、若《も》し余が全蒙古の汗となったら、三十人の美女をくれと言った。余はその約束を今こそ果すであろう。好色な、秀《すぐ》れた予言者よ。三十人の美麗な婦人を選び取れ」

ゴルチは当時より一層深く皺《しわ》の刻まれた顔の筋肉をゆるく動かして、

「ゴルチは既に老いた。が、三十人の美しき女たちによって若返りましょう」

そう言って静かな笑いを見せた。成吉思汗は、

「三十人の女のほかに、汝はアダルキンのチノス、トゴレス、テリャングトを併せて万戸を支配せよ。イルティシ河流域に住む林の民を鎮《しず》めよ」

ゴルチはゆっくりと膝《ひざ》を折るようにして地面に坐《すわ》った。突然自分の痩《や》せた肩の上に被《かぶ》せられた万戸の民の重さが、ゴルチをそこに立たせておかなかった。ゴルチは二人の侍者の手を藉《か》りて、群集の間を已が小さい幕舎の方へ向けて自分の躰を運んで行った。

成吉思汗は、ゴルチが彼の前を去ってから、ゴルチのために、更にその権限を確固としたものにしてやった。

「林の民はゴルチの許可を得ずして東方に移動してはならぬ。何事もゴルチに相談し、ゴルチの命を受けよ」

成吉思汗が口から言葉を出す度に、式場を埋める群集はどよめいていた。成吉思汗の言葉は何人かの者によって、次々にリレー式に伝えられて行き、それにつれて、歓呼と喚声もまた全会場に波状に伝播《でんぱ》して行った。次に勇将をもってなるクビライが成吉思汗の前へ進み出た。クビライはジェルメ、ジェベ、スブタイ等と並び称せられる不敵な若い武将であった。曾て戦って勝たざることはなかった。

「クビライよ、汝は軍務一切の長となれ」

成吉思汗は言った。クビライは己が恩賞について決して不満ではなかったが、彼はどちらかと言えば、役柄は下でももっと活気のある直接に戦闘に関係する部署に就きたかった。クビライは自分の役が百万の大軍を次々に異国に派することのできる、とてつもない大きい権限を持っているものだということには、この時思い及ばなかった。

「合戦！　合戦！」

三十歳を越えたばかりのモンゴルの狼は、多少不服でそんなことを口の中で呟《つぶや》きながら、成吉思汗の前を退出した。

ジェルメがやって来た。曾てふいごを肩にしてブルカン嶽《だけ》から降りて来た父親に連れられて来た少年は今や五十歳近くなっていた。成吉思汗にとっては、ボオルチュに次ぐ第二の家臣であった。

「友よ。汝の功績について語ったら何日もかかるだろう。汝の父は余が生まれた時、貂鼠《ちょうそ》の襁褓《むつき》をくれた。それについて今返礼をしたいと思う。モンゴルの民の中で、ジェルメだけは九度罪を犯しても罰せられることはないであろう」

成吉思汗は言った。そしてこの友をいかなる地位につけるかについては、成吉思汗はまだ考えが決まっていなかった。いかに大きな領土を与えても、いかに大きな権限を考えても、まだジェルメには少な過ぎるような気がした。

「ジェルメよ、汝が就く地位と汝が持つ権限については、ゆっくり二人で考えようではないか」

成吉思汗は言ったが、併し、ジェルメはこの際恩賞などのことはどうでもよかった。暇の時のことにしてくれと言いたかった。彼は戦闘も無類に強かったが、どちらかと言えば、もっとこまごました誰《だれ》の気もつかないことを処理する方が得意だった。ジェルメはこの日早朝から、各部族から借り集めて来た調度品を、いかに間違いなく返却させるかに頭を痛めていた。それから各部族からの贈り物に対して、それぞれ適当に返礼をしなければならなかったが、それについて誰も頭を使っていないことに腹をたてていた。

「ジェルメよ」

成吉思汗が言うと、ジェルメは、

「火の用心、火の用心！」

と叫んで立ち上がった。この時彼は実際に炊事係の火の始末に対する手配を忘れていたことを思い出したのであった。

次に七十歳の老人ソルカン・シラがやって来た。曾て、タイチュウトの長タルクタイに捕まって逃亡を企てた時、成吉思汗はこの老人に救《たす》けられ、老人の家で一夜を過したことがあった。その時ソルカン・シラは半裸体で馬乳酒を搔《か》き廻《まわ》していたが、その馬乳酒の匂《にお》いはいま何日か続く酒宴で会場にしみついてしまったそれとは全く違うものであった。成吉思汗はソルカン・シラの家の匂いを思い出し、くんくんと鼻を鳴らすようにしながら言った。

「ソルカン・シラよ。チンベとチラウンの父よ。汝は余にいかなる恩賞を望むか」

するとと老人は、

「勝手に望みを言わせていただけるなら、わしはメルキト部の土地セリンゲに定住し、租税を納めず放牧地を自由にしたいと思います。それからもっと恩賞して下さるなら、あとのものは、可汗よ、貴方《あなた》が考えて下さい。何でもいただけるものは遠慮なくいただきます」

「よし、老人よ、汝はメルキトのセリンゲに下営し、牧地を自由にせよ。租税賦役《ふえき》を免れ、自由に放牧せよ。九度罪を犯しても、汝はジェルメと同じように罰せられはしないだろう」

成吉思汗は言った。併《しか》し、成吉思汗はまだソルカン・シラには与え足りないような気がした。逃走の途中水際《みぎわ》にひそんでいて、ソルカン・シラに見逃して貰《もら》ったことを思い出したからである。

「闘って敵の財貨を得たら、ソルカン・シラは得ただけのものを自分のものにするがいい」

「可汗よ」

ソルカン・シラは言った。

「再び合戦に従軍できるまで生きていたいものです」

「それならば、更に汝に特権を加えよう。夜の巻狩の時、汝は殺しただけの獣を自分のものとすることができる」

これでもまだ成吉思汗はソルカン・シラに与え足りない気がした。

「ソルカン・シラよ、汝は余生を、箙筒《せんとう》を帯び、毎晩のごとく酒宴をして暮せ。それからわが友、ソルカン・シラよ、――」

するとソルカン・シラは成吉思汗の言葉を遮《さえぎ》って、

「可汗よ、もう沢山でございます。この上何を望みましょう。若《も》し望むものがあるとすれば、可汗の軍が長城を越えて金国にはいることであります」

ソルカン・シラは何ももう自分は欲しくはないといったように、両手を交叉《こうさ》するように振り交わしながら、早々にして成吉思汗の前を退出して行った。成吉思汗はソルカン・シラの言葉で、金国侵攻軍の総帥たるべきムカリに、さきに万戸を支配させた

が、それではまだ少なすぎるのではないかといった気がして来た。成吉思汗はもう一度ムカリを呼び出し、

「余は汝に国王の呼称を与える。人は今後、ムカリをムカリ国王と呼べ」

と言った。ムカリは重なる恩賞にさすがに顔色を変えたが、彼は慎重にそれが自分にふさわしいか、どうか、よく考えた上で、その称号を受けるか受けないかの返事をすると言った。

このようにして、チンベにも、チラウンにも、ジェベにも、その他の功績ある武将たちにも、成吉思汗は与えられるだけのものを与えた。ジェベとスブタイの二人の精《せい》悍《かん》なモンゴルの狼《おおかみ》は千戸の長となった。そしてこの恩賞の発表は夜半まで続き、いつ果てるとも知れなかった。成吉思汗は自分の肉親の者は後廻しにして、この日は何も発表しなかった。自分の弟たち、自分の子供たち、それに妻妾《さいしょう》たちには、他日それぞれ役柄と権限とを与えるつもりだった。

酒宴はこの日で打ち切られたが、翌日から毎日のように全軍の将士の就くべき部署の発表が行われた。辞令は全部の武将たちが居並んでいるところで厳粛に渡され、その任務がいかなるものであるかが、成吉思汗自身の口から説かれた。それはおそろしく細部に亙《わた》って詳細を極めたものであった。

最初の発表は成吉思汗自身の帳幕に直属する近衛《このえ》隊の発表であった。この隊の番士は原則としては万戸長、千戸長、百戸長の子弟から入れることにし、その他に、一般人民の子弟でも、容貌《ようぼう》もよく技能も秀れた者は、ここにはいることのできるような道を開いてあった。

「千戸の長の子弟は十人の従者と一人の弟を従えて来なければならぬ。百戸の長の子弟は五人の従者と一人の弟を、十戸の長の子弟は三人の従者と一人の弟を従えて来なければならぬ。それぞれの従者は由緒《ゆいしょ》ある家から選ばれたものでなければならぬ」

成吉思汗は真っ先に自分に直結する己が帳幕の近衛隊を組織することに着手したのであった。そしてその近衛隊は侍衛と箭筒士《せんとうし》の二つよりなり、これら侍衛の長、箭筒士の長には、無名の若者が任命された。二人の若者は共にこれまで成吉思汗の部隊に於《お》て一度も表面にその名を現わして来なかった者たちであった。成吉思汗はあらゆる機会に、戦闘時にも、平時に於ても、この若者たちの行動を詳細に見守っていたのであった。それから近衛隊一万を十に分けそれぞれ一千の侍衛の長を任命した。これはその多くが功臣の子弟たちであった。

成吉思汗は侍衛や箭筒士の宿直時の任務について述べた。

——日が落ちてから、帳幕の前後を過ぎる者あれば、これを捉《とら》え、翌日訊問《じんもん》せよ。

宿衛は当直の交代する時、符験《わりふだ》を渡さなければならない。

——宿衛は帳幕の周囲に寝て、夜半帳殿にはいる者あらば直ちにその脳を割れ。

——何人も宿衛より上座に坐《すわ》ってはならぬ。何人も宿衛の人数を訊《たず》ねてはならぬ。何人と雖《いえど》も若《も》し宿衛の間を歩くことあらば、これを捉えて縛せ。

——宿衛は帳幕より離れて出動してはならぬ。

——宿衛の内部の事件は、すべてシギ・クトクと相談して裁判せよ。


シギ・クトクというのは成吉思汗の母ホエルンが育て上げたタタル部族の孤児であった。シギ・クトクは自分が持った奇異な運命に依《よ》って、いかなる事にも心を動かされぬ冷静な心を持った青年に育っていた。成吉思汗は余り人に好かれぬいつも青白い顔をしているタタルの孤児を、最も彼に適した部署に据《す》えたのであった。成吉思汗は近衛隊の組織と、その任務についての発表に長時間をかけた。

それを聞いていた武将たちの眼には、その日の成吉思汗は、酒宴の時のやたらに物を人に与えたがった成吉思汗とは全く別人に見えた。その顔の表情も、口から出る声の調子も、眼の光も、何もかもが似ても似つかぬ別人に見えた。極く一部の武将たちを除いて誰も成吉思汗がいついかなる時にこのようなことを考えていたか、全く見当がつかなかった。毎日のように新しい国家モンゴルの軍政と民政に関する組織が、成吉思汗自身の口から発表された。成吉思汗も幹部の武将たちも、烈《はげ》しい夏の陽光の中に長時間立っていなければならなかったので、その顔は真黒に灼《や》けた。

ある日、忽蘭《クラン》は自分の幕舎に来た成吉思汗に言った。

「可汗よ、一日も早く自分の血を分けた一族の者に恩賞を与えるべきではないか。人はたとえ一個の石でも、それを貰《もら》うまでは自分のものとして考えることはできないのだ」

成吉思汗は笑いながら答えた。

「汝《なんじ》が心配しなくとも、やがて肉親の者へも賞を頒《わか》ち与えよう。何人かの姫妃《きひ》たちにも望むものを取らせるであろう。忽蘭は何を望むか」

すると忽蘭は、

「私は何も所有しないことを望む」

と答えた。

「いま、回鶻《ウィグル》も、金も、その他の国々も、可汗たる貴方《あなた》の心の中にあるではないか。私は可汗ごと、そっくりその大きな夢を貰いたい。可汗はいつ四度《よたび》アルタイを越えるのか」

成吉思汗は黙って忽蘭の顔を見入った。惨白《なまじろ》き牝鹿《めじか》は、そのすんなりした姿態を見せて、いま自分の傍にいた。

モンゴル建国間もない成吉思汗にとって、一番厄介《やっかい》な問題は、ムンリクと彼の七人の子供たちの問題であった。ムンリクは成吉思汗より十五、六歳年長で、既に六十歳の老人であった。

成吉思汗はムンリク父子《おやこ》を重く用いていた。ムンリクは最高長老会議に出席できる地位に置かれていたし、子供たちもそれぞれ重要な地位に就かされていた。成吉思汗が彼等を重く用いる理由は、全くムンリクの父チャラカに対する恩義のためであった。成吉思汗は、三十年前父エスガイが死んだ直後、自分たち一家が悲惨のどん底に陥り、総《すべ》ての部衆が自分たちから離れて行った時、ただ一人自分たちのために死んでくれたチャラカ翁《おう》のことを決して忘れることはできなかった。少年の成吉思汗はチャラカの死に際して、この老人の類稀《たぐいまれ》な忠誠に対して心を強く揺すぶられたが、その時の感動はそれから三十年ずっと今日まで彼の心の中に生きていた。成吉思汗はチャラカ翁に酬《むく》いる替りに彼の息子ムンリクと七人の孫たちに酬いたのであった。

ムンリクだけに就いて言えば、成吉思汗はこの人物を信用してはいなかった。チャラカと違って、彼は自分たち一家を棄《す》てて行った一人であり、成吉思汗が成人してからも臆面《おくめん》もなく七人の子供を連れて帰って来た男であった。併し、成吉思汗はムンリク父子に関する限り、そうしたこと一切を不問に付していた。ムンリク父子のことを考える時は、成吉思汗はいつも忠誠なるチャラカを彼等に置き替えることを自分に課していた。

成吉思汗がムンリクについて一番忍び難いのを忍んでいるのは、ムンリクが母ホエルンと通じていることであった。ムンリクとホエルンのそうした関係がいつ始まったか判《わか》らなかったが、ムンリクが成吉思汗の陣営に帰参して来たのは十三年前のことであり、恐らく帰参間もなくそうした関係が二人の間にはできたのではないかと思われた。現在ホエルンは六十代の半ばに達しようとしていたが、十三年前と言えばまだ五十歳を出たばかりであり、永年己《おの》が五人の子供たちの育成に辛苦の生活を送って来た彼女が、一人の女性としての生き方を自分の晩年に持とうとしたことは充分想像し得ることでもあり、またそれは充分許されなければならぬことのように思われた。併《しか》し、成吉思汗は、やはり母ホエルンの幕舎にムンリクの姿を見出すことは不快であった。母は許せたが、ムンリクの方は許せなかった。こうしたことから成吉思汗はここ何年かホエルンの幕舎へは足を遠のけていた。

成吉思汗がこうした態度をとっていたので、ホエルンとムンリクの関係が半ば公認された形をとっており、ムンリクはそのことのために一部に隠然たる勢力を張っていた。そしてムンリク許《ばか》りでなくムンリクの七人の子供たちも父の立場をかさに着て、眼に余るような行為が漸《ようや》く多くなっていた。殊《こと》に甚《はなは》だしいのは長男のシャーマン教の僧テップ・テングリであった。成吉思汗という名を鉄木真のために選んだのもこの卜《ぼく》者《しゃ》であり、そうしたこともテップ・テングリを傲岸《ごうがん》な人物にしていた。成吉思汗はテップ・テングリを神の代弁者という理由であらゆる会議に自由に出席させていたが、禿《は》げあがった頭と、鳶《とび》のように精悍《せいかん》な眼と、色の黒い肌《はだ》を持った中年の卜者は、父ムンリクの奇妙な立場と祭政を左右できる神託者という自分の特権とを利用し、人を人と思わぬ振舞が多く、己が一族の者の勢力を張ることだけに腐心していた。

成吉思汗はムンリクを信用していないと同様に、テップ・テングリをも信用していなかった。併し、テップ・テングリの予言は不思議に当ったので、その人間を嫌《きら》いながらも、彼が代弁する神の託宣を無下《むげ》に退けるわけには行かなかった。

成吉思汗が可汗の位に就いた年の夏の終りに、一つの事件が起った。テップ・テングリが成吉思汗の前へ伺候《しこう》して、人払いを乞《こ》い、

「長生の上帝のお言葉をお伝えします」

と重々しく前置きして述べたことは、成吉思汗にとっては聞き捨てならぬことであ

った。弟のカサルが成吉思汗に替って王位に就こうと図っているというのであった。成吉思汗はそのようなことを信ずることはできなかった。彼は不気味な卜者に、

「たとえ神の言葉でも、それにはそれだけの理由があろう。いかなる根拠があって、そのようなことを言うか、神に質《ただ》してみよ」

ときびしく言った。すると、テップ・テングリは、不気味な笑いを浮かべて、

「神は可汗にカサルの幕舎へ行けと言っておられる。可汗はそこで恐るべきものを見るであろう」

と言った。それを聞くと成吉思汗はすぐ近侍の者数人を連れて、帳殿を出て、二丁程離れているカサルの幕舎へと向かった。夕闇《ゆうやみ》が四辺に立ちこめようとしている時刻であった。丁度カサルの幕舎では何か祝い事があったらしく、広場では昼間から開かれた酒宴がいま閉じられようとしていた。

成吉思汗は幕舎前の広場の一角に立っていた。広場を埋めていた人々は席を立って騒然としており、幕舎からも次々に酒気を帯びた多勢の人が吐き出されていた。その時成吉思汗は人々の間に挟《はさ》まって忽蘭が侍女たちと連れ立って幕舎を出るのを見た。忽蘭がカサルの祝い事の席に招かれたことは異とするには当らなかったが、次の瞬間成吉思汗が見たものは、忽蘭を追いかけるようにして幕舎の入口へ姿を現わしたカサ

ルが、忽蘭の手を執《と》ろうとした情景であった。カサルは明らかに酒気を帯びていた。忽蘭は二回程カサルの手を払いのけ、侍女たちに取り巻かれたまま、広場の人混みの中を、成吉思汗が立っている方とは反対の方角へ移動して行った。

成吉思汗はカサルに対して烈しい怒りを感じた。テップ・テングリの言うが如《ごと》く、いま自分は驚くべきことを見たのである。テップ・テングリの言うが如く、カサルは自分に対して叛逆心《はんぎゃくしん》を持っているに違いないであろう。

成吉思汗は帳殿へ帰ると、直ちに兵をやってカサルを縛せしめた。そして半刻後に自らカサルの幕舎に赴いた。カサルは寝台の前に帯と剣を奪われ、縛されたまま立っていた。成吉思汗はカサルを睨《にら》みつけたまま口を開くことができなかった。幼い時から苦難を共にして来た自分の片腕でもあったカサルが、どうして自分に叛《そむ》くというのか。成吉思汗はカサルを追放すべきか、斬《き》るべきか、あるいは獄舎に繋《つな》ぐべきか、決めかねて黙っていた。

その時成吉思汗は入口の幕が荒々しく引きあけられて、母ホエルンがはいって来るのを見た。ホエルンは最近になって急速に躰《からだ》の衰えを見せ始め、その歩行は痙攣《けいれん》でも起したような危なっかしい足どりになっていた。成吉思汗にとっては、ホエルンの出現は全く予期していないことであった。たれかが急を報《し》らせたものと思われた。

ホエルンはいきなりカサルに近付くと、彼を縛してある縄《なわ》を解き、帽子と帯を与え、その仕事が終ると、怒りを抑えかねてその場に胡坐《あぐら》をかいて坐った。そして成吉思汗を睨み据《す》えながら言った。

「成吉思汗よ。お前は私に萎《な》えしぼんだ乳を出させたいのか。お前が飲み、カサルが吸った同じ二つの乳を再び出させたいのか。お前は嘗《かつ》て弟ベクテルを殺した。そしてまたいまカサルを殺そうとするのか。胞衣《えな》を咬《か》む狗《いぬ》のように、崖《がけ》を衝《つ》く合卜闌《カブラン》のように、怒りを抑えかねた獅子《しし》のように、生きたままの動物を呑《の》む大蛇《おろち》のように、自分の影を衝く海清《かいせい》のように、声なしに呑む出喇合《チユラカ》のように、子駱駝《らくだ》を後脚より咬む駱駝のように、頭口を害《そこな》う山犬のように、その子を追いかねて、その子を啖《くら》う鴛鴦《えんおう》のように、その臥処《ふしど》を動かせば襲いかかる豺狼《さいろう》のように、捕えためらわざる虎《パルス》のように、妄《みだ》りに衝く巴嚕思《バルウス》のように、ああ、お前は長い間お前の右腕であったカサルをも殺そうとするか」

成吉思汗は思わず、二、三歩あとに退《さが》った。それほど老いた母ホエルンの怒気は烈しかった。母の怒りは嘗て成吉思汗がベクテルを殺した時よりもっと烈しく、彼女の口から憑《つ》かれたように飛び出す言葉はその時よりもっと殺気を帯びていた。成吉思汗は半ば呆然《ぼうぜん》としてホエルンの顔を見守っていた。母の顔こそ生きたまま己が前に立っている成吉思汗を呑もうとする大蛇のようであった。ベクテルの事件の時は、彼女は号泣したが、いまは一滴の涙も見せていなかった。成吉思汗はさらに二、三歩退って、

「カサルは自由だ。カサルはこれからも長く余の右腕であろう」

それだけ言い放つと、彼は母と弟に背を見せ、その幕舎を出た。成吉思汗は星を鏤《ちりば》めた高い夜空の下を救えない気持で歩いた。カサルの叛意の有無の穿鑿《せんさく》は別にしても、彼が忽蘭の手を握ろうとしたことは事実であり、その行為は許すべからざるものであった。併し、成吉思汗は許したのであった。あらゆる苦難に耐えて自分たちを育ててくれた母ホエルンのために、かけ替えのないただ一人の老いた母のために、成吉思汗はカサルの行為を許したのであった。

いま成吉思汗の気持を救えないものにしているのは、そのことのためではなかった。それは母ホエルンの眼が、己が子を敵から護《まも》ろうとする雌の眼以外の何ものでもなかったからである。成吉思汗はこの時初めて、自分がカサルと同じくホエルンを母とはしているが、それでいてカサルとは違う何ものかがその間に存在していることを認めなければならなかった。カサルは正しく母ホエルンと父エスガイの間にできた子であったが、自分はホエルンがメルキトの略奪者に依《よ》って拉致《らち》し去られた際にできた子供であった。それに違いなかった。母ホエルンは、自分に産ませたメルキトの略奪者を

憎んだように、自分を憎んでいるのかも知れない。成吉思汗は自分の出生の秘密を、カサルを庇《かば》おうとする眼の中にはっきりと見せつけられたような気がした。

それは兎《と》も角《かく》として、成吉思汗は母のためにカサルを罰することを思いとどまった。カサルを罰しない限りは、カサルを神託によって謀叛者《むほんしゃ》と断定したテップ・テングリを処刑しなければならなかった。成吉思汗はその夜、母をとるか、神をとるか、一睡もしない一晩を過した。そして暁方《あけがた》近くなって、成吉思汗は母のために神の代弁者を斬ることを決意したのであった。

翌日、帳殿へやって来たテップ・テングリを見ると、成吉思汗はすぐ近衛隊の兵をして彼を捕縛せしめ、予《かね》て命じてあった三人の力士に引き渡した。力士たちはテップ・テングリを帳殿の外へ連れ出すと、そこから程遠からぬ広場へ連行して、そこでいきなり背骨を折り、息絶えたのを見て、彼を雑草の間に棄てた。

一時間後、成吉思汗は、テップ・テングリの死体を見るためにその現場へ赴いて行った。テップ・テングリの父と弟たちが、それぞれ多勢の部衆を引き連れてテップ・テングリの死体を引き取るために集まって来ていた。ムンリクは成吉思汗の前へ進み出ると、

「余はモンゴルの草創時代から可汗の僚友であったのに、可汗はついに余の長子を殺

してしまった」

と言った。その言葉にはホエルンの夫たることを意識している高飛車な響きがあった。

成吉思汗は声を震わせて叫んだ。

「ムンリクよ。汝等《なんじら》一族の専横のために、その犠牲となって、テップ・テングリは上帝に慈《いっく》しまれずにこの最期《さいご》を見た。汝等もまた屍《しかばね》となってテップ・テングリのそれと枕《まくら》を並べたいか」

ムンリク父子は怖《おそ》れて、テップ・テングリの屍をそのままにして、そこから引き揚げて行った。成吉思汗はこの場合も、母ホエルンのために、ムンリクの生命を取ることを思い留まったのであった。

テップ・テングリの屍はシャーマン教の教僧にふさわしく尸《し》解《かい》して生けるが如く地上に留まった。人々はその不可思議さを怖れたが、成吉思汗はそれを意に介さなかった。母ホエルンのために、殺したくてたまらぬ人物を二人共救《たす》けたのである。テップ・テングリの死体の変異ぐらいは、当然のことではないかと思った。

成吉思汗はその後、カサルには何事もなかったように対した。カサルは依然として成吉思汗の大切な右腕であった。ムンリクの場合もまた同じであった。彼はこれまで通りホエルンの幕舎に起居してもいっこうに咎《とが》められず、最高長老会議へ出席する権利は依然として彼のものであった。ただ、テップ・テングリの死に依って、ムンリク一族の権勢は何分の一かに縮まり、横暴な行為は跡を絶つに至った。

翌一二〇七年、成吉思汗は建国間もない現在、辺境地帯に未《いま》だに威に服さぬ者があるので、専《もっぱ》らそうした地帯の掃蕩《そうとう》に当った。

先ず春の初めに、クビライをしてカルルグット部を討たしめた。クビライは軍務一切を司《つかさど》る長官であったが、特に成吉思汗に乞《こ》うて、自ら軍を率いて出陣したのであった。カルルグット部の長は刃向わないで降伏し、クビライと共に来《きた》って成吉思汗に謁《えっ》した。成吉思汗は手厚く遇して、自分の姫が長じたら与えることを約した。側室イェスイの産んだ女児はまだ三歳にしかなっていなかったので、相手に与えるには少し早過ぎた。

次にナイマン部に不穏な動きがあるという報がはいり、それを平定するために、夏の初めジェベが出征した。ジェベは半歳の日子《にっし》を費してこれを殲滅《せんめつ》し、秋の終りに凱《がい》旋《せん》して来た。

ジェベが凱旋して間もない頃《ころ》、辺境のウイグット部から使者が来て、成吉思汗に服属を誓って来た。ウイグット部の貢物《みつぎもの》は、金、銀、珠、大珠、絹織物、金襴《きんらん》、緞子《どんす》等、高価な品物ばかりであった。成吉思汗はウイグット部の長を恩賞して、アルガルトウン姫を与えることを約した。この姫の母はイェスゲンで、この女児の場合も何年か先きでなければ母の手から離されなかった。

翌一二〇八年、成吉思汗は長子ジュチを総指揮官として北方の森林地帯へ出陣させた。建国後最初の国外作戦であった。成吉思汗は今は境を接している東南方の金国と事を構えるにも、西南方の回鶻《ウイグル》と一戦を交えるにも、北方の脅威だけは除いて置かなければならなかった。北方には固まった勢力はなかった。バイカル湖周辺に幾つかの未開の部族が散らばっているだけで、それから北方は人の住めない寒冷の原野であり、全くモンゴル人の踏み込んで行けないシビル（シベリヤ）の地であった。

ジュチは二十一歳であった。母ボルテに、モンゴル族の苦難という苦難を己が一身に受けるために生まれて来たものとして、厳しく訓育されて育った若者であった。シビルの地への出征が噂《うわさ》され始めた時、ボルテは成吉思汗に、その役をジュチに与えて、彼の初陣《ういじん》を飾るものとすることを乞うた。

「その地は涯《はて》しなく遠いだろう。バイカル湖を越えて更にどこまで進んで行くか判らない」

成吉思汗は言った。

「ジュチの足は羚羊《かもしか》の脚より強い筈《はず》である」

ボルテは面《おもて》を上げて言った。

「シビルの地に於《お》けるこんどの作戦は、人との戦いではなく、自然との闘いであろう」

成吉思汗は言った。

「ジュチは幼い時から風と雪とを友にして育って来た。彼は幕舎の中で育ったのではない」

ボルテは言った。

「こんどの作戦で百人のうち九十人は帰って来ないだろう」

成吉思汗はまた言った。するとボルテは烈《はげ》しい眼をして、

「ジュチは常にそうしたきびしい運命に立ち向かうために生まれて来たのではなかったか」

と言った。成吉思汗は暫《しばら》くボルテの顔を見守り続けていたが、やがて、

「よし、ジュチをやろう」

そう低く言った。成吉思汗はシビルの地に於ける作戦の指導者は、恩威並び行うこ

とのできる中年以上の武将で、その人を求めればジェルメ以外にはないのではないかと考えていた。併《しか》し、ボルテの切望によって、成吉思汗はその役を己が長子である二十一歳のジュチに与えることを心に決めたのであった。成吉思汗はボルテの眼の中に烈しく挑《いど》むもののあるのを感じた。それはジュチを決して自分の子でないと信じている夫への挑戦《ちょうせん》であった。

ジュチは生まれて初めて一軍の総帥《そうすい》として、右翼軍数万の狼軍《ろうぐん》を率いて、五月の初めの北方の雪解けの時期を覘《うかが》って、モンゴルの大きい帳幕を出た。そしてセレンガ河の支流に沿って北上して行った。

その年の暮、ジュチは凱旋して来た。ジュチの収めた戦果は頗《すこぶ》る大きいものであった。彼は真っ先に降伏して来たオイラト部のクドカ・ベキを嚮導《きょうどう》として、オイラト、ブリヤト、バルクン、ウルスウト、カブカナス、カンカス、トウバの諸族を次々に平定し、この地方で一番の勢力を持っていたキルギス部を降《くだ》し、西北方一帯の林の民を収めて、何人かのキルギス部の首領たちを連れて帰って来たのであった。成吉思汗に対する土産物は夥《おびただ》しい数の白い大鷹《おおたか》、白い騸馬《せんば》（去勢馬）、黒い貂鼠《ちょうそ》であった。オイラト部のクドカ・ベキも一緒にやって来た。

成吉思汗は、モンゴルの主権者として、ジュチの戦功を称《たた》える詔勅を降した。

——ジュチは北西方不毛の地に出征し、よく道の遠く険しきに耐えて、居民を害《そこな》わず、騸馬を傷つけず、福ある林の民を征せり。ジュチの征せし民と地はすべからくジュチこれを領せよ。

成吉思汗はジュチのどちらかと言えば一見華奢《きゃしゃ》に見える瘦《や》せぎすの体軀《たいく》の中に、今まで気付かなかった非凡なもののあるのを認めなければならなかった。成吉思汗はジュチがモンゴルの血であり、蒼《あお》き狼《おおかみ》の裔《すえ》たることを立派に証明したことが満足であった。

ジュチの功を称える詔勅を出した日、成吉思汗は新しく部下となった辺境の部族の長たちを引見した。成吉思汗はひどく機嫌《きげん》がよかった。ジュチに依《よ》って奏上された第一の功労者クドカ・ベキに対しては、側室の一人に産ませたチェチェイゲン姫を贈ることを発表した。併し、四十歳のクドカ・ベキと五歳のチェチェイゲン姫では余りに年齢が違いすぎるという意見が出て、成吉思汗はいったん決めたその恩賞を止《や》めて、チェチェイゲン姫の相手をそこに控えていたクドカ・ベキの子の十三歳のイナルチに決めた。そして、

「クドカ・ベキは、明日帳殿の北の丘の上に立て。そしてそこで眼にはいった限りの総《すべ》ての羊群を取れ」

おります」

と言った。すると、クドカ・ベキは、

「イナルチは私の次子であります。もう一人長子のトウレルチが留守を守って聚落《しゅうらく》に

と言った。

それを聞くと成吉思汗は、

「それなら、長子トウレルチには、ジュチの娘ゴルイン姫を与える」

と言った。オイラト部のクドカ・ベキが退出すると、やはりこんどの作戦に協力したオングート部の長が姿を現わした。

「オングート部の長よ、汝《なんじ》にはアラカ・ベキ姫を与えよう」

成吉思汗はまた言った。アラカ・ベキ姫もまた極く最近側室の一人に産ませた女児であった。成吉思汗は自分の娘であれ、孫であれ、なべて女というものを尊重していなかった。女児を自分の手許《てもと》に残して置く必要はいささかも認めなかったのである。

成吉思汗はジュチに領土を与えたのを機会に、これまで一物も与えていなかった自分の肉親の者たちに、それぞれ所領を与えることを発表した。母ホエルンと、その末子テムゲには一万の民を与えた。モンゴルでは末子が家督を相続することになっていたので、末子のテムゲが他の兄弟より多い分け前にありついたわけであった。併し、

ホエルンはこれに満足しないのか黙っていた。成吉思汗は母が不平であることは判《わか》っていたが、しかし、これ以上多くの物を彼女たちに与えるつもりはなかった。

それから長子ジュチには九千人の民を、次子チャプタイには八千人の民を、また三子エゲデイには五千人の民を、末子のツルイには同じく五千人の民を与えた。それから弟のカサルには四千人の民、ベルグタイには千五百人の民を与えた。なべて肉親の者への恩賞は少なかったが、殊《こと》に弟カサルとベルグタイに対するものは甚《はなは》だしく少ないと言ってよかった。成吉思汗は、肉親の者へ与えるのは少しも急ぐ必要はないと考えていた。殊にカサル、ベルグタイに酬《むく》いるには、もっと大きなものを以《もっ》てしなければならなかった。すべては今後のことであった。いまは単に蒙古《もうこ》高原を自己の所領に収めただけに過ぎなかった。

それからこうしたことのもう一つの理由として、成吉思汗はカサルとベルグタイという二人の弟たちに、この頃になってある距離をもって対し始めていた。カサルとは恐らく父を異にした兄弟であり、ベルグタイとははっきりと母を異にした兄弟であった。三人はモンゴル部が今日の日を迎えるまでに同じ苦しい長い歳月を持ち、三人は心も躰も一つにして、あらゆる苦難に立ち対《むか》って来たのであった。

これまでは、成吉思汗にとってはこの二人の兄弟は他の何ものにも替え難《がた》い大切な必要な存在であった。併し、モンゴルが大国にのし上がったいまに於ては、カサルもベルグタイも、彼等が持っているものは、成吉思汗には今まで程大きくは感じられなかった。ボオルチュやジェルメの持っているものとは違っていた。カサルの方は人を統《す》べる才能は欠けていたが、戦闘に於てはやはり何といってもモンゴル有数の指揮者として認めないわけには行かなかった。併しベルグタイの方は、これまでの、幾度かのナイマン攻撃戦に於ても、思慮の浅さから来る失敗を繰返していた。己が部隊をも率《す》べることができなかったばかりでなく、指揮者としての能力にも欠けるところがあった。

併し、成吉思汗はこの二人に酬いることを、決して忘れたわけではなかった。二人に報酬を与えるには、与える時期もあり、与える方法もあった。成吉思汗はカサルには未知の西方の都邑《とゆう》を、ベルグタイには、同じく未知の北方の草原を与え、そこの王者たらしめることを夢見ていたのである。母ホエルンの不服に対しては、成吉思汗はいささかも気持を左右されなかった。母ホエルンには、何物も必要としないとさえ思っていた。彼女はいかなる時でも自分と共に、モンゴル族と共にある筈であった。

この年の暮も押し詰まった時、突如ホエルンは三日病んで他界した。六十六歳であった。葬儀は盛大に営まれ、遺体は、彼女が育て、いまは立派に成人してそれぞれ各方面の重要な地位に就いているケクチュ、クチュ、シギ・クトク、ボロクルの四人の異部族に生まれた孤児たちによってその肩に担《かつ》がれ、ブルカン嶽《だけ》の中腹の見晴らしのいい場所に葬《ほうむ》られた。

成吉思汗は母の遺体が墓所の中に埋葬される時、初めて慟哭《どうこく》した。彼の慟哭は忽《たちま》ちのうちに周囲の者に拡《ひろ》がって行った。それは成吉思汗の兄弟たちの口からは勿論《もちろん》のこと、ボルテの口からも、ボオルチュの口からも、ジェルメの口からも、チンベ、チラウンの口からも洩《も》れた。モンゴル二十一部の部衆二百万は、尽《ことごと》く葬儀の日から一カ月喪に服した。

成吉思汗が母ホエルンの死から受取った一番大きいものは、己が出生の秘密を知っているただ一人の人間がこの世から去ってしまったという思いであった。自分を産み、自分を育て、自分と共にあらゆる苦難を共にした母がみまかったことで、成吉思汗は勿論血を享《う》けた子供としての悲しみを味わったわけであるが、それとは別に、自分がメルキトかモンゴルかについて、少なくともある判定の材料を持っていた筈の人間が死んでしまったことで、ふいに裸で大地の上にでも投げ出されたような孤独なものを感じた。ホエルンが生きていたからと言って、彼女からは何も訊《き》き出すことはできなかったし、また彼自身訊き出そうという気持も懐《いだ》かなかったが、併し、自分の悩みについて少なくとも判定の材料を握っている人物が生きていることは、そうした人物が生きていないこととは違っていた。

成吉思汗は母の死によって、決して今まで予想もしていなかったある大きな自由を得たような気がした。それは自分が考えていることを監視している人間がいないというこことであった。成吉思汗はこれまで自分が蒼き狼と惨白《なまじろ》き牝鹿《めじか》の裔《すえ》の正統であることを夢み、またそれを信じようとしても、いつもどこかで母ホエルンの存在がそうした思いを妨げているのを感じていた。

母の喪に服しながら成吉思汗は初めて自分が狼の裔であることを夢想することに於《お》いて自由であることを知った。もともとこの問題は自分が信じるか信じないかのことであった。成吉思汗は初めて自分が蒼き狼の正統であることを自由に夢み、自由に信じ、そして自由にそのことを自覚にまで高めて行くことができた。

そうした成吉思汗の前に、初めて金という大国がそれを屠《ほふ》らねばならぬ仇敵《きゅうてき》として、それを貪《むさぼ》り啖《くら》わねばならぬ獲物《えもの》として大映しに写し出されて来たのであった。

喪中にある成吉思汗の帳殿に於ては、新年の賀筵《がえん》は開かれず、その替りに毎日のように変った顔の部下たちが呼び入れられた。成吉思汗は自分の信頼している部下たちそれぞれに同じ問題を出し、それについての回答を求めた。成吉思汗自身は殆《ほと》ど自分の意見を口から出さず聞き役に廻《まわ》っていた。成吉思汗が彼等に提出した命題は、建国間もないモンゴルにいかにして繁栄の道を辿《たど》らせるかということであった。

成吉思汗は十日ほどの間に数十人の意見を聞くことができた。ボオルチュ、ムカリ、ジェルメといった重臣たちの意見も、各部族部族の古老たちの考えも、それから戦闘の訓練に明け暮れている若者たちや、羊を追っている女たちの意見までも聞くことができた。それによって成吉思汗は建国間もないモンゴル国を構成しているあらゆる階層の男女が、もっと富裕な、もっと生まれて来た悦《よろこ》びを享受《きょうじゅ》できる生活を望んでいるということを知った。こうした思いは成吉思汗とて同じことであった。そして大部分の者が、そうした自分たちの望む生活を得る方法として具申したことは、隣接国への侵略であった。侵略に依《よ》って得た獲物と来貢品の公平な分配であった。

成吉思汗がその意見を訊いた者たちの中で、際立《きわだ》って他と異った意見を具申した者は、武将のジェベと愛妃忽蘭《クラン》であった。曾《かつ》て成吉思汗を狙撃《そげき》した不敵な若者は、その鏃《やじり》のような形をした頭の中から、モンゴルの民が誰《だれ》一人考えたことのなかったある一つのことを、石ころでも取り出すように無造作に取り出して成吉思汗の前に置いた。

「モンゴルの民は羊を捨てなければならぬ。羊がある限り、モンゴルに倖《しあわ》せは来ないだろう」

ジェベの言葉の中には、神を神とも思わぬ不敵さがこめられていた。

忽蘭は言った。

「蒙古高原よりもっと住みよい土地が、必ずや他にあるに違いない。夏は猛暑きびしく、冬は寒さはげしいこの地を離れて、みなでそこへ行こうではないか。ブルカン嶽より美しい山の麓《ふもと》に帳殿を築き、オノン河より澄んだ川の流域に城邑《じょうゆう》を築くことが、可汗よ、汝の仕事ではないか」

忽蘭のこの言葉も、曾ていかなるモンゴル人の口からも出されたことのない種類のものであった。成吉思汗は言葉こそ違え、この二人が全く同じことを考えているのを知った。二人ともモンゴルの民の発祥の地に、モンゴルの繁栄を予約する何ものもないことを指摘しているのであった。成吉思汗はそれぞれ別の日にそれらの言葉を聞いたのであったが、相手が話し終るや、

「モンゴルはやがてそれを為《な》すだろう」

と、同じ言葉を二人に与えた。

成吉思汗には羊群を棄《す》ててなお、二百万のモンゴルの民の住み得る物資豊かな国は、金国をおいては他にないと思われた。また美しい山と澄んだ川を求めるとすれば、そ

れはやはり金国であるとしか考えられなかった。

一月の終りに、成吉思汗はモンゴルの長老者会議に臨んで、ジェベと忽蘭の言葉を、二人とは全く異った表現をもって発表した。

「モンゴルの民の上天より降された使命は、宿敵金を撃つことである。われらの祖アムバカイ汗《カン》はタタルの手で捕えられ、金国へ送られ、木の驢馬《ろば》に釘付《くぎづ》けされた上、生きながらにして皮を剝《は》がれた。カブル汗も、クトラ汗も、みな金の謀略に依って殪《たお》れている。モンゴルの歴史の上に血塗られた汚辱を、われわれは忘れてはならぬ。金へ軍を進める途上にあってモンゴルの行手を妨げるものは、いかなる国であれこれを除かなければならぬ。金国へ進軍する途上にある国は西夏であった。成吉思汗は金と雌雄を決する前に、先ず西夏を攻めなければならなかった。西夏は二年前に来貢して、現在友好関係にあったが、成吉思汗は決してこれに満足していたわけではなかった。理由があろうとなかろうと、いつかは武力をもってこれを平定し、潰滅《かいめつ》してしまわねばならなかった。金国と事を構えるに際し後顧の憂《うれ》いになるものは尽《ことごと》く除いて置かなければならなかった。

春の来る前に小さい事件があった。それはイルティシ河流域の民万戸を支配するようになった老いたる好色の予言者ゴルチが、彼の統べる聚落の一つで、部落民のために捕えられてしまったという事件であった。ゴルチは成吉思汗から与えられた特権を行使するために、部落部落の美女狩りをやって、ついにこの憂目《うきめ》を見たのであった。

成吉思汗はゴルチを救うために、前年の作戦でジュチに協力したオイラト部のクドカ・ベキがこの地方の情勢に明るいので、彼を派遣することにした。併し、それから間もなく、こんどはクドカ・ベキも捕えられてしまったという報がはいった。

成吉思汗はこんどはゴルチ老人とクドカ・ベキの二人を救うために、若干の兵をつけてボロクルを派遣することにした。ボロクルが出発するに当って、成吉思汗はなるべく武力に訴えずに事を穏便に解決するように命じた。ボロクルならそれを為し得るであろうと思った。曾て成吉思汗がジョルキン氏族のサチャ・ベキ、タイチュの二人の叛逆者《はんぎやくしや》を撃った時、その陣営に於てゴルチ老人に拾われた当時五、六歳だった少年は、いまは二十歳近い逞《たくま》しい青年に生い育っていた。

ボロクルにとってはゴルチ老人は彼を拾い上げてくれた恩人であり、その恩人の危難を救う役を成吉思汗はボロクルに与えたのであった。またそうしたゴルチ老人との関係からばかりでなく、成吉思汗にはこの任務はボロクルに打ってつけの役であると思われた。誰にも好感を持たれる女のような愛くるしい顔を持った青年は、交渉事には天賦《てんぷ》の才能を持っていた。相手を怒らせずに、相手を将棋の駒《こま》のように自分の思うままに動かすことができた。

成吉思汗はホエルンの育てた四人の孤児の中で、このボロクルには特に眼をかけ、その将来に大きい期待を持っていた。成吉思汗は将来大国へ使節を派遣する時は、その大役をボロクルが持つようになるのではないかという考えを、漠然《ばくぜん》と抱いていた。併《しか》し、このボロクルをイルティシ河流域へ派遣したことは、成吉思汗にとって大きい失敗であった。ボロクルはモンゴルの帳殿を出てから一カ月程後には、死体となって帰ってきたのである。つまらぬ辺境のいざこざのために、かけ替えのない貴重な人物を失ってしまったことに、成吉思汗は愕然《がくぜん》とする思いだった。

「余の過失だった。ボロクルは金都に使する時が来るまで、帳殿の奥深く仕舞っておくべきだった」

成吉思汗は歎息《たんそく》と共に言った。そして次の瞬間、彼は満面に朱を湛《たた》えて呶鳴《どな》った。

「イルティシ河の流域を、一木一草無きにまで焼き払え、ドルベ・トクシン、軍を進めよ」

ドルベ・トクシンは敵とみるものは総《すべ》てみな殺しにするために、この世に生まれて来たような武将であった。彼の過ぎ去ったあとには、一木一草をも見ることはできないと言われていた。ボオルチュとムカリは、モンゴル国内の事件にドルベ・トクシンを派することに反対したが、成吉思汗は自分の考えを曲げなかった。

一カ月後、蒼白《そうはく》な皮膚と赤ちゃけた髪を持った小柄《こがら》な武将ドルベ・トクシンは、ゴルチ老人とクドカ・ベキを伴って帰って来た。兵たちはそれぞれ、斧《おの》、手斧、鋸《のこぎり》、鑿《のみ》などの奇妙な武器を持っていた。

「林の民ら悉く《ことごと》屍《むくろ》となり、林の樹木は総て灰に化しました」

ドルベ・トクシンは復命した。彼は成吉思汗の命を、その言葉通り完全に遂行したのであった。

夏の初め、成吉思汗は予定通り大々的に軍を動かした。西夏を撃つためであった。西夏はモンゴルと金の間に蟠踞《ばんきょ》しているチベット系のタングート族が建てている国で、モンゴルはここを傘下《さんか》に収めない限り、金国へ侵攻することはできなかった。西夏を避ければ、万里の長城と興安嶺《こうあんれい》の険峻《けんしゅん》にぶつかり、大軍がそこを突破することは殆ど不可能と言ってよかった。西夏を平定し、西夏の南部から長城の内側にはいった場合だけ大軍を金国へと進めることができるわけであった。

併し、西夏へ侵攻すると一口に言っても、そこには広大な沙漠《さばく》地帯が横たわっており、モンゴルの部隊は何十日かにわたる沙漠の行軍を経なければならなかった。成吉思汗は五月の終り、十数万の軍勢を率いて大挙戈壁《ゴビ》の大不毛地を横断、一路西夏の首都中興府を目指した。そして沙漠地帯で、西夏王李安全の世子《せいし》の率いる西夏軍と相会した。モンゴルの兵たちにとって初めての本格的な異民族との交戦であった。

併し、この場合、彼我《ひが》の優劣は余りにもはっきりしていた。西夏軍の駱駝《らくだ》も馬も兵も、一瞬にしてモンゴルの騎馬集団に四方から押し包まれ、再び起《た》ち上がれぬほどの打撃を受けた。

モンゴルの部隊は次々に敗走する敵軍には眼もくれず、それを追い越して中興府を目指した。成吉思汗は途中で部隊を三つに分け、ジェベ、ムカリ、クビライの三将に指揮権を与えた。モンゴルの猛《たけ》き狼《おおかみ》たちは北、西、南の三方より中興府に迫り、忽《たちま》ちにしてこれを囲んだ。

成吉思汗も彼の部下たちも、初めて城の西方に置かれてある黄河の黄濁した大きな流れを見、初めて山の尾根尾根に恰《あたか》も鉄の回廊の如く繞《めぐ》らされている万里の長城を眼にした。攻囲半歳にして、黄河の堤防決潰《けっかい》をみたために成吉思汗は早くも城の囲みを解かなければならなかったが、間もなく西夏国王との間に和議が成立し、成吉思汗は国王に来貢を約せしめ、その女《むすめ》を容《い》れて軍を返した。

この西夏遠征に依《よ》って、成吉思汗には思いがけない収穫があった。それは西夏の西方に国を建てている回鶻《ウイグル》がモンゴルの威を怖《おそ》れて来貢の使者を送って来たことであった。

五章

成吉思汗《チンギスカン》はその年の終りに蒙古《もうこ》高原の己《おの》が帳殿へ帰ると、最初の異国に於《お》ける異民族との交戦から得た新しい知識を、すべてモンゴル軍の訓練に取り入れた。集団の戦闘形は大きく変更され、部隊という部隊はすべて騎馬隊に編成替えされた。そして武器は短槍《たんそう》が棄《す》てられて長槍が採られ、新たに弓矢の他に拋石機《ほうせきき》や火炮《かほう》の武器も取り入れられた。戦闘訓練は日に日に烈《はげ》しくなって行った。男という男は幼者、老人、病者を除いて、他はすべて兵団の宿舎に入れられ、戦闘訓練を受けるか、そうでなければ、柳葉甲《りゅうようこう》、羅《ら》圏甲《けんこう》、あるいは頑羊角弓《がんようかくきゅう》、響箭《きょうせん》等の武器の製造にあたらされた。女子供等は羊群を追い、また衣服を織った。蒙古高原は夜になっても、その到《いた》るところに灯の動きが見られるようになった。夜間訓練による松明《たいまつ》を手にした騎馬兵の移動であった。

国内には次々に道路が造られ、道路の要所要所には駅站《えきたん》*が置かれ、駅站には屈強の部隊と馬が配された。あらゆる情報は駅から駅へ伝えられ、矢のような速さで成吉思汗の帳殿へもたらされた。また成吉思汗の命令も同様にして、広漠たる高原のいかなる僻地《へきち》へも波が押し寄せて行くように伝えられて行った。

刑罰法度《はっと》は新たに峻厳《しゅんげん》極まるものが設けられた。盗人は贓物《ぞうぶつ》を三倍にして返さなければならず、特に駱駝を盗んだ場合は、それがたとえ一匹であっても死刑に処せられることになった。また喧嘩《けんか》口論に対しても、飲酒に対しても厳しい罰則が設けられた。これらのことはすべて、部隊という部隊が出征してしまい、国内が空になって女子供ばかりが残った場合に対する配慮であった。

成吉思汗は一二一〇年という年を、全く金国遠征のための準備に費した。併し、成吉思汗の心の中では金国へ侵攻する時期はまだ決められていなかった。金国という大国の持つ力は、その軍事力も経済力も、それがいかに大きなものであるか見当がつかなかった。それに対するこちらの準備はこれで充分のようにも思えたし、まだこの先き何年も力を貯《たくわ》えなければならないようにも思われた。

この年の夏、金国から使節がやって来た。その一行が国境に姿を現わすや否《いな》や、金使入国の報は直ちに何十カ所の駅站を経て、成吉思汗の許《もと》に伝えられて来た。ために成吉思汗は、その使節の到着を何日も待つことになった。

使者は金国の皇帝章宗《しょうそう》が崩じ、その子允済《ユンジ》が即位したことを告げ、これを機に長く絶えていた来貢を新たに促して来たものであった。

成吉思汗は初めから使者を冷たくあしらい、全く属国からの使者と同様に引見する態度をとった。そして、大国の王位に就く者は英邁《えいまい》な君主でなければならぬが允済はその器《うつわ》でないと聞いている。来貢を促すなどということはもってのほかである。成吉思汗はそう言って座を立った。使者の一行は直ちに帰国の途に就かなければならなかった。

章宗が崩じたという情報は前年に成吉思汗の耳にはいっていたが、成吉思汗はそれが真実であるかどうかを確かめることができないでいた。併し、いま正式の金国からの使者に依って、それが事実であることを知り得たわけであった。成吉思汗はその夜、帳殿の一室で、金国への出兵の時期を決定した。そして二日置いた朝、長老たちの一部にそれを発表した。出征は一二一一年三月、それまでの間に半歳の日子《にっし》が置かれていた。

出征の日を発表したその日から、成吉思汗の帳殿に於《おい》ては毎日のように軍事会議が開かれた。ボオルチュ、ジェルメ、カサル、ムカリ、ジェベ、スブタイ等の武将たちの間に金国への侵入路を決定するために烈しい議論が闘わされた。西路は西夏を経てはいる道であり、西夏を臣属せしめている現在、この道を取るのが常道であった。兵站にも便利であり、道も概《おおむ》ね拓《ひら》けていた。東路は重畳たる山岳地帯を越え、更に長城の一角を撃破して進攻路を作らねばならなかった。ただ東路を取った場合の特典は、相手の意表を衝《つ》くことと、長城線に沿って何カ所でも侵入路を作り得ることであった。西路の場合は、西夏の南部の狭隘《きょうあい》な地帯しかなかった。

成吉思汗は諸将の意見を聞いた上で、結局東路を取ることに決定した。モンゴルの狼群《ろうぐん》は、月下狼が峰を越える時のように、到るところから長城線を越えて金国へ雪崩《なだ》れ込まなければならなかった。これは成吉思汗が永年、脳裡《のうり》にはぐくみ育てて来た一つの鮮明なイメージであった。そうしなければならぬ何の根拠もなかったが、成吉思汗は乾坤一擲《けんこんいってき》の大事に、幼い日から持ち続けて来た幻影の中にモンゴルの運命を賭《か》けたのである。

年が改まって一二一一年になると、蒙古高原の到るところで部隊は動き始め、それらは次第に大きな集団となって、成吉思汗の帳幕へと集まりつつあった。オノン、ケルレン両河川の流域には、上流へ上流へと溯《さかのぼ》って行く幾つもの集団が跡切《とぎ》れることなく続いた。

三月初め、成吉思汗はモンゴルの全軍に金国侵攻を発表した。そして、それから毎日のように部隊編成に関する布告は次々に公示された。今や帳幕のある広い草原は兵と駱駝と馬と戦車で埋まった。夥《おびただ》しい羊群もまたその一角に集められていた。

モンゴルの兵たちは、ムカリ、スブタイ、ジェベらをそれぞれの統轄者《とうかつしゃ》とする三軍団と、カサルの統《す》べる左軍、ジュチ、チャプタイ、エゲデイ等成吉思汗の三子の率いる右軍、それから成吉思汗とその末子ツルイの統べる中軍と、六つの大集団のいずれかに配属された。留守部隊としてはトクチャルを長とする二千の兵だけが残された。

出陣の日を三日先きにして、成吉思汗は自らブルカン嶽《だけ》に登り、山頂に於て戦捷《せんしょう》を祈念《きねん》した。成吉思汗は頸《くび》に帯をかけ、着衣の紐《ひも》を解いて祭壇に跪《ひざまず》き、馬乳酒を大地に注いだ。

——嗚呼《ああ》、永《とこし》えの神よ。余はわれらの祖が金国王のために辱《はずか》しめられ殺害されたるを以《もっ》て、兵を挙げその仇《あだ》に報いんとする。これは全モンゴルの民の意志である。若《も》しそれこれを嘉納《かのう》されるならば、昊天《こうてん》より余の双腕に援助を与えよ。而《しか》して下界の人類善神妖魔《ようま》に令して協力して余を援《たす》けしめよ。

出陣の前夜、成吉思汗はジュチ、チャプタイ、エゲデイ、ツルイの四子を己が帳殿に集めて、子等の母ボルテとの最後の晩餐《ばんさん》を共にさせた。成吉思汗は四十九歳、ジュチは二十四歳であった。そしてチャプタイは二十二歳、エゲデイは二十歳、ツルイは十八歳であった。

「ボルテよ。汝《なんじ》が産んだ四人の子供たちはそれぞれ一方の将として金国へ向かう。汝が今宵《こよい》ここで子供たちと別れるように、余もまたここで子供たちと別れるだろう。明日からは父も子もそれぞれ異った戦線へ向かわねばならぬ。こんどの戦線はいままでとは違ってそれ程広いのだ」

成吉思汗は言った。それに対して、

「子供たちと別れることを、何で私が悲しもう。私はタタルを、タイチュウトを嚙《か》み殺す狼を産むために汝のところに嫁ぎ、汝の子を産んだのではないか。子供たちが成人したいま、子供たちが嚙み殺す筈《はず》のタタルもタイチュウトも、みな汝が嚙み殺してしまって、その残骸《ざんがい》すら残っていない。子供らは飢えている。長城を越えて金国の輩を捉《とら》えて食わしめる自由を彼等に与えよ」

そうボルテは言った。成吉思汗より一つ年長のボルテは、若い日に輝くばかり金色に光らせていた髪をいまではすっかり銀色に変えていた。

晩餐は深夜まで続いた。成吉思汗も四子たちも、夜更《よふ》けて帳殿の一室を出た。成吉思汗は幕舎の前で子供たちと別れると、その足で本部を置いてある幕舎に赴き、そこに居たボオルチュと暁方《あけがた》まで諸事の打合せをした。そしてもう打合せすべき何事もなくなってからもなお、二人は対《むか》い合ってそこに坐《すわ》っていた。ボオルチュは成吉思汗の三子の率いる右軍に配されており、少年の日から苦難を共にしたこの武将とは、今夜別れてしまうといつまた会えるとも知れなかった。

　ボオルチュと別れてその幕舎を出た時、四辺は夜が白みつつあった。成吉思汗はそこから真直《まつす》ぐに忽蘭《クラン》の幕舎へと赴いた。早朝の空気は、身を切るほど冷たかった。幕舎の一室で、忽蘭は昼間の衣服を纏《まと》ったまま、幼児に添寝の姿勢で眠っていた。幼児は成吉思汗と彼女との間にできた三歳の男児ガウランであった。

　成吉思汗が寝台へ近付いて行くと、その微《かす》かな足音で忽蘭はすぐ身を起した。そして相手が成吉思汗であるのを知ると寝台から降り、静かに成吉思汗に対い合って立った。成吉思汗は忽蘭の大きく見開かれた眼がじっと自分を見詰めているのを感じた。成吉思汗はこのところ軍務に忙殺されて、暫《しば》く忽蘭から遠ざかっていた。

　忽蘭は成吉思汗が何か言葉をかけるのを待って居るようであったが、成吉思汗は黙って足を進め、寝台の上から幼児の寝顔を覗《のぞ》き込んだ。幼児は忽蘭に似ていた。幼い顔の中に、眼も鼻も口もみんな忽蘭と同じものを備えていた。

　幼児の傍《そば》から離れると、こんどは成吉思汗の方が若い愛妃の面《おもて》に眼を注いだ。二人の間には、まだ一言も言葉は交わされていなかった。やがて忽蘭が、その沈黙の苦しさに耐えかねたように口を動かした。

「可汗よ。貴方《あなた》はいまいかなることを言おうとしているか」

成吉思汗は彼女の問いに対して訊《き》き返した。

「忽蘭よ。汝の耳はいま何を聞くことを欲するか」

すると忽蘭は、

「わたしの知りたいことはただ一つである。しかし、そのほかのことについても、可汗は何も話してくれようとはしないではないか」

と言った。

「そんなことはない。忙しかっただけだ」

「金国へ出陣することも、その出陣が今日に迫っていることも、何一つ可汗は私に話してはくれなかった。わたしは私自身でそうしたことを知ったのだ。が、いまはそうしたことを可汗の口から聞きたいとは思わない」

「聞きたいことというのは何か。それを言え」

成吉思汗が言うと、

「それは可汗の口から言うべきことではないか。私はそれをここ一カ月の間毎日毎日待っていたのだ」

忽蘭は少し恨みがましく言った。

成吉思汗には勿論《もちろん》忽蘭がいま何を訊きたがっているか、そのことはよく判《わか》っていた。いよいよ出動するというぎりぎりの時刻まで成吉思汗がそれを忽蘭に言わなかったのは、そのことが成吉思汗の心の中で決まっていなかったからである。それは言うまでもなく、忽蘭をこんどの遠征に伴って行くかどうかの一事であった。乳を離れない三歳のガウランのことを考えれば、当然忽蘭はガウランと共に残るべきであった。

併し、そのことが忽蘭の心にいかなる響き方をするかと思うと、成吉思汗はうかつに口に出すことが怖いような気持でいた。成吉思汗は男女を問わず大抵の人間の心の中を推量することができたが、忽蘭の場合だけはいつもそれが判らなかった。成吉思汗には忽蘭の心が満々とコバルトの水を湛《たた》えている、アルタイ山系の奥深くに仕舞われてある無数の湖のように不思議なものに思えた。

併し、いまこの期《ご》に臨んで、成吉思汗は何か言わなければならなかった。自分を見《み》据《す》えるようにしている忽蘭の眼を、成吉思汗は逆に睨《にら》みつけるようにして言った。

「忽蘭よ。汝は余と共に行かなければならぬ」

言葉を出してしまってから、成吉思汗は自分がいままで考えていたこととは全く反対のことを口走ってしまったことに気付いた。成吉思汗は自分で自分の言葉にはっとした。その時、忽蘭は初めて表情を柔らげて、

「可汗よ。若《も》し貴方がいまと反対のことを口に出したら、わたしは死を選ぼうと思っていた。可汗はわたしの命を救ったのだ」

と静かに言った。そして、

「ガウランはいかにすべきか」

忽蘭は訊いた。こんどの場合も、成吉思汗は忽蘭の心に抵抗できないような気持になって言った。

「ガウランも亦《また》、余と共に長城を越えなければならぬ」

そう言い終った時、成吉思汗はガウランを伴って行くことをはっきり心に決めていた。三歳の幼児ではあるが、彼も亦モンゴルの狼の一員である。総《すべ》てを賭けた金国との戦いに、たとえまだ四脚は伸びきらぬと言え、蒼《あお》き狼《おおかみ》の裔《すえ》の裔まで出動することに何の異論があろう。

忽蘭は成吉思汗の言葉が終らないうちに一歩近付いて優しくその手を延べた。併し、成吉思汗はそれには応《こた》えないで表情を更に厳しくすると、

「ガウランを遠征に伴うことが、いかなることであるか、汝は知っているか」

と言った。忽蘭は即座に答えた。

「知っている」

「いかなることか」

「可汗よ、貴方は私の心の中が判らないのか。ボルテの産んだ皇子たちが揃《そろ》って従軍する時に、私の産んだガウランも同じ幸運に浴させたいのだ。たとえ三歳の幼児と雖《いえど》も従軍できぬことはない。可汗は私の願いを諾《き》き届けてくれた。それ以外に何を求めることがあろう。従軍することによってガウランが戦乱の焔《ほのお》に巻き込まれようと、異民族の中に置き捨てられようと、それはガウランの持つ運命というものであろう。私はそんなことは少しも怖《おそ》れはしない。私は王族の一人たるべくガウランを産んだのではない。名もなき民の一人として彼が出発し、自分の力で自分の道を切り拓《ひら》いて生きてくれることを願うのみである」

忽蘭の口調はあくまで静かだったが、そこには烈《はげ》しい熱情がこめられてあった。成吉思汗は忽蘭の眼が異様にきらきらと光るのを見ていた。成吉思汗はこの時ほど忽蘭に対して深い愛情を感じたことはなかった。成吉思汗もまた、ガウランに、彼女の考えるようなそんな生き方を課してみたいと思った。それはモンゴルの主権者の愛情ではなく、一人の父としての愛情であった。男は苦難の中に生い育たなければならぬのだ。自分の如《ごと》く、カサルの如く、ジェルメの如く。——モンゴルの狼はそうあらねばならぬのだ。

その日から翌日へかけて、成吉思汗の統べる幾つかの兵団は、ある一定の時間を置いては広場から進発して行った。真っ先に出て行ったのは、ジェべの率いる兵団、その次にムカリの兵団が続いた。

長子ジュチ、チャプタイ、エゲデイ等の率いる右軍が進発する頃《ころ》には、早くも一日が暮れて夕闇《ゆうやみ》が迫って来ていた。そしてそれに続いてカサルの左軍が長い隊列をとって聚落《しゅうらく》をあとにした時は、彼等はすぐに闇に包まれて見えなくなった。一番最後の成吉思汗と末子のツルイが統率する中軍の進発は、深更になってからであった。月光盛んなる中を、成吉思汗は部隊の中央に位置して馬を進めた。

斯《か》くしてモンゴル二十万の兵たちは東路を辿《たど》って、金国へと向かったのである。何日かを費す沙漠《さばく》の行程の果てに、幾つかの山を越え谷を渡った時に、先ず彼等は、曾《かっ》て西夏の都中興府を囲んだ時その一端を見たあの何ものの侵入をも強くはばもうとする万里の長城を、その行手に見る筈であった。

成吉思汗は時々部隊の背後を振り返って、部隊の行進状態を己が眼で確かめた。月光に槍《やり》の穂先が鈍く光って、その光の筋が川の流れのように長く長く草原を貫いていた。その流れの中のどこかに、忽蘭と三歳の幼児ガウランが馬に曳《ひ》かせた包《パオ》の中にいる筈であった。

成吉思汗は二十万の金国攻略軍には、独特の編成を施していた。一番の末端は十人ずつを一組にして、それらを次々に集めて百人、千人、万人の部隊を作り、それぞれにそれらを統轄《とうかつ》する長を置いた。一万人の指揮者には百戦練磨《ひゃくせんれんま》の将軍が配せられ、成吉思汗の命令はいかなる時でも幕僚に依《よ》ってこれら将軍たちに伝えられ、将軍たちからまたたく間にそれぞれの集団の下部組織へと浸透して行った。

ブルカン嶽麓《がくろく》の帳幕を発した成吉思汗の金国遠征部隊は進路を南にとり、ケルレン河沿いに進み、五日目に大きく東に屈曲しているケルレン河の川筋から離れて広大な沙漠地帯の一角へとはいって行った。

ケルレン河と別れる日、成吉思汗には多少の感慨があった。二年前西夏へ侵入した時もケルレン河と別れて、戈壁《ゴビ》の大不毛地を横断して行ったが、その時と較《くら》べると、今度の場合は全く違っていた。戈壁の大不毛地を横断してその向うに自分たちを待っているものは、西夏ではなくて、金国であった。自分たちに何倍かする国土と兵力を持ち、無数の堅固なる城郭を築いて、高度の文化的生活を営んでいる文明国であった。そこで行われる戦闘については全く予想がつかなかった。勝利については一応の成算があり、それに対する準備は完全であると思われたが、併《しか》しそれを確信というはっきりした形で持つことはできなかった。

小さい時からその名前を聞いている黄河の流れも、曾て西夏の中興府に於て一度眼にしていたが、それは黄河という巨大な生きものの末端部の、そのまた末端であるに過ぎなかった。地殻《ちかく》の表面そのものが神の意志で移動しているとさえ言われている黄河の真の相《すがた》は、モンゴルの兵たちには誰《だれ》も想像できなかった。また往古から北方遊牧民族の侵入をはばんでいる長城も、黄河と同じく中興府に於てこれを見たが、これまた長城という土と石で胴体を固め、人近づくやいたるところから火箭《ひや》を吹き出すという巨獣の一番西の端《はず》れの部分であるに過ぎなかった。そして長城と黄河に依って囲まれた地域にあるものが、いかなるものであるかという事については、全く知識の持合せがなかった。

成吉思汗は幼時に父エスガイから金国の話を聞くと、いつも自然に何ものかが煮え沸《たぎ》っている大きな坩堝《るつぼ》を眼に浮かべた。そこでは往古から消ゆることのない業火《ごうか》に依ってあらゆるものが煮沸されていた。人間が到達し得た最高の思想も、技術も、また人間が生まれながらに持っている邪悪なものも、蒙昧《もうまい》なものも、それからまた富も、貧窮も、戦闘も、平和も、歌舞音曲も、華やかな宮廷の行事も、流民《るみん》も、酒舗も、芝居小屋も、集団屠殺《とさつ》も、賭博《とばく》も、私刑も、栄達も、没落も、何もかもが一緒くたに煮え沸り、不気味な気泡《きほう》はその不気味な煮沸物の表面に絶えず現われたり消えたりしているのであった。そしてモンゴルの汗《カン》アムバカイはそこで木の驢馬《ろば》に釘付《くぎづ》けにされ、生きながらにして皮を剝《は》がれたのであり、また往時から毎年のように無辜《むこ》のモンゴルの民たちは、何十人、何百人となく、金国の兵たちによって拉致《らち》され、その坩堝に投げ込まれたのであった。

成吉思汗はケルレンの流れと別れるに当って、自分が再びこの岸に立ち得るかどうか判定することはできなかった。それは自分許《ばか》りでなく二十万のモンゴルの兵たちとて同じことであった。成吉思汗は早朝小高い丘の上に立って、暁闇《ぎょうあん》の中に横たわっているケルレンの姿を最後に眼に収めると、麾下《きか》の全兵団へ進発の令を発した。三月の中頃とは言え、この地帯はまだ深い冬の眠りの中に閉じ込められており、一カ所に立ち停《ど》まっている限り寒風は肌《はだ》を刺し、骨に滲《し》み入って来た。

部隊は帳幕を出た時と同じように、ジェベの率いる兵団が先きに進発し、少し時間を置いて、殆《ほとん》どそれと並行するように、スブタイ、ムカリの率いる二つの兵団が進んだ。夜は明けようとしていたが、まだ兵たちの持つ松明《たいまつ》の光が部隊のあちこちに点々と見えた。各部隊の陣容は帳幕を進発した時と、少し異ったものになっていた。帳幕からこの地点へ来るまでの間に羊や駱駝《らくだ》や馬などの夥《おびただ》しい畜群が騎馬の隊列の中に吸収され、集団を一層大きいものにしていた。駱駝は専《もっぱ》ら肉や乳などの食糧や武器の運搬の任務を持ち、羊は途中の沙漠横断時の食糧として連行されていた。馬は兵たちの予備馬であったが、これは夥しい数に上り、一人当り二、三頭から数頭までが準備された。従って遠くから見ると、沙漠地帯へ伸びて行く何条かの隊列は、畜群で構成された長い帯に見えた。

兵たちはいずれも革製の冑《かぶと》で頭部の大部分を覆《おお》い、同じく革製の兵衣で身を固めていた。手には長槍を持ち、長刀と矢は腰にたばさんでいたが、弓は馬体につけていた。

成吉思汗は、この日から巨大な包《パオ》に乗って進軍した。数十頭の馬がこれを曳き、包は四つの車輪に依って動いた。包の左右には近衛《このえ》隊の騎馬兵が護衛し、何条かのボルジギン氏族の旗がこれを押し包んでいた。

部隊はこの日から何日も樹木というものを全く見なかった。どこまでも乾燥した沙《すな》の原が続き、その風景の単調さを破るものがあれば、それは時たま行手に現われる赤《あか》銹《さ》びたような鉄色の禿山《はげやま》と、大小の鹹水湖《かんすいこ》だけであった。

部隊は強行軍を続けること十余日にして沙漠地帯を抜けると、高原地帯にはいり、やがて、峨々《がが》たる陰山山脈の一支脈に分け入って行った。山岳地帯へはいる頃から、部隊の兵たちの間には、彼等が今まで一度も口にしなかった大同府という城邑《じょうゆう》の名前が囁《ささや》かれた。それまでは兵たちは中都（北京）という名を口にして、自分たちはそこへ向かうものと思い込んでいたが、いつか中都に替って大同府という新しい名前が繁《しげ》く口に出されるようになった。併し、兵たちにとっては目的地が中都であろうと大同府であろうとさしてそのことに大きい違いはなかった。いずれにせよ、それらは見知らぬ他国の見知らぬ城邑の名前であり、それがどの方向にあるかさえも知らなかった。

成吉思汗の率いる遠征軍はやがて七百粁《キロ》の行軍の果てに長城の北側に蟠踞《ばんきょ》しているオングート部族の聚落にはいった。オングート部族は昔から蒙古《もうこ》高原の遊牧民族の一つであったが、金国に近接し、全く金の支配下にあったので、成吉思汗はこの部族だけを別個に考えていた。オングート部族の者たちは、今まで一度も眼にしたことのない大軍が自分の聚落とその周囲を埋めるのを見て、ただ呆然《ぼうぜん》として為《な》すところを知らなかった。オングートの長は成吉思汗に帰順を誓い、自ら金国侵入の先導となることを申し出た。

今まで一つの部隊として固まって来たモンゴルの幾つかの兵団は、ここで各自の目的とする地方に向かって分散して行った。ジェベ、スブタイ、ムカリの各兵団は勿論《もちろん》のこと、ジュチ、チャプタイ、エゲデイ等三子を将として、ボオルチュが後見役としてついている右軍も、またカサルを将とし、ジェルメが加わっている左軍も、それぞれ何日かの間隔をあけて、オングートの部落から進発していった。そして成吉思汗と末子ツルイの率いる中軍だけが、オングートの聚落に残った。

戦闘は殆ど時を同じくして、長城北方一帯の山野で開かれた。各方面の戦況は毎日のように成吉思汗の本営へ早馬をもって伝達されて来た。成吉思汗は諸軍に長城以北の金国領土の掃蕩《そうとう》を命じ、単独に金国へ深く侵攻して行くことを禁じていた。

成吉思汗の本営に、金の大軍が中都を発して山西省へ向かっているという報がはいったのは六月の中旬のことであった。成吉思汗は金の主力を引張り出してそれを破り、その上で本格的な金国への侵入を策していたが、今や、その時期の近づきつつあるのを知った。

成吉思汗はジェベに急使を派すと共に、已《おの》が率いる中軍に出動の命令を下した。部隊が出動する前夜、成吉思汗は忽蘭《クラン》を已が帳幕に招き、彼女に主力の会戦が終るまで、ここに留まるか否《いな》かを訊《たず》ねた。忽蘭は、

「可汗は自分だけ長城を越え、私とガウランをここに留めおこうとするのか。それならばケルレン河の帳幕に捨て置くのと何も変りはないではないか」

と言った。

「よし、それなら余と共に戦火の中にはいれ。明日から三人の兵たちが汝《なんじ》とガウラン

に付き随うことになるだろう。死は絶えず二人に襲いかかるに違いない。汝らは自分で自分を守らなければならない」

成吉思汗は言うと、既に手配してあった三人の兵卒を呼んで、忽蘭に引き合わせた。一人は老人で、他の二人は若かった。三歳のガウランは老兵の馬の鞍《くら》に架けられた革袋の中に収められて従軍することになった。

翌早朝オングートの聚落を進発した部隊は、直ちに、部落の南東部に迫っている山岳地帯へはいって行った。部隊は一兵残らず騎馬兵で組織され、兵は各々《おのおの》予備馬を一頭ずつ曳《ひ》いていた。忽蘭もまた革の甲冑《かっちゅう》で身を固め、予備馬を持ち、白い馬に跨《また》がって、近衛隊の中にはいっていた。

二日目に、部隊は長城へあと半日行程の地点に達し、そこで夜を迎えた。兵たちは波状に重なり合って拡《ひろ》がっている山々のどの渓間をも埋めていた。部隊は夕刻から短い休息を取り、夜更《よふ》けてから再び、夜鳥の啼《な》く声を耳にしながら進軍を開始した。戦闘はその夜半から行われた。長城線の城砦《じょうさい》を守っている金国の兵たちから先きに矢は放たれて来た。

城砦の兵力はモンゴル部隊の半数にも達しないと思われたが、彼等は堅固な城砦に拠《よ》って、殆ど攻撃軍を城壁に近づけなかった。成吉思汗は部隊を長城線に沿って、横に長く展開させ、どこからでもいいから長城の一画を奪取しようとした。雄叫《おたけ》びはあらゆる谷、あらゆる峰から起ったが、どこでも烈しい抵抗を受けた。

戦闘は翌日の夜でまる一昼夜続けられ、夜になってから、頭の大きい武将チンベの率いる部隊が、己が部兵の半数以上を喪《うしな》いながらも長城の一画にしがみつき、初めて長城の廻廊《かいろう》にモンゴルの旗を掲げた。これを契機として、戦闘は長城の廻廊に於《おい》ても、城砦に於ても行われ、モンゴルの兵たちは何カ所かに於て、長城の城壁を攀《よ》じ登った。

城砦をめぐって、戦闘は依然として続けられていたが、そこから半里程南西の地点に於て、城壁は大幅に破壊され、弓箭《きゆうせん》の響きと合戦の雄叫びに混じって、大きな石が次々に谷底へ顚落《てんらく》する音がひっきりなしに続いた。

深夜モンゴルの部隊は次々に、その破壊された突撃路を通って長城を越え、長城の内側へとはいって行った。長城の上は風が強かった。月光までが吹き千切られそうに、風はごうごうと音をたてて吹いていた。成吉思汗は馬に乗ったまま長城の石の廻廊の上に立って、いつ果てるともない騎馬の隊列が次々に長城を越えて行くのを見守っていた。石の廻廊は彼の立っている前方にも後方にも、どこまでもその曲りうねった長い姿態を月光の下に曝《さら》して伸びていた。前方はかなり烈しい傾斜を持っており、廻廊は天の一角にでも通じているかのようにどこまでも高処へ高処へと上っていた。背後の廻廊はゆるやかに平坦《へいたん》に伸びていたが、三十メートル程先きで突然断ち切られたようにその姿を消していた。そして更にその前方の部分は二つの丘陵を越えた向うの岩山の頂上に忽然《こつぜん》と姿を現わしていた。成吉思汗の立っているところからは見えなかったが、その岩山の向う側の斜面に於て、長城の廻廊はそこだけ蛙《かえる》でも呑《の》み込んだ蛇《へび》の腹部のように大きくふくれ上がり、昨夜から攻防の死闘が繰返された城砦を形成している筈《はず》であった。

成吉思汗は馬のはやるのをなだめるために、絶えず馬の首を軽く叩《たた》いていた。馬がはやるのも無理はなかった。長城を越えた内側は外側とは違ってなだらかな傾斜面をなしていて、長城の廻廊を越えた騎馬兵は一騎残らず今まで堰止《せきと》められていた勢いを一気に放出するように、その斜面を駈《か》け降《くだ》っていた。付近一帯の山を覆っている樹木は、風のためかみな背が低く、そのために疾駆して行く兵たちの姿は殆ど全身を月光の中に露出していた。

成吉思汗は長い間、モンゴルの兵たちが月光を浴びながら長城を越える日のことを夢みて来たが、いまやその夢は現実となって眼前に展開していた。ただ彼が長く瞼《まぶた》に描き続けていた情景は、青い色調で塗られた寧《むし》ろ静かなものであったが、実際にいま彼が二つの眼で見守っている長城越えは、ごうごうたる風の吹き荒れる中で行われていた。成吉思汗にとっては、長城というものの城砦としての防備力も、またそこを奪取する時の苦しさも、またその一画を破壊して侵入路を作ることも、そしてまたそれの行われる時が真昼のような月光下に於てであることも、みな彼が予想していたものと同じであった。寸分違わないと言ってよかった。ただ風だけは全く頭に描いていないものであった。このように烈しい風が天地をどよめかすような轟音《ごうおん》をたてて吹き荒れていようとは思っていなかった。この風はいつも、ここでは一年中吹き荒れているのであろうと思われた。遊牧民族と農耕民族とを何百年もの間、全く相容《あいい》れぬものとして厳しく遮《さえぎ》って来た石の城壁は、また何百年もの間、天の一角から吹き降ろす強風に鳴り続けていたのである。

成吉思汗は暁方《あけがた》まで長城の廻廊の上に立っていた。数万の騎馬隊とほぼそれと同数の馬と駱駝の大軍が、全部長城を越えてしまうまでには長い時間がかかった。暁方近くなってから成吉思汗の近衛隊が一番最後の部隊として長城を越えた。その中に成吉思汗も加わり、そして他の総《すべ》ての部下たちがやったように初めて踏む長城の内部の山の斜面を成吉思汗もまた馬を疾駆させて降った。

それから十日程して、成吉思汗は敵の本土に於《お》ける最初の戦闘として金の将軍定薛《ていせつ》の率いる大軍を迎え撃って、これを破り、大水濼《だいすいれき》、豊利《ほうり》両県の地を占領した。

成吉思汗の中軍が長城の内側にはいってから数日遅れて、ジェベの率いる第一軍は他の個所で長城線を越え、烏沙堡《うさほ》の城砦を攻略したという報《し》らせがあった。それからまた半月程して、それを追いかけるように烏月営《うげつえい》の城砦を屠《ほふ》ったという捷報《しょうほう》が伝えられた。

成吉思汗は自分の部隊とジェベの部隊が、山西省の要衝大同府を両面から大きく囲んでいることを知った。成吉思汗は大同府の攻略を急がなかった。専《もっぱ》ら攻略地帯の人心を安定させることと、兵馬を休養させることに夏季の暑い間を費《つか》った。作戦はいま始まった許りで、モンゴルの兵たちは漸《ようや》く長城を越えて、山西省の一画に足跡を印しただけのことであった。合戦がこの先き何年も続けられなければならぬことははっきりしていた。

ムカリ、スブタイの両兵団は長城以北の諸城砦の攻略に当っていた。二つの兵団が受持っている役割は最も労多くして効の少ない目立たぬものであった。そこでは中都(北京)を防衛している天然自然の要塞《ようさい》である険しい山々と、そしてそこに散らばっている夥《おびただ》しい数の城砦が、きびしく二人の武将の進撃をはばんでいた。成吉思汗はムカリとスブタイの二人の猛将に、この最も困難な任務を与えたのであった。両軍から絶えず連絡があり、連絡がある度に捷報がもたらされていたが、併し、彼等の進撃速度は極めて遅々たるものであった。寸土を占拠するのに何日も要していた。

九月の初め、成吉思汗はジェベの軍と共同作戦を張って、大同府の東に位する白登城を攻略し、モンゴルの部隊はなだれをうって大同府を囲んだ。そして城を脱出して中都方面へ逃走する金軍を追撃して、その大半を殲滅《せんめつ》した。

これに前後して、成吉思汗はムカリから宣徳府、ジェベから撫州《ぶしゆう》を攻略した捷報を得た。中都を防衛する長城以北の二つの要衝と、山西省第一の拠点大同府は、かくして作戦開始半歳にしてモンゴル軍の攻略するところとなったのであった。

十月、成吉思汗は金国の二兵団が大同府奪還のために行動を開始したことを知るや、自ら陣頭に立って、その先鋒《せんぽう》部隊を急襲してこれを破り、更に本軍に向かって進撃したが、金国の二人の武将は闘わずして退却を開始した。成吉思汗は退却軍を会河の岸に追撃して、これに殲滅的な打撃を与えた。この戦闘によって、モンゴルの騎馬隊はその威力を遺憾なく発揮し、金国の歩兵部隊を文字通り馬蹄《ばてい》に踏みにじったのであった。

この緒戦の成功に乗じて、成吉思汗はジェベに中都北辺の守りである居庸関《きよようかん》の攻略を命じた。ジェベの部隊は大同府から進発して、長駆居庸関に軍を進め、またたく間にこれを奪取した。続いて、成吉思汗はジュチ等三子の右軍に山西省の長城以北の徹底的な征圧を命じた。

大同府の成吉思汗の本営には、三人の子供たちから互いに相争うように、雲内、東勝州、武州、朔州《さくしゅう》、豊州、靖州《せいしゅう》等の占拠と掃蕩《そうとう》が伝えられて来た。成吉思汗にはボオルチュが三人の年少の已が子供たちに、手に取るようにして戦闘がいかなるものかを教えている様が、眼に見えるようであった。

明くれば一二一二年、成吉思汗は大同府に於て五十歳の春を迎えた。この年の初頭に、ムカリから昌州、桓州《かんしゅう》二城の攻略の報がはいった。そしてそれに続いて長城以北の諸城砦は次々にムカリの収めるところとなった。

こうしている時、成吉思汗は大同府奪還のために金将赫舎哩《かくしゃり》ならびに糾堅《きゅうけん》が大軍を率いて中都を発した報を得、自ら軍を率いて、大同府を出、これを途中の山地に迎えて破り、救援の金軍をも敗走せしめた。

成吉思汗は、今や長城以北の地が完全に攻略され、中都への侵入路が開けたことを知ると、作戦上無価値となった大同府を棄《す》て、全軍を長城の北に移して一路中都を目指すことにした。

八月、成吉思汗は長城を攻略してから一年二カ月振りで、こんどは南から北へと長城を通過した。長城はこの時も強風が吹き荒れており、石の廻廊の到るところから砂《さ》塵《じん》が竜巻《たつまき》のように空に舞い上がっていた。こんどのモンゴルの部隊は、一年前の部隊とはすっかり違っていた。何千という金国の捕虜も居れば、山の如き鹵獲品《ろかくひん》も同時に長城を南から北へと越した。鹵獲品の運搬にはすべて金国兵の捕虜が当り、背に荷物を満載した駱駝《らくだ》の群れが、長城を横断するのに何日もの日子《にっし》を要した。

成吉思汗は再びオングートの聚落《しゅうらく》に本営を作り、そこに於《おい》て、各地に散らばっている兵団の采配《さいはい》を揮《ふる》うことにした。何カ月振りかに成吉思汗は、己が幕舎に長子ジュチと将軍ボオルチュを迎えた。ジュチとボオルチュは次期作戦の打合せのためにやって来たものであった。

成吉思汗は図爾根《トルゲン》河流域一帯の地域を収めたことに対して、ボオルチュのために、その武勲を賞する詔勅を出した。すると、それに対してボオルチュは陰山と長城の間の六州を収めたのは自分の力ではなくて、ジュチの作戦が宜《よろ》しきを得たためであり、かつその作戦を展開するために取った彼の果敢な行動の賜物《たまもの》であるとし、ジュチをこそ賞すべきであると奏上した。

成吉思汗は曾《かつ》てジュチが初陣《ういじん》に於て、バイカル湖周辺の諸族を征して、赫々《かっかく》たる武勲を樹《た》てたことを知っていた。そうしたことから判断すれば、今度の作戦の成功は、ボオルチュの言うが如く、ジュチの働きに帰すべきものがあるかも知れないと思った。そうであっても別に異とするには当らなかった。

併《しか》し、成吉思汗はジュチの戦塵《せんじん》にまみれて急に逞《たくま》しくなった風貌《ふうぼう》を眼にしているうちに、ジュチを賞する心が次第に自分の心から失われて行くのを感じた。成吉思汗は母親と生き写しのジュチの顔を見守りながら、その眼が反抗に燃えているように思った。母親ボルテが、ジュチのことを話す時、その二つの眼に、いつも、他のいかなる時にも見せない烈《はげ》しい光を帯びるのを知っていたが、それと同じ光がいま自分の前にいる長子の眼にも湛《たた》えられているような気がした。

成吉思汗は言った。

「ジュチよ、汝《なんじ》のこんどの作戦に対する賞として、父は何を汝に与うべきか」

すると、それに対して二十五歳になったばかりの若い武将は、

「限りなく次々に苦難に満ちた命令を与えていただきたい。自分は次々にそれをやり遂げるであろう」

と言った。ジュチの眼は父成吉思汗の眼に当てられたまま動かなかった。それは大胆不敵な言葉であった。取りようによれば、それは父への反抗の宣言でもあった。成吉思汗は自分の血を持っているかどうか判《わか》らぬ自分の長子が、いまや全く成人して一

つの独立した人格となったことを知らされた思いであった。成吉思汗は、彼も亦《また》ジュチの眼に視線をあてたまま、

「逞しく見事に育ったボルテの息子よ」

そう呼んでから、

「余は汝のいま言った言葉を忘れないであろう。今後あらゆる苦難の場に、汝は余の命令に依《よ》って立ち向かわなければならぬ」

と言った。それから成吉思汗は自分の子と、自分の盟友の二人の遠来の客のために、酒肴《しゅこう》の支度をさせ、短い酒宴を催した。その日、ジュチとボオルチュは自分の部隊の駐屯《ちゅうとん》している場所へすぐ帰って行った。

成吉思汗はジュチと別れてから、その日一日自分でも自分が興奮しているのが判った。成吉思汗は、自分のジュチに対する気持の正体をはっきりとは摑《つか》むことができなかった。それは愛情でもあり、また憎しみでもあるとも言えた。そしてその愛情と憎しみは、その時と場合に依って、そのうちのどちらか一つが出ることもあれば、一緒に混じり合ってひどく複雑なものとして現われることもあった。

以前、ジュチがバイカル湖以北の諸部族を平定した時、ジュチのためにその功を称《たた》える詔勅を出し、ジュチの奮闘を自分のことのように悦《よろこ》んだが、こんどの場合は、何《な》

故《ぜ》かそのように素直な気持にはなれなかった。そしてその素直になれぬ心の底に、他の二人の子、チャプタイとエゲデイの居ることは否《いな》めなかった。成吉思汗は戦功をジュチ一人のものとすることは避けたかった。年少ながら同じように一軍の将として従軍しているチャプタイとエゲデイにもまた、成吉思汗は同じ功績を認めたかったのである。

併し、成吉思汗はジュチに会った日から何日かして、自分がジュチと対面したことに依って、彼から烈しい精神を吹き込まれていることに気付いた。ジュチがあらゆる苦難に立ち向かう命令を成吉思汗に要求したように、成吉思汗も亦《また》自分でそれを何ものかに対《むか》って要求しているのを知った。ジュチがモンゴルの狼《おおかみ》たらんとしているように、成吉思汗も亦、モンゴルの狼たらねばならなかった。一回長城を越え、金軍を破ったぐらいのことで、成吉思汗は自分を自分が幼時から持ち続けている蒼《あお》い狼の映像に擬することはできなかった。

成吉思汗は、併し、この年軍を動かさなかった。自分の傘下《さんか》のすべての兵団をぴたりと長城の北側に置いて、いつでも金国へ雪崩《なだ》れ入る態勢を整え、その時期を待っていた。この年の後半、成吉思汗にとって予想しなかった大きい収穫があった。それは曾て金に滅ぼされた遼《りょう》の王室の後裔《こうえい》である耶律留哥《やりつりゅうか》*が一族の契丹《きったん》人を率いて、金国北東部に於て金朝に反抗の烽火《のろし》を挙げたことであった。成吉思汗はこの報を得るや、直ちに武将アンチンを使者として派して、留哥との間に同盟を結んだ。留哥は成吉思汗に対して忠誠を誓い、成吉思汗は契丹公子の保護を約した。

こうした北東部の情勢に対して金国からは留哥征討の軍が送られた。完顔和碩《ワンヤンフシヤ》を将とする征討軍が派せられた。このために成吉思汗は三千の援兵を送って留哥を援《たす》け、同時にジェベに令して、北東部の要衝東京（遼陽）を衝《つ》かしめた。ジェベは忽《たちま》ちにして東京の城市を陥《おと》し、留哥はために成吉思汗の許可を得て遼王の位に即《つ》くに至った。この作戦に依って、単に長城北部一帯の地ばかりでなく、陰山、興安《こうあん》二山脈の向う側の、殆《ほとん》ど蒙古《もうこ》高原に匹敵するような広大な地域がモンゴルの勢力範囲に加えられることになったのであった。

ジェベは遼東経略の遠征を終えると、部隊をそこに留めたまま、自分だけ成吉思汗の本営にやって来た。成吉思汗は礼を厚くしてジェベを迎えた。モンゴルの武将の中で、いまはジェベの名が一番金国へ鳴り響いていた。その闘って勝たざるはなく、大軍を手足の如く動かす用兵の妙は、金国のあらゆる武将たちから神業《かみわざ》として怖《おそ》れられていた。

ジェベは興安嶺の向うから数千頭の駿馬《しゅんめ》を拉《らっ》し来て、それを成吉思汗の本営へ連れ

て来た。ためにオングートの聚落の周辺は背の高い黒褐色《こつかつしょく》の艶《つや》のある皮膚を持つ馬で埋まった。ジェベは成吉思汗に謁《えっ》すると、

「曾て私は、タイチュウト族の兵として可汗と戦い、可汗の馬を傷つけたことがあった。私は長いこと、その償いとして、可汗に馬を献じたいと思っていたが、いまようやくその望みを達することができた」

と言った。

「傷つけられたのは余の馬ばかりではなかった。汝の矢は馬を倒し、余の頸脈《けいみゃく》をも傷つけた」

成吉思汗が上機嫌《じょうきげん》で言うと、

「可汗の躰《からだ》に対する償いは、ジェベの生命を以《もっ》て為《な》さなければならぬ。ただそのような機会のある苦しい作戦に、御子ジュチばかりでなく、私をも派していただきたい」

ジェベは言った。成吉思汗はこの時初めて、自分とジュチとの微妙な関係をジェベは見抜いていて、それとなくそのことを彼が諫《いさ》めていることを知った。このことは恐らくジェベばかりでなく、ジェルメにも、ボオルチュにも判っており、そうしたことが建国草創の功臣たちの間で、一つの憂《うれ》うべきこととして問題になっているのであろうと思われた。

成吉思汗は、この時のことに関しては、ジェベには何も言わなかった。年と共に一徹さを加えて来る鏃《やじり》のような尖《とが》った頭を持っている猛将に、成吉思汗は自分のジュチに対する愛憎の気持を、正確には説明することもできなかったし、説明する気にもならなかった。

成吉思汗は異国に於《お》ける二回目の正月として、一二一三年の新年を迎えた。成吉思汗は新年の賀筵《がえん》に、ムカリもジェルメもボオルチュも、ジェベも、それから弟カサルも、ジュチ、チャプタイ、エゲデイの三人の子供たちも、みなそれぞれの戦線から招いて、一堂に会せしめた。

この席で成吉思汗は大々的な金国侵攻のことを議した。議したと言っても、命令は成吉思汗から出る一方的なものであった。成吉思汗はムカリ、ジェベ、スブタイの三将に後方を固めさせ、爾余《じよ》の三兵団の総《すべ》てを金国領土に投入することを発表した。即《すなわ》ち、カサルの率いる左軍、ジュチ等三子の率いる右軍、成吉思汗と末子ツルイの率いる中軍の三つである。そして今まで後見役として右軍に属していたボオルチュを最高幕僚として自分の中軍に配することにした。従って右軍の指揮は全く已《おの》が三子に任せたのであった。

成吉思汗はジュチ、チャプタイ、エゲデイの三子に対して、

「汝等一体となって事に当れ。ジュチは長として指揮権を持ち、チャプタイ、エゲデイの二人はよく兄を援《たす》けよ――。汝等に命令す。山西よりはいって、河北の低地に出、金国全土を馬蹄にかけよ。過ぐるところの城邑《じようゆう》の尽《ことごと》くを収め、攻撃に当っては汝等兵に先立って城壁を攀《よ》じよ」

と言った。ジュチは兄弟を代表して、

「自分たちは父可汗の命令に服し、命じられたことの尽くを遂行するであろう」

と答えた。ジュチの顔は蒼ざめていた。誰《だれ》が考えても実行不可能に近い命令であった。一座はしんとした。ボオルチュもジェルメもムカリも、押し黙ったまま一言も発しなかった。命令が下され、ジュチがそれを受けた以上、今となっては何を言っても無駄《むだ》であった。

成吉思汗は次に弟カサルに命令を下した。

「長城の北遼河以西の地を略し、海に達せよ。その地方は冬期に至ると、尽く氷結して人馬は動かない。冬期に至るまでに作戦を終え、兵も馬も、寒気のために殪《たお》す勿《なか》れ」

「諾」

カサルは少し荒い口調で答えた。金国の中心部に侵入できないことが、カサルには少し不平らしかった。

最後に成吉思汗は自ら自身への命令を下した。黄河を越えて山東を討つであろう。

「余はツルイと共に中都を抜き、河北を下り、黄河を越えて山東を討つであろう。ボボオルチュは常に余と共にあれ」

成吉思汗は自分が課した三兵団の使命が、さして難事ではないと信じていた。過去二年の戦闘によって金国の兵たちの力倆《りきりょう》も判っていたし、金国の為政者たちに人のないことも判っていた。中都の守備は脆弱《ぜいじゃく》であり、士気は揮《ふる》わず、動乱はいつでも起り得る情勢にあった。モンゴルの騎馬隊はいまや何処《どこ》からでも金国内部へ鋭い錐《きり》となって突入して行くことが出来た。

併《しか》し、成吉思汗はこの日ここに集まっている者のすべてが、金国を席捲《せっけん》したあとで無事に顔を合わせることができようとは考えていなかった。殊《こと》に、年若い三人の子供たちの全部が無事であろうとは思われなかった。

成吉思汗がジュチに最も苦難に満ちた使命を与えたのは、それはジュチの希望でもあったし、成吉思汗の希望でもあった。ジュチよ、汝は狼になれ！　そしてジュチにそうした使命を課すために、成吉思汗はチャプタイ、エゲデイの二人の確実に自分の血を分け与えている子供たちを犠牲にし、彼等をジュチと同じ運命の許《もと》に置いたのであった。それはジュチに特別な気持を抱かせないためにも、また多くの武将たちの心を納得させるためにも適当な措置であったし、また何より成吉思汗自身のためにもそれは必要なことであった。すでに二年近く会っていないブルカン嶽《だけ》の帳幕に残して来た妻ボルテに対して、彼女が産んだ子供たちを公平に取り扱わねばならなかったのである。

成吉思汗を中心に新年の賀筵は今までにない盛大なものになった。大同府を初めとして各地から連れて来られた女たちが、酒席の間を往来した。帳幕の外には雪が舞い落ちていたが、広い幕舎の内部はオンドルで暖められてあり、少しも寒さを感じなかった。

酒宴は朝から晩まで続いた。成吉思汗は夕刻帳幕の入口に立って、白一色に塗られた戸外を見たが、その時、遠く東方の丘陵を移動して行く兵たちの集団を眼にした。成吉思汗は守衛を招《よ》んで、その兵団が誰の部隊であり、何を為さんとしているかを質《ただ》した。守衛の若い兵はたちどころにその部隊名を伝え、彼等が雪中行軍に出て行こうとしていることを伝えた。点々と続いている小さい隊列を、成吉思汗は倦《あ》かず眺《なが》めていた。その部隊の指揮者の名は、成吉思汗が初めて聞くものであった。それらは美しい眺めであった。成吉思汗には、まさしくそれらは一群の若々しい狼たちに見えた。

成吉思汗は改めて、自分の前に直立不動の姿勢で立っている若い兵に視線を移した。兵の帽子にも、兵衣の肩にも雪は降り積んでいた。彼もまた紛れもないモンゴルの狼であった。

それから成吉思汗は酒宴の席に戻《もど》ったが、この時の成吉思汗の眼には、ボオルチュも、ジェルメも、カサルもなべて老《ふ》けて見えた。いつか成吉思汗も、そして多くの功臣たちも知らぬ間に年齢を加え、みな頭髪は半ば白くなっていた。ただ壮年のムカリ、ジェベ、スブタイの三人だけが若く見えた。成吉思汗は漸《ようや》くムカリやジェべたちの時代が、そしてまた自分の知らない若い指揮者たちの時代が来ようとしているのを知った。

六　章

成吉思汗《チンギスカン》が再度長城を越えて金国へ侵入する命令を全軍に下したのは、漸く雪が落ちるのが歇《や》んで春の陽光が辺りに散り始めた四月の初めであった。使者は各兵団の駐《ちゅう》屯地《とんち》に派せられ、直接行動を開始しないムカリ、ジェベ、スブタイの駐屯地にも送られた。

それから半月程の間、成吉思汗の本営は集結したり、進発して行ったりする部隊で毎日のようにごった返した。成吉思汗は自分とツルイの率いる中軍の出動準備で毎日のように忙しい日を送っていた。そうしたある日、成吉思汗は半月程訪ねなかった忽蘭《クラン》の幕舎を訪ねた。忽蘭の出陣準備ができているかどうかを見るためであった。

忽蘭の幕舎の中は静かであった。忽蘭一人が碧色《みどりいろ》の玉の耳飾りをつけて椅子《いす》に倚《よ》っていた。

「三日後に出陣するが、用意はできているか」

成吉思汗が訊《たず》ねると、意外にも忽蘭は、

「こんどはわたしはこの幕舎に残りたいと思う。出陣がもう少し暖かくなってからなら悦《よろこ》んで従軍するが、この気候ではガウランの健康が案ぜられる」

と言った。この言葉を聞いているうちに、成吉思汗は自分の顔色の変って行くのが自分で判《わか》った。

「忽蘭よ、愛する妃よ。汝《なんじ》は常に余と共にありたいために、この遠征軍に随《したが》って来たのではなかったのか」

制御できない気持から、成吉思汗は思わず強い口調で言った。忽蘭は今までいかなる作戦にも自ら進んで従軍し、ガウランをも老いた忠実なる兵士の革袋に入れて連れて行くのが常であった。今までに忽蘭は一度も従軍を拒んだことはなかった。それに今度の従軍には、彼女のたっての願いで、困難を承知の上でガウランを伴って来たのである。いまになって忽蘭がこのような態度に出ることは、成吉思汗には解《げ》せないことであった。烈《はげ》しい戦闘を見て怯《おじ》けづいたのか。自分とガウランの生命が惜しくなったのか。

こんどの作戦に於《おい》ては、ジュチもチャプタイもエゲデイも、それぞれ生還を期するとは言い難《がた》かった。末子のツルイにしても事情は全く同じことであった。今年二十歳の春を迎えたばかりのツルイに、成吉思汗は一つの部隊を与えて、その指揮権を握らせようと考えていた。自分と同じ兵団に配せられているとは言え、ひと度戦線に立てば、お互いに明日も判らぬそれぞれ違った運命に見舞われるわけであった。

成吉思汗は忽蘭には返事をしないで、黙って彼女の幕舎を出た。そして己《おの》が幕舎に帰ってからも、成吉思汗は人を近付けないで、長い間自分一人の時間を持った。

若《も》しここで、妻ボルテの産んだ四人の子供たちの総《すべ》てが戦死するようなことになった場合、――そうしたことは充分考えられることであったが、あとに残った自分と忽蘭の間にできた子、ガウランは如何《いか》なる立場に立つことになるか。

勿論《もちろん》成吉思汗は父としての愛情をガウランに持っていた。年をとってからの子供ではあり、一番愛している忽蘭に産ませた子供でもあった。それとはっきり示したことはなかったが、成吉思汗にとってガウランは他の子供以上に可愛《かわい》い存在であった。そのガウランが幼児とは言え他の子供たちと同じように作戦に従軍し、彼だけが生き残る場合と、従軍しないで聚落《しゅうらく》にあって生き残る場合とでは、どうしてもそれを同じことに考えることはできなかった。

成吉思汗はボルテの顔を思い浮かべていた。多年自分と労苦を共にし、今ブルカン嶽《だけ》の帳幕にあって留守を守っている正室ボルテの顔を、あたかも彼女がそこに居るかのように、空間の一点に描いて見詰めていた。成吉思汗はボルテを怖《おそ》れているわけではなかった。それでいて、眼の前からボルテの映像を追い払うことはできなかった。

成吉思汗は曾《かっ》て、シャーマン教の僧テップ・テングリを取るか、弟カサルを取るかで、一晩一睡もしないで幕舎の中を歩み廻《まわ》っていたことがあったが、丁度その時と同じように、この日も昼から自室に閉じこもり、夜の闇《やみ》が完全に幕舎を取り巻いてからもなお部屋から出なかった。深夜近くなってから、成吉思汗は侍者を呼び、チンベ、チラウンの二人の武将の父であるソルカン・シラを招くように命じた。やがて七十代の半ばを越した老人は、痩《や》せた躰《からだ》を成吉思汗の前へ運んで来た。成吉思汗はソルカン・シラの顔を見詰めると、

「老人よ。余が若き日、汝はタイチュウトに捕われた余を危難から救ってくれた。汝はもう一度余のために働いてくれぬか」

と言った。

「可汗の命令とあらば、いかなることでも、ソルカン・シラはお受けしなければなりますまい」

老人が言った時、成吉思汗は昼間から夜へかけて、考えに考えたその結論を短い言葉として口から出した。

「ソルカン・シラよ、汝は直ちに忽蘭の許《もと》へ赴き、ガウランを取り上げよ。そして、ガウランを名もなきモンゴル部族の者に与えて育てしめよ。ガウランが余の子供であることは相手に知らせてはならぬ」

成吉思汗は言った。これを聞いて、平素感動というものを面《おもて》に現わしたことのないソルカン・シラも顔色を変えた。

「妃のもとに行き、皇子を取り上げる。皇子をモンゴル部族の名もなき一家に与える。そして育てさせる。皇子が何ものであるかを知らせてはならぬ」

ソルカン・シラは、成吉思汗に言われたことを、口の中で復唱するように低く言った。

「ガウランをいかなる素姓の人物に与えたか、忽蘭にも告げてはならぬ。余にも告げるな。この事はこの地上でソルカン・シラだけが知っていればいい」

成吉思汗は言った。ソルカン・シラはまた同じことを声に出して繰返した。そして、

「ああ！」

と、自分に課せられた役の重さに蹣跚《よろめ》くように蹣跚きながら、短い呻《うめ》き声を口から出すと、そのまま部屋を出て行った。

翌日、成吉思汗は忽蘭の幕舎を訪れた。幕舎へ足を一歩踏み入れると、

「忽蘭よ、汝は余と共に従軍せよ。金国へ侵攻するに当って、余はただ一人の女性の従軍者としての栄誉を汝に与える」

と言った。忽蘭は蒼《あお》ざめた顔をこわばらせながら、

「つつしんでお受けする」

と、低く答えた。忽蘭はあとは何も口から出さなかったが、昨日ふと洩《も》らした自分の言葉が重大な結果を呼んだことに驚き、その驚きに身も世もない程打ちのめされていた。何の前触れもなく突然彼女の心を襲ったガウラン可愛さに根差した安佚《あんいつ》と怯懦《きょうだ》は、ゆくりなくも愛児を奪《と》り上げられるというきびしい運命を彼女にもたらすことになったのであった。

「すぐに出発の準備をなせ」

成吉思汗は言った。

「既に整っている」

忽蘭は答えた。そして喪心した顔を上げると、

「可汗は、私と可汗の二人の間の子を大海に投じてしまった。ガウランには再び見《まみ》えることはないであろう」

と言った。口調は寧《むし》ろ静かであった。それに対して、成吉思汗は応《こた》えた。

「ガウランにもし人に優れたところがあれば、必ずや長じてモンゴルの狼《おおかみ》となり、衆にぬきんじて身をたてるであろう。余は汝をモンゴルの妃たるべく迎え入れたのではない。ガウランもまたモンゴルの皇子たるべく育てたのではない。忽蘭よ、汝は余のよき従卒として永久に余と共にあれ。而《しか》してガウランをしてモンゴルの庶民の子として、自らの力で育たしめよ」

成吉思汗は言葉を口から出しながら、いつか自分でも説明のできぬ感動に襲われて躰を震わせていた。成吉思汗はこの時、自分がガウランのためにとった残酷なる処置の意味を、初めて自分で知った気持であった。成吉思汗は自分が必死に守ろうとしたものが、愛する忽蘭と愛するガウランに関する何ものかであることを知ったが、それ

しを口に出して忽蘭に告げることのできないのが残念であった。それは言葉にして出した瞬間、玉の如《ごと》く四散して跡形もなく消えてしまうものに違いなかった。忽蘭が若《も》し自分の措置を理解しないならば、それはそれで仕方のないことだと思った。

忽蘭はそれから兵団の進発の日まで、誰《だれ》にも顔を見せなかった。成吉思汗も亦《また》軍務に忙しく、忽蘭の幕舎を訪れる暇はなかった。兵団が本営を出発する日、忽蘭は馬に乗って成吉思汗の傍に侍した。三日三晩、泣くだけ泣きあかした忽蘭の涙腺《るいせん》は涸《か》れ尽して、最早《もはや》一滴の涙も出ないという状態にあった。成吉思汗も忽蘭も最早ガウランのガの字も口にしなかった。

成吉思汗は中軍を率いて一路中都に侵攻するために、その間に点在する諸城砦《じょうさい》の攻略に着手した。いずれも曾てムカリが攻略し、モンゴル部隊の撤退後金国部隊の有に帰しているものであった。成吉思汗は宣徳府を攻略し、ついで徳興府を囲んだ。この戦闘に於て、成吉思汗は末子ツルイを徳興府攻略軍の首将たらしめた。命令は峻厳《しゅんげん》であった。ツルイは陣頭に立って奮戦し、城壁を攀《よ》じて、ボルジギン氏の旗を城壁上にたてた。

成吉思汗は更に軍を進め、懐来《ホアイライ》の城市を攻めんとし、途中で左監軍高琪《こうき》の率いる金国精鋭の大軍と遭遇、三日三晩の激戦の後これを破った。幾里四方かの間の草原は金国兵の屍《しかばね》で埋められた。

成吉思汗は休みなく軍を進め、居庸関《きょようかん》に迫ったが、金国の大軍がこれに拠《よ》っていることを知り、犠牲の多いことを慮《おもんぱか》って方向を転じ、居庸関より遥《はる》か西方に於て長城を越えた。そして各所の要塞《ようさい》を陥《おとしい》れ、金軍を破りながら河北の平野に出るや、忽《たちま》ちにして涿州《たくしゅう》、易州《えきしゅう》の両城邑《じょうゆう》を収めた。中都は指呼《しこ》の間《かん》にあった。まさに疾風迅雷《しっぷうじんらい》のモンゴル騎馬隊の行動であった。成吉思汗は中都を北方に望んで陣を布《し》いた。

易州に於て、成吉思汗は遠く遼東《りょうとう》より進軍して来たジェベの軍と相会した。後方にあったジェベに金国内に侵入すべき命令を与えてから二カ月とは経《た》っていなかった。ジェベは休む間もなく、易州を発して居庸関を長城の内側から攻め、やがてこれを攻略することに成功した。ジェベにとっては二度目の居庸関の奪取であった。成吉思汗は中都をそのままにしておいて、黄河の流域を進軍し、山東一帯の地を蹂躙《じゅうりん》した。

この間、ジュチを将とする右軍は命令通り山西の山地に転戦し、省内の城邑の尽《ことごと》くを略して、河北平原に出、山西と河北の地の至るところに自由に出没した。そしてまたカサルの統《す》べる左軍の騎馬兵団は遼河以西の地に敵を求めて縦横に奔《はし》り廻った。

斯《か》くしてモンゴルの何百かの騎馬隊は金国全土を文字通り馬蹄《ばてい》の下に蹂躙し、この年より翌一二一四年の春にかけて九十の城邑を血で塗り、それぞれそこにボルジギン氏の旗を掲げた。

四月、成吉思汗は金国各地に散らばっている全部隊に中都近郊に集結する命令を下した。それから月余に亙《わた》って毎日のように、モンゴルの騎馬隊は河北平原の南からも北からも、また東からも西からも凡《あら》ゆる方面から、濛々《もうもう》たる砂塵《さじん》を巻き上げて、その中から姿を現わした。中都西方の平原はモンゴルの部隊で埋まった。蒙古高原を出発する時は二十万であった部隊は、いまやその倍以上に達していた。半分は降伏した金国兵たちであった。

成吉思汗と、彼の部将たちは一年三カ月振りで中都を眼前に望む平原の一隅《いちぐう》に相会した。大海の中の小さい島のように、中都だけが攻略されないで、そのまま彼等の眼の先きに置かれてあるわけだった。しかも中都の城邑の中では、紛争は絶えず、疑心は疑心を生んで、暗殺が繰返され、権力者は次々に交替していた。

成吉思汗は二人の使節を命旦夕《たんせき》に迫った金国最後の城邑に送った。使者には金国皇帝への親書が託された。

――黄河以北に於《お》ける卿《けい》の領土は尽く余が有に帰せり、剰《あま》すところただ中都あるのみ。卿の城をしてかくの如く無力たらしめたるものは天なり。余更に卿に逼《せま》らむか、余は自ら天の怒りを買わんことを恐る。余は軍を返さんとする。よろしく卿は余が軍隊を犒《ねぎら》い、以《もっ》て余が部下諸将の怒りを鎮《しず》むべし。

親書は金皇帝の威信を損わないように配慮されてあったが、あからさまに降伏の勧告であった。成吉思汗はこの親書を携える使節を選ぶ時、母ホエルンが育てた孤児ボロクルが亡《な》いことが悔まれた。ゴルチの救援に派遣したために彼を喪《うしな》ってしまった悔いを、また何年かぶりで成吉思汗は新たにした。

これに対して金帝からは成吉思汗の申入れを承諾し、媾和《こうわ》を締結する意志のある旨《むね》が伝えられて来た。将軍ムカリと長子ジュチが、成吉思汗の代理として中都の城邑に赴き、そこで媾和の提議がなされた。媾和と言っても、実質的には金国の降伏に他ならなかった。

成吉思汗は帝室の公主《こうしゅ》を要求し、他の物は要求しなかった。要求する必要はなかった。二十万の金国兵を自軍に吸収してあったし、中都以外の九十の城邑に於て収めた品は、武器といい、財宝といい、農耕の器具といい、馬具といい、衣類服飾品といい、莫大《ばくだい》な数量に上るものであった。落城寸前の中都に於て、若《も》し求めるものがあるとすれば、それは公主ぐらいのものであった。大国金の皇帝の一族の女を、成吉思汗は寝台の上に敷物の替りに敷かなければならなかった。アムバカイ汗《カン》が、木の驢馬《ろば》にはりつけになり、生きながら皮をむかれたことに対する報復は、皇族のうら若き娘が、一人で背負うことになるわけであった。

媾和の提議がなされてから数日して、先帝縄果《チユンヘイ》の娘哈敦《カトン》は、巨額の黄金と、数々の財宝と、男児五百人、女児五百人、馬匹《ばひつ》三千頭と共に、成吉思汗の陣営に送られて来た。

成吉思汗はこれらの奇妙な分捕品を収めると、全軍に金国からの撤退を命令した。

成吉思汗は軍を率いて、居庸関から漠北《ばくほく》へ出た。この日も長城には風が吹き荒れており、長城の廻廊《かいろう》をその尾根尾根に載せている山々の木立は、風に吹きちぎられんばかりにざわめき揺れていた。成吉思汗は長城の廻廊で馬を停《と》めると、どこまで続いているか判らぬ長い隊列が前後に続いているのを眼に収め、傍に侍しているジェベに、

「汝のお蔭《かげ》で居庸関を楽に越すことができる」

と言った。すると、居庸関を北からと南から二回攻め落した武将はちょっと眼を光らせると、

「ジェベはこれからまだ何回も居庸関を攻略しなければならぬであろう」

と言って笑った。成吉思汗も笑った。二人の笑い声は忽ちに風に奪われて消え去り、それぞれの声は相手に届かなかった。ジェベが言ったように、成吉思汗もまたこれで金国という巨大な魔物を永遠に自己の傘下《さんか》に収めたとは信じていなかった。どうした

ら金国を完全に自分の征服下に置くことができるか、成吉思汗にはまだその見当さえついていなかった。

金国の丞相完顔福興《ワンヤンフシン》は、侵略者たちを居庸関の北まで送って来た。

モンゴルの将兵はまる三年振りで、蒙古《もうこ》高原へ凱旋《がいせん》することができた。成吉思汗はブルカン嶽《だけ》の帳幕に帰ると、暫《しばら》くそこで生活して、間もなくタタルのユルリ湖畔を駐営地としてそこに移った。金国の動静を監視する必要もあったし、ボルテと忽蘭《クラン》との間に起るかも知れぬ軋轢《あつれき》を未然に防ごうという気持もあった。

成吉思汗はタタルの駐営地には忽蘭のほかに金国より入れた公主哈敦《こうしゅカトン》を伴っていた。成吉思汗が中国各地に於て得た美麗なる女は夥《おびただ》しい数に上っていたが、彼はそれらをすべてこれら二人の妃に奉侍せしめた。哈敦は無口で、顔も醜く、背も低かった。成吉思汗は哈敦を妃とはしたが、間もなく彼女を己《おの》が帳殿に招くことはしなくなり、ただ妃としてのみの待遇を与えた。

モンゴル軍が蒙古高原に凱旋して間もなく、従軍者の中で最年長者であったソルカン・シラが歿《ぼっ》した。成吉思汗は一生のうちに二回も自分の危難の場に立会い、自分を救《たす》けてくれた老人に国葬の礼をもって酬《むく》いた。ソルカン・シラの葬儀の日、成吉思汗は忽蘭と共にその墓所へ行って、柩《ひつぎ》の上に幾塊かの土を落した。ガウランが生きている場所を知っていたただ一人の人物ソルカン・シラの死を、成吉思汗は忽蘭と二人で悼《いた》んだ。併《しか》し、成吉思汗はガウランについては一言も語らなかったし、忽蘭もまたその名を決して口にはしなかった。二人の眼の前で、ソルカン・シラの柩は深く地中に埋もれて、再びその姿を見ることはできなくなった。

長城線の要衝居庸関《きよようかん》でジェベが予言したように、モンゴル軍が再び長城を越えなければならぬ日は、予想したより早くやって来た。成吉思汗の駐営地に、金帝が都を中都より汴京《べんけい》（開封）に移したという報がもたらせられたのは、凱旋してから幾許《いくばく》もない六月の終りであった。

成吉思汗はこれに依《よ》って金国に和平の意志のないことを知るや、その背信の余りに早いことに烈火の如き憤《いきどお》りを感じた。成吉思汗は直ちに、対金作戦に於《おい》て抜群の功を樹《た》てたサルジュウト部の騎馬兵団と、同じく残虐《ざんぎやく》なくらい執拗《しつよう》に敵を殲滅《せんめつ》する女真《ジユルチン》兵からなる騎馬兵団に、金国への出動を下令した。前者の将はサムカ、後者の将はミンアンであった。こんどの命令は、中都を攻略し、城邑にある者を徹底的に掃蕩《そうとう》せよという峻烈極まりないものであった。

これと同時に、成吉思汗は将軍ムカリに遼東への出動を命じた。金国兵が遼東方面を回復しつつあるという留哥《りゅうか》王からの報告があったので、これを赴援するためであった。成吉思汗はムカリの進発に際して、漸《ようや》く壮年期に達し、武将としても政治家としても大成しつつある無敵の将軍ムカリに勅を下した。

――大行《たいこう》山脈以北の地は余の経略に任せよ。同山脈以南の地を征服するは軍の任なり。

成吉思汗はムカリに金国を平定させ、更にその向うの大国宋《そう》をも経略させようと考えていた。ムカリならそれを為し遂げるであろうと思った。成吉思汗自身は他に為さねばならぬことがあった。成吉思汗の心にはこの時、中国よりむしろ、西方の、皮膚も眼の色も異にする未知の国々に惹《ひ》きつけられる気持が生まれ始めていた。

成吉思汗は、金国へ侵攻するムカリの兵団と、サムカ、ミンアンの兵団と、その二つの遠征部隊を、ユルリ湖畔の駐営地で見送った。一二一四年七月のことであり、金国との和平は僅《わず》か三カ月程で破れたのである。

その年の暮から翌年の春へかけて、成吉思汗は湖畔の帳幕に於て、毎日のように遠征軍から行動を報じて来る使者を引見した。中国に於ける二つの遠征軍の行動は手にとるように判《わか》った。中都攻略を目的とするサムカ、ミンアン等の本格的な戦闘は翌一二一五年の初頭から開始された。遠征軍は中都を大きく包囲し、他との交通を遮断《しゃだん》し、各個撃破の形で北上する金国の軍隊を次々に破った。成吉思汗には中都陥落の報の来るまでがひどく長く思われて、待ち遠しかった。何をぐずぐずしているのかと思った。成吉思汗は一刻も早く捷報《しょうほう》を得たいためもあり、また暑熱を避けるためもあって、本営をユルリ湖畔より桓州《かんしゅう》に移した。そして、その待ちに待った中都攻略が行われたのは六月で、その報は約十日遅れて桓州の彼の帳幕に届いた。成吉思汗の駐営地は戦捷の報で沸き返り、三日三晩、全将兵の間では無礼講の酒宴が開かれた。戦線からの捷報はその酒宴の席にも次々に到着した。

——中都目下炎上中なり。

使者の口上はいつも同じことであった。そしてこの中都炎上中という使者の口上をそれから一カ月余に亙《わた》って成吉思汗は毎日のように聞かなければならなかった。中都が焼け続けているということ以外は、敵の丞将完顔福興《ワンヤンフシン》が、落城の日毒を仰いで死んだということとだけであった。

成吉思汗は福興という金国の武将を知っていた。何回も戦闘を交えたこともあり、媾和を締結する時は、金国の使者としてやって来た彼に会ってもいた。人品卑《いや》しからぬ優れた武将であった。成吉思汗は北京の大城邑が焼けることも、その内部に詰まっている夥しい財宝が灰になることも惜しくはなかったが、福興という武将を喪ったことだけは心から惜しまれた。成吉思汗は彼が降伏してきたら、彼を己が部下として、新たに中都の守りに就かしめようと考えていたのであった。

福興がとった自殺という行為が、成吉思汗には納得できなかった。遊牧民族の昔からの常識では、刀折れ矢尽きて戦闘に敗けた場合、武将が敵に降《くだ》るのは少しも恥ずべきことではなかった。そして敵に降った上で、自分が許されるか、首を刎《は》ねられるか、相手の裁きを待つべきであった。成吉思汗はこれまでに数えきれぬくらいの城を攻略して来ていたが、その主将で最後まで降伏しなかった者は一人もなかった。成吉思汗は相手の降伏するのを待って、相手を許したり斬《き》ったりした。併し、福興の場合は全く違っていた。降伏することなしに城を焼き、自らの命を断ったのである。

成吉思汗には中都の城邑が月余に亙《わた》って燃え続けていることが、そうした福興のことを思うと少しも不思議なことでなく思われた。実際にそれを見ないでも、中都を焼く火焔《かえん》の色を眼に浮かべることができた。それは曾《かつ》て彼が眼にしたいかなる城を焼く火の色とも異っていた。

成吉思汗は金国人や宋国人を召し出して、彼等の国の歴史が福興以外にも自殺した武将を持っているかどうかを質《ただ》してみた。金国人も、宋国人も同じ答えをした。

「史上に名を伝えている名将の多くは、城が陥《おち》る時、みなそのようにしている」

成吉思汗は自分が金国の攻略に於て得たものの中で、最も大きいものは、こうした武人の身の処し方があるということを知ったことであるかも知れないと思った。これはモンゴルの民が曾て持たなかったものであり、また現在も持っていないものであった。そしてそれはいかなる訓練によっても、いかなる演習に依っても、自分のものとすることのできぬものであった。

成吉思汗は、中都攻略軍に対して、兵と一般市民の区別なく、凡《およ》そ中都の城邑に居た者で戦闘で死ななかったものの尽《ことごと》くを、郊外の一画に集めておくように命じてあった。そして、そうした捕虜たちに対する処置について、成吉思汗は多少いつもとは異った方法をとった。これまではいかなる場合でも、城を陥した場合捕虜の中から女を先きに抜き出して、それを数珠繋《じゅずつな》ぎにして本営へ送らしめたが、こんどは女を後廻《あとまわ》しにして、男の中で特殊な技術や教育を身につけている者を先きに選《え》り出すように命じた。そしてそうした男たちの取扱いに対して、感情に依って処断するようなことのないように厳しく注意した。いかに敵対感情を持っている者でも、特殊な技術や教養を身につけている者は、一応己が駐営地へ送り届けることを命じたのであった。

そして、こうした事務を取扱う者として、成吉思汗は裁判の最高責任者に任命してあるタタル部の孤児の出であるシギ・クトクを選んだ。いかなる場合でも氷の如き冷静さを失わない青年に成長したシギ・クトクは、無表情な蒼白《あおじろ》い顔を歪《ゆが》めて成吉思汗の命を受けると、すぐその日のうちに中都へ向かった。一カ月程してから、成吉思汗はシギ・クトクがその任務を完全に遂行しているのを知った。毎日のように、中都から財宝と共に、いろいろな風体をした金国人が送られて来た。農夫もあれば、鍛冶屋《かじや》もあり、卜星者《ぼくせいしゃ》もあれば、官吏も、学者も、武将も、兵卒もあった。あらゆる職業の者が網羅《もうら》されていた。

成吉思汗は駐営地に於て、再度そうした者たちの特殊技術について調査させ、その結果を自分に報告させた。女たちは殆《ほとん》ど送られて来なかった。たまに送られて来ると、血の気を失った顔の中に憑《つ》かれた眼を持っている卜星者や霊媒者《れいばいしゃ》であった。

「女たちは一人も送られて来ないか」

成吉思汗は係りの者に訊《き》いた。

「一人も送られて参りません」

その係りの者の答えで、成吉思汗は、シギ・クトクの顔を思い浮かべて苦笑するほかはなかった。

そうした或《あ》る日、成吉思汗は送られて来た捕虜の中に、耶律楚材《やりつそざい》*という名を持った契丹人《きったん》で、中都の皇城に左右司員外郎《さゆうじいんがいろう》として仕えていた人物があることを報《し》らされた。成吉思汗はすぐその人物を自分の前に呼び出すように命じた。やがてはいって来たのは、意外に若々しい感じの長い髯《ひげ》をたくわえた、ひどく大柄《おおがら》な人物であった。

成吉思汗は側近の者たちをその人物と並ばせてみたが、誰《だれ》もその肩までしかなかった。人間離れしたその大男は頬《ほお》から顎《あご》へかけて黒々とした美髯《びぜん》を貯《たくわ》え、少しも臆《おく》するところなく悠々《ゆうゆう》と構えていた。

「汝《なんじ》の年齢を言え」

成吉思汗が言うと、

「二十六歳である」

その人物は答えた。低い声だが、よく透《とお》るずっしりとした重味を感じさせる音声を持っていた。

「汝は契丹人か」

「いかにも」

「汝の母国契丹は金国人のために滅ぼされ、現在の如き小国の地位に追われてしまった。余は金国を攻略し、汝の母国のために仇《あだ》を報いてやった。汝はモンゴルの可汗たる我に謝せよ」

するとヽ

「余の家は父祖以来金国に仕え、金国の禄《ろく》を食《は》んで来た。余は金国の家臣である。どうして金国の非運を悦《よろこ》ぼうや」

何の躊躇《ちゅうちょ》するところもなく、堂々と言ってのける耶律楚材の艶《つや》のある声は、成吉思汗の心に滲《し》み入るように快く響いた。

「汝はいかなる学問に詳しいか」

「天文、地理、歴史、術数、医学、卜占《ぼくせん》」

「卜占の術にも長ずるや」

「卜占は余の最もよくするところのものである」

「しからば、余のために占え。モンゴルの蒼《あお》き狼《おおかみ》たちはいまいかなる運命を持たんとしているか」

「モンゴルの民を占うはモンゴルの民に行われる方法によるべきであろう。羊の肩胛《けんこう》骨《こつ》一片を我に与えよ」

耶律楚材の求めに応じて、成吉思汗は羊の肩胛骨を持って来させた。すると彼は、帳幕の外に出て、石のかまどを築き、そこで羊の骨を焼き、その上で裂罅《れっか》を調べた。

そして成吉思汗に告げた。

「西南の方角に新しき軍鼓の響きがある。可汗の軍が再びアルタイを越え、カラ・キタイ*の国に進入する時は迫りつつある。いまより三年の後に、必ずやその時は来るであろう」

耶律楚材は言った。そこで成吉思汗は、

「若《も》し汝の予言が的中せざる時はいかにするか」

と、不敵な予言者に言った。すると、耶律楚材は成吉思汗の眼に正面から自分の眼を当て、

「可汗の欲するものを与えよ。若し可汗がそれを欲するならば、死を」

そう言った。成吉思汗には耶律楚材の言うことの総《すべ》てがわが意を得た思いであった。いままでにこれほど素晴らしい人物に会ったことがないようにさえ思われた。成吉思汗はその日から耶律楚材を側近として侍せしめることにした。

その席上で何人かの重臣たちが耶律楚材を用いることに反対したが、成吉思汗は諾《き》かなかった。反対の理由はいかなることを考えているかも判らぬ、得体の知れぬ人間だからということであった。

「余は曾《かつ》て捕虜の中からジェベを選んだ。しかも彼は余と余の馬を傷つけた相手であった。いま、余に何の損傷も与えたことのない金国の若い文官を、余の傍に置くこと

に何の憚《はばか》りがあろうか。曾て余は若き捕虜にジェベ（矢）という名を与えた。耶律楚材には、ウト・サカル（長き髯《ひげ》）という呼名を与えるであろう」

長き髯をたくわえた大男の卜占者は、その日のうちにすぐ成吉思汗の傍にその大きな図体《ずうたい》を侍《はべ》らせた。

成吉思汗は中都を陥《おとしい》れるや、第二段の仕事として、凱旋《がいせん》して来た武将サムカを一万の軍の将として、改めて金の新都攻略のために出動させることにした。成吉思汗はサムカに西夏領を通過し、河南に向かう作戦をとらせた。十一月、サムカの軍は三度金国へ向かって進発し、西夏領を通過して、嵩山《すうざん》山脈にはいり、その険峻《けんしゅん》にはばまれ、難行軍の果てに漸《ようや》くにして河南に出て、新都汴京《べんけい》に迫ったが、全軍の疲労覆《おお》うべくもなく、金軍との決戦に於て敗退を余儀なくされたのであった。

このサムカからの敗報頻《しき》りなる時、それを追いかけるようにして、金国の皇帝より媾和《こうわ》を求める使者が成吉思汗の帳幕へやって来た。成吉思汗は、ボオルチュ、ジェルメ等の長老と謀《はか》って、黄河以北の金国の全所領をモンゴルに割譲することと、皇帝はその皇帝という称号を棄《す》てて河南王を称すべしという頗《すこぶ》る苛酷《かこく》な条件を出した。

金使は去って行ったが、再び金国からの回答は得られなかった。成吉思汗も金国がその条件を容《い》れようとは思っていなかったので、回答のないことにはいかなる感情の動きも覚えなかった。

一二一六年の春、サムカは敗れ傷ついた軍勢を率いて、成吉思汗の帳幕に戻《もど》って来た。成吉思汗はサムカを引見して、敗戦の申し開きを為さしめた。そしてサムカの上奏が終ると、成吉思汗は言った。

「サムカよ、余は汝に敗戦の恥を雪《すす》ぐ機会を一度だけ与えよう。汝は前と同じく一万の将兵を率いて、厳寒十一月に再度河南を攻略するために出陣せよ。汝は前の如く西夏領よりはいって嵩山山脈の雪深き巌《いわ》と崖《がけ》を攀《よ》じよ。そして河南にはいり、都汴京を略せ」

サムカは顔色を変えた。前に倍する兵を与えられたとしても、前と同じ難路を行軍して行く限り、汴京を抜き得ようとは思われなかった。併し、サムカはその命を受けないわけには行かなかった。

成吉思汗はそれからサムカが、他部族に倍する戦闘と行軍の猛訓練を己が部隊に課するのを見た。成吉思汗は自分が抜擢《ばってき》した若い武将を愛していた。ボオルチュ、ジェルメ、カサルが漸く老いようとしているいま、成吉思汗はムカリ、ジェベ、スブタイの第一線指揮者に続く二陣として、何人かの二十代の指揮者を養成しようとしていた。サムカもその一人であった。

この年、成吉思汗は駐営地桓州を引き揚げて、ブルカン嶽《だけ》の麓《ふもと》の妻ボルテが留守を守っており、母ホエルンの墓のあるボルジギン氏族の帳幕へ軍を返した。将兵の大部分が郷里の土を踏むのは、実に一二一一年三月に出動して以来五年振りのことであった。成吉思汗と一部の将兵は、一二一四年金国との間に和議が成った時、一度短時日ではあったが故地を踏み、すぐユルリ湖畔へ移ったことがあったが、今度はその時とは違ってはっきりと凱旋という形をとった全将兵の帰還であった。

この帰還に加わらないのは、遼東、遼西に於て転戦しているムカリとその部下の将兵、それから中都攻略後その方面に駐屯《ちゅうとん》している幾つかの部隊だけであった。成吉思汗は金国の新都汴京は攻略していなかったが、黄河以北の大部分の地を支配下におき、金国人を以《もっ》て組織している各地の諸部隊を少数のモンゴルの将兵たちに依《よ》って統《す》べさせていた。

モンゴルの兵団は、一二一一年の出征時とは見違える程の変り方を見せていた。モンゴルの兵団と兵団との間には、金国人や契丹人、それから宋国人を以て形成された部隊もあり、またそれら各国人の武器を持たぬ集団もあった。時にはそうした異国人の集団だけが、何十支里も続いた。財宝を山の如く積み上げた車輛《しゃりょう》部隊もあれば、兵器や農具を背につけた駱駝《らくだ》や馬の集団もあった。それからまた奴婢《ぬひ》や労務者として使われる夥《おびただ》しい数の金国の女や子供たちの隊列もあった。

こうした雑多な要素で構成されたモンゴルの部隊は、桓州を発し、沙漠《さばく》を越え、ケルレン河畔に出て、それからその上流へ上流へと溯《さかのぼ》って行った。歓迎はあらゆる聚落《しゅうらく》で行われた。部隊は毎日のように湧《わ》き立つ部落民の間を通過して行った。

ブルカン嶽麓《がくろく》一帯の地は、このため曾てなかった大混雑を呈した。トウラ河の磧《かわら》にも、ケルレン河の河畔にも、何百という新しい聚落ができ、草原地帯に突如として幾つもの大都市が形成された感じであった。

凱旋を祝う祭は、盛大に蒙古《もうこ》高原全域に亙って行われた。成吉思汗が可汗の位に就いた時とは違って、モンゴルは今や金国を打破った統制ある大国であり、曾ての遊牧の民は今や階級に依って区別されたモンゴル国の国民であった。ブルカン嶽の帳幕には数知れぬ店舗が並び、そこではあらゆるものが販《ひさ》がれ、あらゆるものが交換されていた。酒舗もあれば、飲食店もあった。宋国風、金国風、契丹風、西夏風のそれぞれ異った料理店も並び、馬や羊や駱駝までが売買されていた。金国人の奴婢を伴った聚落の長も居れば、金国風に着飾った娘たちも居た。

成吉思汗はそうした草原の市場を歩いた。僅《わず》かな側近の者と共に歩いても、何の不安もなかった。金国との長い戦争の間、殆《ほと》んど女たちだけで営まれていた草原の国家には、小さい叛乱《はんらん》もなければ、集団の反目も、小競合《こぜりあい》もなかった。草原の町の賑《にぎ》わいはそのまま残されたが、飲食を無際限に許され、仕事をしないで着飾って歩くことを許された祝祭は十日間で打ち切られた。

成吉思汗は、総《すべ》ての将兵を緊張した状態から解かないために、小さい遠征と戦闘を試みた。それは聚落を追われたメルキト部の残党が、アルタイ山中にひそかに聚落を作り、依然として成吉思汗に敵意を持っていて、その勢いが漸く棄て置き難《がた》いものになりつつあったからである。

成吉思汗はあらゆる草原の部族を平定して今日の地位を築いていたが、メルキト部に対する措置は他部族に対する場合と異って峻厳《しゅんげん》を極め、いつもその徹底的な掃蕩《そうとう》を意図していた。成吉思汗の態度がこのようであったから、当然のこととして、メルキト部の反抗もまた烈しく執拗《しつよう》であった。雑草のように彼等は生き残り、雑草のように成吉思汗の眼の届かぬところにはびこり、そして復讐《ふくしゅう》の機会を覘《うかが》っていた。

凱旋の祝祭が終ると成吉思汗は、旬日ならずして長子ジュチにメルキト討伐の命令を下した。

成吉思汗は、ジュチを招《よ》んで言った。

「メルキトの残党の尽《ことごと》くを討て」

「諾。自分は可汗の命令に従って行動するであろう」

ジュチは少し切口上で答えた。メルキトを討伐する時は、いつも成吉思汗はその任務をジュチに与えたが、そのことは命令を下す成吉思汗自身にも、その命令を受けるジュチにも、何か釈然としないものがあった。

成吉思汗はメルキト部には、いつも自分でも理解し難い感情の動きを感じていた。自分と同じ血を持つ一族であるかも知れぬということによって、彼はその存在を許すことはできなかったのである。それは自分がモンゴルの蒼《あお》き狼《おおかみ》であることを否定するかも知れぬものの存在であった。母ホエルンを略奪して犯したその種族の非行は、モンゴルの蒼き狼の名に於《お》いて永久に許すことのできぬものであった。

それからまた、自分ばかりでなく、ジュチの場合も同じであった。ジュチよ、汝が若《も》し蒼き狼であるならば、汝の手に依って汝の血の正統をおびやかすものを打て。——そういった気持であった。汝もまた汝の母ボルテが拉《らっ》し去られ、犯されたその非行を許してはならぬ。

成吉思汗はこうした自分の考え方を、ジュチには勿論《もちろん》説明しなかった。こうした自分の態度を、ジュチがいかなる考えで受取るか判《わか》らなかったが、併《しか》し、これは成吉思汗とジュチのような関係の父子《おやこ》の場合、お互いに口から出すことのできぬ問題であった。この前の時もそうであったように、成吉思汗はこんどもジュチの眼に反抗的とも見える冷たい光が湛《たた》えられるのを見るだけであった。

成吉思汗はジュチに若い武将スブタイを配して、共同で敵に当らせることにした。ジュチとスブタイは直ちに軍を率いて、アルタイの山奥深く分け入って行った。この討伐作戦は秋の初めに全く終った。ジュチは前に討ったメルキトの首領の弟と、その二人の子供を戦闘に於て屠《ほふ》り、第三子コトカンを捕虜として捉《とら》えて来た。ジュチは成吉思汗に、メルキトのたった一人の生き残りの若者が弓の名手として知られており、その技術が得難いものであるという理由で、その助命を歎願《たんがん》した。

実際に一矢を以て標的を射、第二矢を以て一矢の箭筈《やがら》を射ることを説明し、その技術

「コトカンは武技に長じているばかりでなく、誠実な人柄《ひとがら》でもある。生かしたなら可汗のよき手足となるであろう」

それに対して、成吉思汗はただ、

「生かしておいてはならぬ。即刻刑に処せ」

と命じた。ジュチは何か言いたそうであったが、結局は何も口からは出さず、自分の手でメルキトの若き武将コトカンの生命を断った。

この年十一月の初めに、サムカは曾《かつ》て命令された通り一万の兵を率いて汴京《べんけい》を攻略するために、ブルカンの帳幕から進発して行った。

それから二カ月程して、成吉思汗はサムカからの最初の使者を得た。そしてこれを皮切りとして十日置きに、次々にサムカの使者は到着した。成吉思汗の知り得るサムカの部隊の行動は断片的なものであったが、それを繋《つな》ぐことによってサムカの部隊の行動を知ることができるわけであった。

――部隊は西夏を横切った。

――部隊は黄河の南岸の堅城潼関《とうかん》を攻略す。

――部隊は汝州《じょしゅう》を初めとする五城市を攻略せり。

――部隊は汴京の西郊に迫れり。

これを最後としてサムカからの使者は跡絶えた。サムカは兵力が少ないために汴京を包囲することができず、この場合もまた亡滅寸前の金国の首都を攻略することはできなかったのであった。サムカの部隊は汴京から少し離れた地点に駐屯し、そこから動かなかった。成吉思汗はサムカに使者を送り、その労を犒《ねぎら》い、汴京を包囲する暴挙を敢《あ》えてしなかったことを称《たた》えた。サムカはそのままそこに駐屯した。

翌一二一七年、遼西遼東の大作戦を完了したムカリは、それを報告するために、成吉思汗の帳幕へやって来た。一二一四年にユルリ湖畔の駐営地から進発して行って以来のことであった。ムカリは金国との戦闘が始まった一二一一年以来、ユルリ湖畔に於ける三カ月足らずの駐屯を除いて、あとはずっと烈《はげ》しい戦闘に明け暮れており、そしていま漸く、遼東遼西の広い地域を、己が支配下に置いたのであった。武人としても政治家としても、ムカリは卓抜なものを持っていた。

成吉思汗は群臣を尽く参列せしめて、最上級の礼をつくして、ムカリを迎えた。成吉思汗はその偉大な功を賞し、改めて国王の称号を与え、中国に於ける軍司令官としてのあらゆる権限を与えた。異国における打続く烈しい戦闘は、若い武将を何歳か老《ふ》けさせ、その顔を無表情な動かぬものにしていた。また、黄塵《こうじん》はその皮膚の色を草原に生まれた者のそれとは別のものにしていた。

ムカリは旬日ならずして再び任地に向かった。二万三千のモンゴル兵と契丹、女真の兵を以て組織した兵団が新たに彼の指揮下にはいった。こんどのムカリの任地は亡滅に瀕《ひん》した金の王室がその一画に余喘《よぜん》を保っている金国であり、そこが新しき国王としての彼の広大な統轄《とうかつ》地であった。

宿敵金を破って、その所領の大部分を収めた成吉思汗は一二一七年から一八年の春へかけて、ブルカン嶽《だけ》の麓《ふもと》の帳幕で過した。モンゴルの民の生活は全く変ったものになった。金国から取り入れた農耕の技術によって、草原は次々に開墾され、東南部一帯には半農牧の生活が営まれるようになった。また金国から得た技術によって到《いた》るところに井戸が掘られ、牧地は大々的に改良されて行った。

成吉思汗の帳殿には毎日のように東からも西からも夥しい数の隊商が集まって来た。成吉思汗はそれぞれ皮膚の色も眼の色も異にしたあらゆる種族の人間たちが、商品を駱駝や馬に満載して集まったり散ったりするのを眼にしているのが好きであった。

特に遠い西方の国々からやって来る隊商たちは、成吉思汗の命によって、市場で荷物を解くとすぐ可汗の帳幕に伺候するのが常であった。成吉思汗は彼等を手厚くもてなし、決して代償なしに彼等の商品を取り上げるようなことはしなかった。

こうした隊商の中で、成吉思汗が最も気持を惹《ひ》かれたのは回教国ホラズム*の隊商たちであった。彼等はモンゴルの出征兵たちが決して金国に於ても見なかった美麗な調度や細工物を持っていた。硝子《ガラス》器具もあれば、各種の宝石もあり、精巧な細工を施した装身具もあった。また、どうして造り得たか想像もつかないような華麗な絨毯《じゅうたん》類もあった。彼等はそうした華麗な品々を、モンゴル人たちが金国から得る絹、綿、筆、紙、墨、硯《すずり》、書画、骨董《こっとう》といったものと交換して行った。

成吉思汗はホラズムの隊商たちに特に武器類を注文したり、宗教関係の祭典具を注文したりした。こうした特殊な物を未知の国から得ようとしたのは、成吉思汗がその教養と知識と人柄とを愛している耶律楚材《やりつそざい》の献策に依るものであった。長い髯《ひげ》を持つ大柄の青年は、成吉思汗の寵愛《ちようあい》を得て、あらゆる政策に彼独特の意見を述べていた。成吉思汗も驚くほど耶律楚材は未知の物を知ろうとすることに強い欲求を示し、すべての隊商たちは可汗の帳幕に於て、耶律楚材の質問に対して長い時間をかけて答えなければならなかった。

成吉思汗が耶律楚材に対していかなる意見をきく場合でも、それはモンゴルがいかにしたら強大になって行くかというその一点にしぼられていた。それに対する耶律楚材の答えはいつでも一つであった。それは高度の文化に対する関心を恰《あたか》も赤く鉄が熱しられているような烈しさで保ち続けるということであった。文化を貴ぶか、武力を貴ぶかで、二人はいつも対立した。

「金国は可汗の軍勢に破られたが、まだずっと高い文化を持っている。可汗は金国からなお多くのものを学ばなければならぬ。金国の民に善政をしき、彼等の持っているものをすべて悦《よろこ》んで可汗に献ぜしむるようにすべきである」

そう耶律楚材は言った。

「高い文化を持っていても、武力が劣っているため金国は余の支配下に置かれたではないか」

成吉思汗が言うと、

「可汗は一体何を支配したと言うのか。一朝将軍ムカリが金国より引き揚げたら、そこにいかなる支配が残るか。武力は相手を押えつけているだけで、それを支配することはできないものである。モンゴルの将兵は自国の高い文化を持たない限り、金国を完全に支配することはできない。いつか反対に金国に吸収され、金国によって支配されるようになるだろう」

耶律楚材はいつも成吉思汗を黙らせた。モンゴルの可汗は、若い政治顧問に言いくるめられ、黙らせられることを悦んだ。沈黙を余儀なくさせられる度に、成吉思汗はいかなることでも相手の意見を何らかの形に於て、己が政策の中に取り入れた。

成吉思汗は耶律楚材に依って、人心を結集するに最も大きな力を持つものは、民族愛でも、権力者に対する忠誠でもなく、信仰であることを学んだ。それ故《ゆえ》、成吉思汗はいかなる他国の信仰でも自由に己が聚落に入れ、それを迫害することを禁じた。そして自国のモンゴルの民には、往古からこの民族の持っている天の神に対する信仰をモンゴルの民の証《あかし》として奨励した。しかし、ボルジギン氏族の者以外には天の神に対する信仰を必ずしも強制しなかった。

成吉思汗は自国の民に対する鉄の如き規律をいささかもゆるめることなく、一方に於て、耶律楚材の意見を容れて、遊牧の民たちに盗みと殺人を否定する道徳的教育を施した。羊を盗むことを避けなければならぬことは、モンゴルの民にとっては、これまでそれが死を意味することであるからであったが、盗むことが自分をも他人をも不快にすることであり、そのためにそれを避けなければならぬというように全く新しい観念を徐々に彼等に植え付けて行った。

併し、成吉思汗は一人の契丹人の血を持つ若者を、全く無視して一顧だにしないことがあった。そうしたことの最初の現われは一二一八年の初頭に、突如として成吉思汗が麾下《きか》の一部隊に西夏への侵攻を命じたことであった。成吉思汗は西夏を隷属《れいぞく》せしめていたが、隷属せしめているばかりでなく、そこへモンゴルの部隊を駐屯せしめる必要を感じたからであった。合戦は理由なくして突如惹《ひ》き起された。モンゴルの騎馬部隊は濛々《もうもう》たる砂塵《さじん》を巻いて西夏の首都を襲い、西夏王を西方の西涼に逃亡せしめた。そしてそれによって、成吉思汗はモンゴルの強力な部隊の西夏駐屯を実現したのであった。

成吉思汗はこの作戦の前後、何日か耶律楚材と顔を合わせなかった。若い政治顧問に合わせる顔がなかったからである。併し、耶律楚材はこうした時、決して成吉思汗を咎《とが》めなかった。咎めないどころか、そのことには一切触れようとはしなかった。

成吉思汗の西夏への進攻の真の目的はそこへのモンゴル部隊の駐屯によって、その隣国たる回鶻《ウイグル》にいかなる事態が起きても、いささかの動揺をも起させないためであった。曾《かつ》ての仇敵《きゅうてき》であり、ついにそれを討ち漏らして今日に至ったナイマン王グチルクが、自国の亡滅後カラ・キタイ（西遼）国の王位を簒奪《さんだつ》してこれに拠《よ》ること六年に至っていたので、遠からずそれを撃たなければならないことは成吉思汗にとっては既定の事実であったのである。カラ・キタイと事を構えた場合、カラ・キタイの隣国である回鶻が現在はモンゴルの傘下《さんか》にあるとは言え、その地理的事情から、いつカラ・キタイに通じないとも限らなかったのである。

七　章

一二一八年の夏、成吉思汗《チンギスカン》はジェベを二万の軍勢の将として、カラ・キタイ国へ向けて侵攻せしめた。耶律楚材《やりつそざい》が初めて成吉思汗に謁《えっ》した時羊の肩胛骨《けんこうこつ》を以《もっ》て為《な》した西南方に陣鼓ありという占いは、ここに現実となって現われたのである。カラ・キタイ国への侵攻の目的は、グチルクを倒すことであり、そしてそこを自己の領土とすることによって、高い文化の国ホラズムと境を接することであった。成吉思汗はホラズムと交友関係を保ち、大々的な貿易に依《よ》ってそこから多くの未知のものを得たかったのである。

ジェベは、カラ・キタイ国へ侵攻するや、直ちに宗教の自由を宣言し、グチルクによって迫害されていた回教徒たちを解放した。回教徒たちは各地に反乱を起して、ジェベに味方した。ジェベはグチルクの軍を各所に破り、ハミ、カシュガル、ヤルカンド、和闐《ホータン》の諸城邑《じょうゆう》を次々に攻略、グチルクが逃亡するのを追ってパミール高原に至った。グチルクはそこで土民に襲われて殺された。ジェベは、グチルクの首と、その地方で産する馬千頭を可汗の許《もと》に送って来た。

ジェベのカラ・キタイの平定は神速を極め、僅《わず》か三カ月程の間に、天山を挟《はさ》んで南北に拡《ひろ》がっている巨大な版図《はんと》を持つ国をモンゴルの支配下に置くに至ったのである。この作戦によって、モンゴルは二つの大きな翼をその躰《からだ》の左右に持つに至った。そして一つはムカリによって、一つはジェベによって、今や徹底的な掃蕩《そうとう》が試みられているのであった。

成吉思汗は、功労者ジェベに対して、その功を賞すると共に、その功を誇らぬように注意すべきであろうという詔勅を出した。

成吉思汗のカラ・キタイ攻略は、未知の大国ホラズムとの貿易を企図したことによって為されたが、併《しか》し、カラ・キタイの攻略そのものからも大きいものを受けた。金国が持っていない全く新しい農業技術や工業技術は、水が低きに流れ込むように蒙古《もうこ》高原一帯の地へ流れ込んで来た。モンゴル人たちが全く一度も見たこともない果実や、絨毯《じゅうたん》や、葡萄酒《ぶどうしゅ》や、多くの手工芸品などが、沙漠《さばく》や戈壁《ゴビ》を越えて毎日のようにモンゴルの高原へと移されて来た。

成吉思汗は今や広大なる領土の独裁者であった。成吉思汗はホラズムに最初の隊商を派遣することを思い立ち、その隊員を一族の者たちから募った。忽《たちま》ちにして王族や武将たちの間から一人または二人の候補者が差し出され、四百五十人の一隊が組織された。隊員のことごとくが回教徒であることにも、特別の配慮が為されてあった。

この隊商は成吉思汗の帳幕を発して、シル河畔のオトラルに到着した時、同地の守将であるガイル・カンに依って捕縛され、携行して行った商品はすべて略奪されるに至った。そしてガイル・カンは隊商をモンゴルの間諜《かんちょう》としてホラズムの権力者ムハメットに報告し、ついに四百五十人のモンゴル人を処刑するに至った。

成吉思汗はこの報に接して、全く思いがけないことだったので、未知の大国に対して、烈《はげ》しい怒りを感じた。自分の持っていたホラズムへの好意は、完全に敵意を以て報われたのであった。

成吉思汗にとっても、耶律楚材にとっても、また多くの幕僚たちにとっても、ホラズムという国は、その国情も、そこに住む人間の気心も判《わか》っていない全くの未知の国であった。僅かに隊商たちからの知識によって珍奇な財宝を有する大きな回教国であるということが判っているだけで、その国がいかなる組織や、いかなる兵を持っているかということになると、皆目知識の持ち合わせはなかった。成吉思汗は報復のためのホラズムに対する出兵を耶律楚材に図った。耶律楚材は、

「ホラズムに関して判っていることは、回教に依って統一され、国家の形を持った教徒の大集団であるということだけである。そこには宗教に依る鉄の如《ごと》き結束があるが、それに匹敵する何ものもモンゴルは持っていない。それから隊商たちの持って来る産物に依って判断すれば、その国の文化は計り知れぬ程高度なものである。現下の出兵は当然のこととして見合わせるべきであろう」

と言った。成吉思汗はまたカサルやジェルメの長老たちにも図ってみたが、誰《だれ》も出兵に賛成する者はなかった。

「ホラズムについて、自分の知っていることは、その国兵たちが鋼鉄の甲冑《かっちゅう》を纏《まと》っているということだけである。われわれが用いている革製の甲冑に較《くら》べて、早急に優劣

は判じ難《がた》いが、われわれの武器が彼等の甲冑を射抜くことができないことだけははっきりしている。戦闘はわれわれの知らない全く別の形で行われるに違いない」

そうカサルは言った。続いてジェルメは、

「ホラズムは大海の如き国であると思う。なぜならホラズムからの隊商はいろいろな言語といろいろな風習を持っており、単に回教を信じているということだけが彼等に共通している一事である。可汗はモンゴルの精鋭を底知れぬ大海へ投入すべきではないと考える」

と言った。成吉思汗はその他多くの武将たちにも図ってみたが、誰の眼にもホラズムはその正体のはっきりしない不気味な宗教国として映っており、積極的に出兵に賛成する者は一人もなかった。

成吉思汗は一番最後に、ジュチを帳幕に招いた。ジュチは成吉思汗の前へ進み出ると、すぐ、

「ホラズムへ侵攻することを、どうして私が恐れようか」

と言った。成吉思汗がホラズムへ侵攻することは決定したのではなく、それを汝《なんじ》に図っているのだと言うと、

「モンゴルの狼《おおかみ》は、崖《がけ》が高い故《ゆえ》にその崖は飛ばないであろうか。谷深き故に、谷には

分け入らないであろうか。可汗はジュチとジュチに属する何万かの兵たちを、崖を飛ばしめ、谷へ分け入らしめよ」

ジュチは言った。成吉思汗はジュチの眼を見入ったまま、この時ほどジュチが紛れもなくモンゴルの蒼《あお》き狼であることを感じたことはなかった。

「ホラズムは大海の如き国であると言う。一国を滅ぼせば、次にまた一国が現われて来る。余はジュチとジュチの部下を失うことは厭《いと》わないが、全モンゴルを大海に投入しなければならなくなることを案じているのである」

成吉思汗が言うと、

「モンゴルの兵は、そもそもそのようなものを運命として持って生まれて来ているのではないか。可汗はカラ・キタイの征服に依って、もはや敵を持つことを欲しないが、わがボルジギン氏族の者は、祖父も、曾祖父《そうそふ》も生まれてから死ぬまで敵を持っていたのである。敵を持つことに於《お》いてボルジギン氏族であったわけである。蒼き狼は敵を持たなければならぬ。敵を持たぬ狼はもはや狼ではなくなる。可汗は耶律楚材の如きまやかし者のために、契丹《きったん》の魂を植えつけられようとしている。この際耶律楚材を棄《す》てて、その替りに敵を持て。われわれの祖先がそうであったように、闘争を以てわれらモンゴルの民の生涯《しょうがい》を埋めよ」

ジュチは言った。

「若きモンゴルの狼よ」

ジュチの言葉を黙って聞いていた成吉思汗は、静かに口を開いた。

「汝は余が狼でなくなったとでも言うのであるか。ホラズムと事を構える時は、先鋒《せんぽう》の栄を汝に与えよう。余の本隊が汝の屍《しかばね》の上を越えて進軍して行くために」

成吉思汗はジュチを帰すと、その日一日ひどく機嫌《きげん》がよかった。成吉思汗は長子ジュチの献言をそのまま受け容れる気持はなかったが、併し、彼に依って久しぶりに侵略者の精神を吹き込まれた気持だった。

成吉思汗はまた妻ボルテの意見を、彼女の帳幕に於て徴した。成吉思汗より一つ年長である彼女は、白い髪と肥満した躰を持ち、珍奇な財宝の中に埋まっている老貴婦人であった。彼女の動作は年々緩慢になり、彼女の眼の輝きは年毎に衰えつつあった。

ボルテはこの四、五年めったなことでは容易に口を開かなくなっていたが、成吉思汗からホラズムの進攻の可否を訊《き》かれると、久しぶりで小さい笑い声を口から出した。

「軍を進めよ、可汗がそれを欲するならば。軍を動かすな、可汗がそれを欲しないならば。——可汗はここ数年、自分自身の意見で事を処していないではないか」

そうボルテは言った。

「モンゴルの民の一兵までが損じるような事態にならぬとも限らぬが、それでもいいか」

成吉思汗が言うと、ボルテは笑いを顔に浮かべた。

「可汗よ、いつそのように慾深くなられた？　汝は曾《かつ》て今は老いた汝の妻以外にいかなる部下を持ったか」

それを聞いて成吉思汗はまさにその通りであると思った。そしてボルテが必ずしも現在の不自由というものの全くない境遇に満足しているのではないことを知った。

成吉思汗にとってはそれは理解の埒外《らちがい》にある奇妙なことであった。成吉思汗が徐々に大国の権力者としてのし上がって行くにつれ、妻ボルテは次第に彼女の周囲に不満なものを雪でも降り積むように降り積ませていたのであった。成吉思汗ははっきりとその正体が判らぬ乍《なが》らも、自分の心が強く打ちのめされているのを感じながら、ボルテの前を離れた。

成吉思汗は意見を徴する最後の人物として、忽蘭《クラン》の帳幕を訪ねた。忽蘭はボルテとは異って、今や女として最盛期にあった。その顔は限りない輝きと艶《つや》やかなものを持ち、その姿態には権力者第一の愛妃としての威厳を具《そな》えていた。忽蘭は、

「可汗は三千の後室の寵愛《ちょうあい》を一身に集めて、まだそれでたりなくて、ホラズムの姫た

ちを象に載せて、己が帳幕に運びたいのか」

とあでやかな笑いを顔に浮かべて言った。

成吉思汗は忽蘭の前へ出ると、いつも自分までが甘美な贅沢《ぜいたく》なものに包まれ、彼女の輝きの照り返しで、自分の躰までが輝くような思いにさせられた。成吉思汗は併し、忽蘭の持つ輝かしく甘いものを、決して心から信用しているわけではなかった。

二人の間では愛児ガウランのことは彼がソルカン・シラに託された時以来、一度も語られていなかったが、忽蘭の心からガウランのことが忘られていようとは思われなかった。

忽蘭は成吉思汗が多くの妃妾《ひしょう》をもっていることに対して、いつもやわらかい皮肉をもって攻撃していたが、併し、彼女はそのために自分の誇りを傷つけるようなことはなかった。忽蘭はモンゴルの権力者が、真に自分以外の何者をも愛し得ようとは思っていなかったからである。成吉思汗が真剣にホラズム侵攻のことの意見を質《ただ》すと、忽蘭は、今まで成吉思汗が相談したいかなる人物よりも、熱情をもって彼に出兵を勧めた。

「可汗はホラズムを撃つべきである。なぜならホラズムはモンゴルより豊かで、モンゴルより進んだ国であるから。合戦の戦果は大きく、従ってまた戦闘はそれだけ烈しくあるに違いない。全モンゴルの民をその戦闘のるつぼの中に投げ入れよ。妾は可汗と共に異国の戦野の中に暮したいのだ」

それから忽蘭はまた言った。

「私から総《すべ》てのものを取り去れ。宝石も、美麗な衣服も、贅美を尽した調度も、すべて私から取り去って戴《いただ》きたい。そして私を常に合戦の雄叫《おたけ》びの中にあらしめよ。私は烈しい矢玉の響きの中にあって、可汗とただ一つのことを確かめ、ただ一つの事について語りたいのだ」

忽蘭はまた言った。

「私は曾《かつ》て、可汗がいかなる妃妾を持ったことに対して可汗を責めたことがあったろうか。私は曾て、可汗に対していかなる財宝と領土を要求したことがあったであろうか。私はこれまで自分を取り巻いているこの幕舎の中のものを、自分のものだと思ったことは一度もない。私はただ借り物の中に、身を置いているだけである。私がこの幕舎を離れた時、これらの物は私の物ではなくなるのだ」

忽蘭はまた言った。

「ああ、可汗よ、私をして可汗と共にホラズムとの烈しい戦闘の中にあらしめよ。そして、私をしてただ一つのことを語る機会を与えよ」

「その汝の語りたいというただ一つのこととは何であるか」

半ば不気味な思いで成吉思汗が訊《き》くと、

「それは、その時にしか語られない。神がその時私の躰に宿り、私に私の語る言葉を教えてくれるであろう」

成吉思汗がホラズムへの出兵を決意したのは、妻ボルテと、愛妃忽蘭と、長子ジュチの、それぞれに異った、互いには似ても似つかぬ言葉からであった。

成吉思汗は出兵を決意したが、それを早急には実現しなかった。この作戦に反対する耶律楚材《やりつそざい》の献言や、他の多くの武将たちの言葉を大切にし、彼等の意見をすっかり形を変えて、こんどの見知らぬ宗教国に対する軍事行動に取り入れなければならなかったからである。

成吉思汗は出陣のことは誰にも洩《も》らさず、あらゆる手段に依って、ホラズム国に対する情報を集めることに努力した。それからまた成吉思汗は、モンゴル高原のあらゆる聚落《しゆうらく》を自ら廻《まわ》り、そこに配せられている部隊の士気を鼓舞することに務めた。

一二一八年の終りに、成吉思汗は聚会《クリルタイ》を開いて、親族、重臣、老臣に初めてホラズムへの進軍を謀《はか》った。謀ったといっても、勿論《もちろん》成吉思汗が一方的に発表し、その席上でこれを一座の者に承認させるという形を取ったものであった。この席上で、成吉思汗の出征中は、弟のテムゲ・オッチギンが替って国内の統治をすることに決定した。その他の成吉思汗の一族、老臣、重臣の尽《ことごと》くは出征することになり、妃妾の中では忽蘭だけが行を共にすることを許された。耶律楚材もまた従軍を命じられた。

そして直ちに隷属《れいぞく》下にある西夏へ出兵を促す使者が送られた。併し、これに対して西夏は意外にも援軍の派遣を拒絶して来た。この一事に依って、成吉思汗は西夏がモンゴルよりホラズム国をより強大と見て、それを敵とすることを避けたことを知らないわけにはゆかなかった。

一二一九年の春、成吉思汗は二十万の軍勢を率いて、ブルカン嶽《だけ》の麓《ふもと》の帳幕を出た。まさに車帳雲の如く、将士雨の如しといった形容のふさわしい兵甲を着た狼群《ろうぐん》の大々的な移動であった。部隊は盛夏、アルタイを越え、天山北麓《ほくろく》の草原や山岳地帯を西行、チュー河畔に移り、そこに留まった。成吉思汗はホラズムの戦力がいかなるものか見当がつかなかったので、一応相手の出方を待つことにして、夏から秋へかけて、全軍参加のもとに、何十日にも亙《わた》る大規模な狩猟を行った。兵たちの緊張を保ち続けるためにも、また馬匹《ばひつ》の訓練、食糧の補給のためにも、狩猟はこの際モンゴルの大出征兵団にとっては必要なことであった。

そして同時にこの期間に、成吉思汗は一方でホラズム国内の情報を集めることに専念した。チュー河畔に於て、成吉思汗が知り得たことは、この国が数多くの民族の集合体であって、当然そこに起因する多くの弱点を持っているということであった。その弱点の中の最大なものは、ホラズム国がモンゴルに備えて四十万の軍勢を集めてはいたが、雑多な民族より成っている軍隊を統轄《とうかつ》すべき一人の秀《すぐ》れた指導者をも有していないということであった。国王ムハメットは回教圏の主権者ではあったが、到底大軍の統轄者ではあり得なかった。四十万の軍勢は広大な地域に点在する何十かの城邑《じようゆう》に配されてあり、いずれも城郭にこもり、モンゴルの最も得意とする騎馬長槍《ちようそう》の野戦を初めから避ける作戦を取っていた。

秋の中頃《なかごろ》、成吉思汗は突如狩猟を打ち切ると、全軍にホラズムの東北国境地帯へ侵入する命令を降《くだ》した。モンゴル軍の行手には天山山脈より発してアラル海へ注ぐシル河が、一本の帯のように前方を遮断《しやだん》しており、それに沿った諸城砦《じようさい》が点在している。進発に先立って、成吉思汗は全軍を四個兵団に分け、長子ジュチを一軍の統率者としてシル河畔の下流へ、次子チャプタイ、三子エゲデイの二人には二軍を与えてシル河中流のオトラル城攻略に向かわせることにした。それから三軍をアラク、スケト、タガイの三人の若い武将に率《す》べさせて、シル河の上流の平定を命じ、四軍は四子ツルイを統率者として、シル河を越えて遠くホラズム軍の大拠点ブハラ城*の攻略に赴かせることにした。

成吉思汗は麾下《きか》の諸将士に対して、ホラズムの全軍隊を撃破し、主権者ムハメットの息の根をとめるまではこの作戦は継続すべき性質のものであることを明らかにし、降伏者は生かし、反抗者は兵と市民の区別なく、これを尽く殺戮《さつりく》すべしという峻厳《しゅんげん》極まりない命令を降した。成吉思汗にとっては、モンゴルの全力を投入しての作戦であり、民族の興亡を賭《か》けての戦闘であった。

成吉思汗は曾て金国へ侵入する時行ったように、一族、重臣たちの尽くを己が帳営に集めて、いつ死別してもいいように別離の宴を張った。金国侵入の時は、ブルカン嶽の麓の帳幕に於て行われたが、こんどはイルティシ河を出て十日目の異境の漠地《ばくち》の幕舎に於てであった。

この席で成吉思汗は、若《も》し自分が死んだら、そのあとの主権者の地位を四人の子供たちの中の誰《だれ》が襲うべきかを発表した。このことは当の四人の子供たちばかりでなく、重臣、老臣を初め、全モンゴルの将兵たちにとっても何よりも大きい関心事であった。

成吉思汗が末子ツルイを一番愛していることは、誰の目にも明らかであった。モンゴル人の間では、昔から末子相続の制度が行われており、成吉思汗の私的な財産は末子ツルイが相続することになるわけであったが、成吉思汗のツルイに対する愛情は、そうした二人の特殊な関係から来るものではなかった。

成吉思汗はツルイが勇敢であることと、作戦に天才的な閃《ひらめ》きを見せるところを愛していた。成吉思汗はこれまで出征する度にいつもツルイと同じ兵団に身を置いていた。勿論一番若年のツルイの後盾《うしろだて》になるという意味もあったが、必ずしもそれ許《ばか》りではなかった。ツルイの軍の動かし方や戦闘の仕方を傍から見ているのが楽しかったからである。二十六歳の青年武将には天晴《あっぱ》れな小冠者《こかんじゃ》と言いたいような、胸のすくところがあった。

一座の者はみな、長子でもあり、誰にも有無を言わせぬ赫々《かっかく》たる武勲を樹《た》てているということでジュチが指名されるか、或《あるい》いは一番の寵愛を得ているということでツルイが指名されるか、二人の中の孰《いず》れかであろうと思っていたが、併し、成吉思汗の口から出た名前は、それとは全く別のものであった。

「エゲデイ」

人々は第三子であるエゲデイの名前を聞いた。それを耳にした瞬間、人々はみな自分の耳を疑った。併し、幾許《いくばく》もなくして、人々はそれが自分の聞き違いでなかったことを知らねばならなかった。

「ジュチはいかに思うか。言え」

成吉思汗は言った。するとそれに答えて、

「エゲディが指名されることに少しの異存もない。チャプタイ、ツルイの二人の弟たちと心を併せてエゲディを援《たす》けるだろう。エゲディが父可汗の跡を嗣《つ》ぐことは結構なことだ」

ジュチは蒼白《あおじろ》んだ顔で、言葉短く答えた。

「チャプタイはいかに思うか。言え」

すると、チャプタイは答えた。

「ジュチの言ったように、兄弟揃《そろ》って父在る時は父を、父亡《な》きあとはエゲディを援けよう。刃向かう者あらば立ち向かって斬《き》ろう。逃げる者あらば追いかけて背より刀を浴びせよう。エゲディは兄弟の中で一番温厚篤実《おんこうとくじつ》な人物である。エゲディは全モンゴルの統轄者たるにふさわしい器量を具《そな》えている。宜《よろ》しくエゲディに汗の後継者としての地位を与えよ」

チャプタイの言葉には、ジュチより遥《はる》かに熱情がこめられていた。

「ツルイは何と思うか。言え」

成吉思汗は末子ツルイに視線を向けた。すると、ツルイは、

「私は父君の名指したる兄の前に居て、忘れたことがあれば、それを思い起させ、眠っている時は躰《からだ》を揺すぶって起し、征戦には一緒に出陣し、常に赤馬の鞭《むち》ともなろう。いかなる場合でも軍列から欠けることなく、長い出征に出征して、烈《はげ》しい闘いを闘おう」

と言った。成吉思汗は満足げに頷《うなず》いてから最後に、

「エゲディは何か言うことがあるか、あったら言え」

と言った。エゲディはさすがに興奮の色をかくしきれなかったが、それでもいつものように悠々《ゆうゆう》と落着いて、成吉思汗の言葉に答えた。

「私に何を言うことがあろうか。父君の命令とあらば父君の命令に従うばかりである。ただ私の子供に弱者のみが生まれて可汗の位に就けぬ場合のあるのを怖《おそ》れるばかりである」

一座の者はしんとして、成吉思汗と四人の子供たちのやり取りを聞いていたが、それを聞き終った頃から、一人残らずの者が成吉思汗の指名が最も当を得たものであることに思い到《いた》り始めていた。誰の眼にも、それはその時初めて気付いたことであったが、成吉思汗のあと、主権者として全モンゴルを支配して行く人間としてエゲディの右に出る者はないように思われた。

エゲデイは他の三人の兄弟がそれぞれ異った形で持っている烈しさは持っていなかったが、性格は温厚で、慈愛深く、あらゆることに責任を持ち、策を弄《ろう》するといったところはなかった。それだけに兄弟の中で一番目立たぬ地味な存在であったが、併し、一面、決意するや直ちに行動に移す毅然《きぜん》たるところもあって、可汗の後継者たるにふさわしい長所を誰よりも多く具えていた。

一座の誰からも異議が出ないことを知ると、

「われわれの前の土地は限りなく広く、河は無数に流れ、青草の野は果てしなく続いている。ジュチ、チャプタイ、ツルイの三人に頒《わか》つべきすみかは、これから無限にわれわれの手にはいって来るだろう」

成吉思汗は言った。成吉思汗の眼にはジュチの蒼白んだ顔だけがいつまでもあとに残った。ジュチは今やモンゴルきっての勇将であり、その鉄の如き意志と自分を死地に立たせて怯《ひる》まぬ闘志は、成吉思汗でさえ舌を捲《ま》くほどであった。大事を遂行する人物としては、全モンゴルの中で彼に匹敵する者はなかった。成吉思汗は実際に自分の後継者としてジュチを選ぶべきか、エゲデイを選ぶべきか迷ったのであった。そして成吉思汗はついにエゲデイを名指したのである。エゲデイとジュチのどちらが適任であるかは、容易に決まらぬ微妙な問題であった。そのくらいであるから、ジュチの顔の蒼白んだことは、成吉思汗には強《あなが》ち予期せぬことではなかった。

成吉思汗は一座の者と、決死の作戦を前にして盃《さかずき》を挙げたが、ジュチ以外の者に対しては、不測の運命に依《よ》ってもたらせられるかも知れぬ訣別《けつべつ》のためのものであり、ジュチに対してだけはそれは多少違った意味を含むものであった。ジュチはこの事で自分から離叛《りはん》して行かないものでもないと成吉思汗には思われた。それは充分考えられることであった。そうしたことが起っても少しも不思議ではなかった。併し、その思いを成吉思汗は強《し》いて取るに足らぬものとして向うへ押し遣《や》った。そして心の中でジュチに向かって叫んだ。ボルジギン族の客人よ、汝《なんじ》が真に蒼《あお》き狼《おおかみ》の裔《すえ》たることは、まだ証明されてはいないのだ。余もまた証明されていないように。行け！　限りなく遠く苦難の道を行け。汝は無数の烈しい戦闘を闘い、常にそれに勝たねばならぬ。余もまたそうしなければならぬように。ジュチよ、汝が光輝あるモンゴルの狼なら、己《おの》が営盤《すみか》は己が力で闘い取らねばならぬ。

成吉思汗は自分の前に進み出て来るジュチを見た。成吉思汗はジュチのために酒盃《しゆはい》を挙げると、

「シル河の下流には毒ある蠍《さそり》が多いと聞く。心して行け」

と、ただそれだけを言った。

「父可汗こそ」

ジュチは決して成吉思汗の面から視線を反《そ》らすことなく、彼もまた短く言った。言い放つといった感じの言い方だった。

モンゴルの四兵団は殆《ほとん》ど同じ時期にシル河畔に殺到した。ジュチの軍はジェンド城を目指し、チャプタイ、エゲデイの軍はオトラル城を包囲し、アラク、スケト、タガイ等の軍はベナケット城に向かった。

成吉思汗はツルイと共に本軍を率いて、シル河畔に駐屯《ちゅうとん》していたが、各兵団からの捷報《しょうほう》が相次いで到るに及んで、直ちに全軍シル河を渡河して、最初の目的通り、ホラズム国内深く置かれているブハラ城を目指した。本軍がブハラに進むことに依って、敵の主力とシル河畔の諸城砦との連絡は自然に断ち切られることになるわけだった。

成吉思汗は沙漠《さばく》と高原地帯を月余に亙《わた》って行軍した。そして漸《ようや》くにしてゼルヌーク市に到着、成吉思汗は使者を派してその城門で叫ばしめた。

――吾等《われら》は天の子にして回教徒の擁護者なり、いまモンゴルの可汗の命に依って汝等を救わんとす。モンゴルの大軍城門に迫れり。汝等若《も》し降伏せば、汝等もし些《いささ》かたりとも抵抗せば、城塞家屋はたちどころに滅却せん。汝等若し降伏せば、生命財産を全《まっと》うせん。

市民は直ちに城外へ出された。若者たちだけは兵として徴用され、他は住居に帰るを許された。

城内の掠奪《りやくだつ》は三日に亙って行われた。めぼしい物は尽《ことごと》く部隊に収めた。そして城砦を破壊し尽すと、モンゴルの部隊は険阻な道を通ってヌール市に向かった。月余の行軍の果てにヌールの城邑に到着するや、成吉思汗はここでも直ちに城門を開かせ、城から市民を出し、何日かに亙って掠奪を行った。

成吉思汗は市民に危害を加えることを禁じたが、掠奪の方は徹底的に行った。これに依って食糧も確保しなければならなかったし、それからまた貴重な財宝は、勝利者の当然の権利としてモンゴルの国力たらしめなければならなかった。

モンゴルの騎馬兵団は目的地ブハラへの行軍の途中、新しい年一二二〇年を迎えた。そして一月の中旬ブハラ城の郊外に達すると、ソグド河畔に営した。付近には珍しく肥沃《ひよく》な田野が拡《ひろ》がっていた。成吉思汗は部隊に充分の休養をとらせた上、大軍を以て城を包囲した。城内には二万の籠城《ろうじよう》軍が居て、降伏の勧告に応じなかった。烈しい攻防戦は数日間続けられた。

籠城の城兵はある夜突如開城して攻撃を試み、モンゴルの囲みを破り、アム河に向かって逃れた。成吉思汗はこれをアム河畔に追撃して、一兵も残さず、その尽くを屠《ほふ》った。アム河の磧《かわら》は屍《しかばね》で満たされ、流れはその血で赤く染まった。成吉思汗麾《き》下《か》の兵はここで夥《おびただ》しい血の流されるのを見て、狂気のようになった。

翌日、成吉思汗は城門から城市へとはいった。城内を埋めている店舗と寺院と住宅は、ひと眼でこの城市が富裕であることを物語っていた。巷《ちまた》には雑多な人種の男女が群れていた。内城にはまだ降伏を肯《がえ》んぜぬ四百の兵が残っていた。成吉思汗は城を出ると、すぐ内城の攻撃の命を降した。内濠《うちぼり》は武器を持っていた市民で埋めた。

モンゴルの兵たちは四百の敵を倒すために十二日の日子《にっし》を要した。モンゴルの兵の多くも殪《たお》れ、駆り出された市民の多くも死んだ。併し、最後に弩《ど》砲《ほう》で城壁を破壊し、モンゴルの兵たちは内城へ突入した。

内城攻略後、成吉思汗はブハラの住民に纏《まと》える衣服のほか一物の携帯も許さず、これを城外に出した。替ってモンゴル兵は城内にはいって掠奪をほしいままにした。命に従わず内にひそみ匿《かく》れていた者はすべて殺された。城外の一カ所に集められた住民のうち、女性は尽く兵たちに分ち与えられた。白昼女という女の貞操はすべて奪われた。男たちは財宝を埋蔵せるところを自白させられ、その総《すべ》てを没収され、その上兵として徴せられた。

成吉思汗はブハラを去るに当って無人の城市に火をつけ、これを灰燼《かいじん》に帰せしめる命令を降した。成吉思汗は自分に敵対行動を取った城市がいかなる運命を持つか、その範例をここに示したのであった。

成吉思汗はブハラ城市が火焔《かえん》に包まれているうちにブハラより更に大きい城市サマルカンド＊へ向かって進発した。行軍は五日間続けられた。その間、モンゴルの兵たちはすでに血と罪悪の洗礼を受けて眼をぎらぎらさせた野獣になり変っていた。野獣と異るところは、彼等が厳しい軍律に縛られて行軍させられているということだけだった。毎夜のように青い月が出、兵たちは沙漠の丘陵に黒い影を映して進軍した。ブハラから引具されて来た夥しい数の青い眼の壮丁は、烈しい行軍で途中倒れる者が続出した。倒れる者はすべて斬られた。

沙漠と荒蕪地《こうぶち》と岩石の山を何日も行軍して来た兵たちは突如眼下の低地にサマルカンドの町を見た。サマルカンドは、モンゴルの血に狂った兵たちの眼にもこの世のものとは思われぬほど美しく見えた。城外は一望果樹や草花で埋まり、城を繞《めぐ》って流れているソグド河の河畔には果樹の林がどこまでも続いていた。この美しい自然に取り巻かれた大きい城邑《じょうゆう》は、石の城壁を幾重にも繞らせ、モンゴルの兵たちの攻撃を避けるために特別に修築されてあった。

成吉思汗はサマルカンドに迫る前に、ブハラとサマルカンドの中間にあった二つの城邑に二個枝隊を派遣してあったが、本隊がソグド河畔に駐営した時、両城攻略の報が届いた。

　サマルカンドの城邑には四万の守備兵が拠《よ》っており、それをホラズム軍選《え》り抜きの何人かの将軍たちが指揮していた。成吉思汗は直《す》ぐには攻撃を開始せず、ソグド河畔に陣を布《し》いて攻略の作戦を練った。成吉思汗がソグド河畔に到着して間もなく、さきにシル河畔の諸城砦の攻略に向かった三兵団が任務を遂行して、何日かの間隔を置いて、成吉思汗の本隊に合するためにやって来た。真っ先にやって来たのは、ジュチの兵団であった。ジュチは出征以来半歳の間にシグナク城を攻略、その付近の三城邑を劫掠《ごうりゃく》し、ジェンドの城邑を収め、シル河下流の諸地方を隷下《れいか》に置いていた。この作戦でも敵対する者は尽く斬られ、中でも最も多量の虐殺者《ぎゃくさつしゃ》を出したのはシグナクの城邑で、市民の大部分がモンゴルの兵たちに殺戮《さつりく》された。

　ジュチの兵団から十日程置いて到着したのは、さきに成吉思汗からの修交の使者の一団を虐殺し、こんどの大作戦の直接の動因を作ったオトラル城攻略の命を受けたチャプタイ、エゲデイの兵団であった。モンゴル兵は五カ月の攻防戦の果てに、この城邑を略し、更に一カ月の激戦の果てに内城を収めた。市民の半数は斬られ、残りの半数は城主ガイル・カンと共にサマルカンドまで連行された。成吉思汗はガイル・カンには会わず、ただその生命を奪うに極刑を命じた。ガイル・カンは縛された自分の傍に銀塊が熔解《ようかい》し、煮え沸《たぎ》るのを見た。何のためにかくするかと彼は兵の一人に訊《き》いた。汝の眼と耳に注入するものだと、兵は答えた。ガイル・カンはまさしくそのようにされて殺された。

更に十日を置いて、若い三武将の率いる兵団がやって来た。この兵団は兵力僅《わず》か五千人に過ぎなかったが、勇者のみを以て組織されてあった。彼等は忽《たちま》ちにしてベナケット城を攻略、市民を城邑より放逐し、武器を取った兵の尽くを斬った。更にシル河沿いに溯《さかのぼ》り、河中に造られた堅城ホージェンド城に迫り、守将チムルメルクとの間に長期に亙る攻防戦を繰返し、遂《つい》に戦船を以て、これを略した。ただチムルメルクを逃亡せしめたことは、この兵団の犯した唯一《ゆいいつ》の過失であった。

各兵団とも夥しい数の捕虜部隊と鹵獲品《ろかくひん》とを己が隊列の中に収めて来ていた。そのため、ソグド河畔のモンゴル軍の駐営地には、雑多な民族の部隊が見られた。モンゴルの兵たちは、地上にこのように沢山の民族が居るということを初めて知ったのであった。

成吉思汗は三兵団が来《きた》り合すると、すぐサマルカンドを棄《す》ててアム河の向うに引込んだホラズムの主権者ムハメットを追撃するための二つの部隊を編成した。一つはジェベの率いる兵団であり、一つはスブタイの率いる兵団であった。成吉思汗は自分の最も信頼する二人の武将に命じて言った。

「ここを起点として放たれる二本の矢のように、二つの兵団はそれぞれここを出発して二つの方向へ進め。任務は一つである。ムハメットの兵団を捉《とら》えて、それを包囲して殲滅《せんめつ》せよ。若《も》し重兵を擁するを見れば戦闘を避けて友軍と連絡し、若し背進せば息をもつがずこれに襲いかかれ。服従せる城市は許し、抵抗する者は容赦なくこれを滅却すべし」

その日直ちに二つの大兵団はソグド河畔の帳営を進発した。二つの隊列はサマルカンドから一粁《キロ》の地点でまさしく矢のように二つに分れた。

サマルカンド城の攻撃は三月の終りに開始された。成吉思汗は各地から連行されて来た異民族たちを先頭に立て、モンゴルの歩兵をそのあとに続かせた。ホラズムの兵たちは専《もっぱ》ら城に拠って闘った。城兵の大部分はトルコ系の康里《カンクリ》*人で、他に少数の波斯《ペルシャ》*人が居た。激戦七日にして、成吉思汗は内城をのぞく城邑を手中に収め、降伏した康里人を城外に出すことに成功した。そして内城を四方より攻撃し、火を放ち、最後まで頑強《がんきょう》に抵抗する一千の波斯兵を屠《ほふ》った。

この戦闘は頗《すこぶ》る混乱を極め、サマルカンドの住民は夥しく兵火の犠牲になった。降伏した康里人の非戦闘員三万も、一夜にして虐殺されるに到った。

成吉思汗にとっても、サマルカンドの城邑の焼ける夜は悪夢の中のひとこまのようであった。橙色《だいだいいろ》の火は漆黒の天を焦《こ》がし、人間の放つあらゆる種類の叫びは、ひどく長く思われたその一夜を埋めていた。暁方《あけがた》の白い光が漂い始めた頃《ころ》、成吉思汗は城外の広場に、幸運に恵まれた人間だけが何カ所かに集められて生き残っているのを見た。工芸技術に携わる労務者三万、捕虜五万一千、少数の女たち、そして二十頭の象であった。

成吉思汗はサマルカンドを灰にすると、ネセフ市との中間にある地点に移動し、そこで春から夏へかけて過した。秋の戦闘時期が来るまで兵馬を休養させねばならなかった。この駐営地は馬の放牧には頗る好適の地であった。

今やアム河以北の城邑は尽く成吉思汗の手に収められてあった。成吉思汗は戦闘時とは違って、モンゴルの兵たちに民を傷つけることと掠奪を厳しく禁じた。鬼畜のように血と女と財宝とを求めてうろつき廻《まわ》った兵たちは、次第にまた人間に戻《もど》りつつあった。それと同時に、夥しい血を吸い込んだ土地には青草が生え、破壊された城邑は少しずつ復興し、永遠に無人の廃墟《はいきょ》と化したと思われたところにも、またどこからともなく人間が集まって来てそこで生活を営み始めた。

成吉思汗はそうした城邑に、モンゴルの武将を送り、その監視のもとに回教徒から選び出した現住民によって政治をとらせた。治安の維持が少しでも危ぶまれるところには駐屯《ちゅうとん》軍を置いた。そして都市と都市の間には大軍を移動し易《やす》い広い道路を造った。従ってシル河とアム河の間の広大な土地には、そこが草地であれ、沙漠であれ、到るところにモンゴルの兵に依って指揮された現住民の労務者の姿が見られた。

この間にも、ジェベとスブタイの両遠征兵団からは絶えず血の臭《にお》いをいっぱい身につけた悪鬼のような使者が送られて来た。

両兵団は抵抗しなかったバルク市では一人の人命も傷つけることなくそれを収め、抵抗したザベ市に於《おい》ては住民の尽くを屠っていた。そして部隊はホラズム中央部の拠点ニシャプール*に到るまでの諸城邑を次々に攻略した。抵抗しないところはそのまま残され、少しでも抵抗したところは灰燼に帰した。ニシャプールにモンゴル兵が無血入城したのは六月の初めであった。そして両兵団はムハメットを追跡し、ニシャプールを発してカスピ海沿岸の諸城邑に向かったまま、その後は杳《よう》として消息を絶った。ムハメットの兵団を捉えるまでは、どこまでもそのあとを追うのが、この二つの兵団の持った使命であった。

春から夏への放牧期間を過すと、成吉思汗はムハメットの皇子ジェラル・ウッディンがホラズムの首都ウロゲンチ*に拠ったのを知って、ジュチ、チャプタイ、エゲディイの三子に大軍を率いさせて、そこを攻略するために派した。

ウロゲンチ城はアム河がアラル海に流れ込もうとするところにある大都で、城邑はアム河の両岸に跨《また》がって作られてあった。モンゴル兵は都城の両区域を繋《つな》ぐ橋梁《きょうりょう》を破壊せんとしたが三千の死者を出して失敗に帰した。城の守りは堅く、城兵の士気は盛んで、包囲六カ月に到るもこれを陥落させることはできなかった。モンゴル軍はこの包囲戦に於て戦端を開く度に多数の戦死者を出した。

成吉思汗は、徒《いたず》らに死傷多くして、早急に勝利を収め得ぬ理由が、長子ジュチと次子チャプタイの確執にあることを知って、軍の指揮権をエゲデイに与える命令を出した。エゲデイは期待に背《そむ》かず二人の兄の間にあって、よくその意志の疏通《そつう》を図り、ホラズムの首都の攻略に当った。城内の抵抗は烈しく、一区域を奪うにも文字通り屍《しかばね》の山を築いた。モンゴル兵がウロゲンチを完全に攻略したのは一二二一年の四月であった。住民、兵士の中から工匠十万人のみを部隊に収め、他は尽くこれを斬《き》った。モンゴルの兵数は五万であったが、そのモンゴル兵の一人一人はそれぞれ二十四人の異民族を殺さねばならなかった。兵たちはその精神をも肉体をも文字通り血で赤く染めたのであった。

大殺戮が終ると、モンゴル軍はアム河の堤防を断って、屍で埋まった城邑に水を氾《はん》濫《らん》せしめ、城内の家屋、財宝の尽くを流失せしめた。長期に亙《わた》る激戦のため城内にあるものは尽く血で染まり、さすがのモンゴル兵たちも、これを収める気にはならなかったのである。併《しか》し、これほどまでにしたが、敵の勇敢なる指揮者ジェラル・ウッディンを捉えることはできなかった。

成吉思汗はウロゲンチ攻略の報に接した後、アム河畔の草原地帯に駐営した。チャプタイ、エゲデイは半歳ぶりで成吉思汗の本営に戻って来たが、ジュチはウロゲンチ占領後、二人の弟たちと別れて、己が兵団を率いてシル河の北方へその地方を平定するために向かった。これは成吉思汗の命令外の行動であった。成吉思汗はチャプタイ、エゲデイの二人からこの報告を聞いて、内心烈しい怒りを感じたが、それを口にも出さなかったし、面《おもて》にも現わさなかった。ジュチの自分の命令以外の行動は咎《とが》めるべきであったが、併し、彼が選んだ作戦は当を得たものであり、ジュチがやらなければ、成吉思汗は別の誰《だれ》かに命じなければならぬものであった。その事が成吉思汗に已れの怒りを辛《かろ》うじて押えさせた。

成吉思汗はいまや雑多な異民族の兵をもって何十倍かにふくれ上がった部隊を、正常な人間たらしめるために駐営地に休養せしめた。併し、成吉思汗は末子ツルイだけからは休養を取り上げて、ジェラル・ウッディンを追跡させるべく彼をホラズムの奥地へと派した。

夏季が終ると、成吉思汗は再びアム河北岸の諸都市の攻略に移り、幾つかの城邑を収め、本営をアム河畔の放牧地に置いた。ツルイはジェラル・ウッディンを求めて、次々に彼の拠った諸城邑を収めたが、ついにジェラル・ウッディンを捉えることはできなかった。曾《かつ》てホエルンに育てられた武将シギ・クトクはジェラル・ウッディンとペルワンに闘って敗れた。これはモンゴルの部隊がこんどの遠征で受けた最も大きい痛手で、シギ・クトクは己が率いた兵団の大部分の兵を失って、成吉思汗の本営に帰って来た。シギ・クトクは敗戦の責任者としての裁きを待った。成吉思汗は、併し、シギ・クトクを咎めなかった。

「シギ・クトクよ、汝《なんじ》は常に勝利のみに慣れ、運命の厳しさを知らなかった。初めて知った敗戦の経験を生かせ」

ただそれだけ言った。シギ・クトクをかばったのではなく、彼を育てた母ホエルンに対する礼節であった。

成吉思汗はシギ・クトクの敗戦後間もなく、ムハメットがこの年二月カスピ海の小孤島に逃れ、そこで病死したことを知った。ムハメットを捉えることを使命としたジェベとスブタイは、その使命とするものが既に失《な》くなるや、可汗の許《もと》に自分たちが新しい任務に向かって突き進むことの許可を得るための使者を送ってきた。両兵団ともコーカサス山脈を越える希望を持っていた。

成吉思汗は自分からの許可が到達するまで、二人の秀《すぐ》れたモンゴルの武将が、黒海とカスピ海に挟《はさ》まれた地帯に軍を留めていようとは思われなかった。使者は帰したが、成吉思汗は使者が彼等に追いつけようとは到底考えられなかった。

成吉思汗は曾て彼等が進発して行く時、自分が二本の矢の如く進めと命じたことを忘れてはいなかった。放たれた二本の矢は、それが地上に落ちるまで空間をどこまでも二つに切らねばならなかった。成吉思汗は、ジュチに対してその行動に腹をたてたが、ジェベとスブタイの場合は、同じように命令外の行動ではあったが、少しも不快ではなかった。

冬の初め、成吉思汗はジェラル・ウッディンがカシミール地方に大兵を擁して現われたという報に接するや、自ら軍を率いて、長駆カシミールを目指した。そしてその途上にある諸城邑を次々に略した。全くいままでと同じやり方で、抵抗しない街は一兵も傷つけず収め、抵抗したところは人も建物も尽《ことごと》くこれを滅却した。この作戦は苦難の多いものであった。モンゴルの兵たちはヒンズークシュ山脈の山懐《やまふとこ》ろの街バミアン*市を囲んだ。この作戦でチャプタイの一子は流矢に当って戦死した。成吉思汗は戦死した孫を愛していたので、バミアン城市の攻略に対する命令は峻烈《しゅんれつ》を極めたものであった。

「攻めて、攻めて、攻め破り、一木一草を残す勿《なか》れ。この城邑をして百年の後まで無人の郷たらしめよ」

そして成吉思汗はこの城邑から一物をも掠奪《りゃくだつ》することを禁じた。やがて城は陥り、人は尽く死し、城は跡形なく地上より姿を消し去った。

チャプタイがその子の死を知らず、他の作戦から帰って成吉思汗の許にやって来た時、成吉思汗は満面に朱を注いで、

「汝、余の命令に従順なるか」

と烈《はげ》しい言葉で訊いた。チャプタイは驚いて、

「自分は父可汗の命を拒むより死を選ぶだろう」

と答えた。それを聞いて、すぐ成吉思汗は言葉を続けた。

「聞け、チャプタイよ。汝の一子は戦いに死せり。余は余の命として、汝に歎《なげ》き悲しむことを禁ず」

ために、チャプタイは父可汗の前では愛児の死を悲しむことはできなかった。

それから成吉思汗はジェラル・ウッディンを追って印度《インド》に入り、各地に転戦、遂に

インダス河畔に於て彼の部隊を捉えた。成吉思汗はシギ・クトクの敗戦の恥を雪《すす》ぐべく、自ら陣頭に立って全軍を指揮した。ジェラル・ウッディンは激戦の果て、ついに力尽き、乗馬と共に二十尺の断崖《だんがい》より飛び、背に楯《たて》を負い、手に旗を握って大河を渡ろうとした。モンゴルの兵は背後からジェラル・ウッディンに無数の矢を浴《あび》せようとしたが、成吉思汗は勇猛な敵の武将に敬意を表して、それを制した。

一二二二年の正月を、成吉思汗は雪深いヒンズークシュ山脈の北麓《ほくろく》の帳幕で迎えた。そして諸将をジェラル・ウッディンの勢力範囲にあった諸城邑に派して、そこの完全な掃蕩《そうとう》を命じた。アム河以南の都市でこれまでに兵火にかからなかった所は一つ一つモンゴル兵の攻撃を受けて、住民の大部分は虐殺《ぎゃくさつ》された。毎日のように各方面の派遣軍から血腥《ちなまぐさ》い捷報《しょうほう》を伝える使者が送られて来ている帳幕に、四月の初めのある日、少し毛色の変った訪問者があった。成吉思汗に招かれて、山東省からはるばるやって来た道士長春《ちょうしゅん》であった。

成吉思汗は丁度一年前に、道教の最高権威で、民間人の信仰を一身に集めている長《ちょう》春真人《しゅんしんじん》＊の名を知り、耶律楚材《やりつそざい》に招聘《しょうへい》の詔書を起草させ、二十人のモンゴル兵をつけて劉仲禄《りゅうちゅうろく》を使者として長春の許に派したのであった。成吉思汗が長春に会う目的の最大なものは、高名な道士から不老長寿の法を聴くことにあった。兵馬倥偬《こうそう》の中にいつか成吉思汗は六十歳の春を迎えており、その肉体の衰えははっきりと自分でも判《わか》るようになっていた。

成吉思汗は遠来の客をいったん館に引き取らせたが、その日のうちに己が帳幕へ招いた。成吉思汗は老いさらばえた背の低い老人が拝礼することなく、身を屈《かが》めただけで、あとは腕を前で組み合わせたまま、自分の前に近づいて来るのを見た。

「他国からの招聘あるも応ぜず、ひとり余の乞《こ》いを容《い》れ、今遠く万里を踰《こ》えて来たる。余甚《はなは》だこれを嘉《よみ》す」

成吉思汗の言葉を通訳が伝えた。

「野人、詔を奉じて赴きたるは、これみな天の然《しか》らしむところである」

老人は答えた。長春真人は決して成吉思汗の顔を見なかった。自分の前に何びとも居ないかのように、背の低い老人は焦点のない眼を空間の一点に投げていた。

「真人遠くから来たる。いかなる長生の薬ありや。あらば以て余に資すべし」

「衛生の道あり。されど長生の薬なし」

老人の口が動くと見ると、そこから言葉は出たが、その表情にはいささかの動きもなかった。

「長生の薬まことに無きや」

成吉思汗は重ねて、こんどは声を大きくして訊いた。すると、老人はまた、

「衛生の道あり、長生の薬なし」

と、前と全く同じ口調で答えた。成吉思汗は裏切られはしたものの、併し、この老人を招いたことはいいことに違いなかったという気がした。応答はすべて通訳を通じて行われたが、それでもやり取りする言葉には、あるすがすがしさがあった。成吉思汗は自分の言葉を命令として受取らぬ人物に久しぶりで会った思いであった。

「人は真人のことを騰吃利蒙古孔《テングリモックク》（天人）と呼ぶが、自らそう称するのか」

「人がそのように言うだけである。已れの与《あずか》り知らぬことである」

成吉思汗が言葉をかけない限り、長春真人の方からは一言も言葉を口から出すことはなかった。

それから二、三日して、長春真人がここへ来るまでの長い旅の間に作った何篇かの詩が、劉仲禄の手に依《よ》って献じられて来た。サマルカンド、輪台《ルンタイ》*、沙漠の諸聚落《しゅうらく》、到《いた》るところで咏《えい》じた詩であった。成吉思汗はそれを耶律楚材に与え、耶律楚材には耶律楚材で彼が従軍中に作った何篇かの詩を提出させて、それを長春真人に与えた。成吉思汗は、一人は若く、一人は老人であったが、二人の自分の信用する非凡な人物は必ずや意気投合するであろうと思った。

そうしたことがあってから何日かして、成吉思汗は長春真人に、耶律楚材の詩がいかなるものであるかを訊《き》いてみた。すると真人は立派なものであると答えたが、会ってみるかという問いに対しては、特に会いたいとは思わないと答えた。成吉思汗は不審に思ったので、耶律楚材を招き、彼にもまた同様の質問をしてみた。すると、大柄《おおがら》な長髯《ちょうぜん》の若者は、

「詩は立派なものだと思う。併し、どうして自分はその老人に会わなければならぬのであろうか」

と、いつもの張りのある朗々たる声で答えた。

「長春真人もまたそのように答えた」

成吉思汗は言って笑った。併し、成吉思汗には二人の人物が、一度も会わないのに、どうしてそのようにお互いに相手に好意を持たないかが理解できなかった。それで、その事に触れると、耶律楚材は、

「真人は恐らく、私が可汗の軍に従い、常に可汗の許にありながら、可汗に対して何事も為《な》さないことを蔑《さげす》んでいるのであろう」

と答えた。

「汝が真人に対して好意を持たぬ理由は？」

成吉思汗は訊《たず》ねた。

「真人が万里を遠しとせず、可汗の帳幕までやって来たのに拘《かかわ》らず、真人が可汗に対して何事も為さないからである」

「何事とは、いかなることか」

重ねて成吉思汗が訊くと、

「可汗の名が後世の歴史から消えるのをただ見守っているだけで、いかなる術《すべ》も施さないということである」

耶律楚材は答えた。すると成吉思汗は急に表情を固くして、

「余の名がどうして歴史から消えると言うか。余と、モンゴルの名は歴史の上で不滅であろう」

と言った。それに対して若者は臆《おく》した色もなく、

「残念ながら可汗の名は歴史の上には残らぬと思う。可汗の部下が殺戮《さつりく》をほしいままにしているからである」

成吉思汗はそれを聞くと、顔色を変え、躰《からだ》を震わせて座を立った。そして隣室へはいって行ったが、間もなく戻《もど》って来ると、

「汝を極刑に処すべきであるが、いかなる刑もなお汝の言葉に対しては軽すぎる。適

当な刑を思いつくまで処刑を思いとどまることにする」

そう成吉思汗は真顔で言ってから、

「無礼な奴《やつ》めが！」

と、声を出して笑った。成吉思汗にとっては耶律楚材の言葉は何とも言えない不快なしこりとして残ったが、勿論《もちろん》そのために、自分の気に入りの若者を罰する気持はなかった。

二、三日して、成吉思汗は耶律楚材を召して言った。

「近く余は真人から道を聞く。汝も亦《また》その場に侍せ」

これが処罰と言えば処罰と言えるようなものであった。真人の言葉を外使として田《でん》鎮海《ちんかい》、劉仲禄《りゅうちゅうろく》、阿里鮮《ありせん》が記録し、内使として近侍三人が同じくこれを記録することになっており、その席に耶律楚材も亦侍《はべ》ることを命じられたのである。

併し、この互いに反撥《はんぱつ》する二人の秀れた知識人を同じ席に置いてみようという成吉思汗の企《たくら》みは回鶻《ウイグル》人の反乱という突発事件のために半歳先きに延期しなければならなかった。成吉思汗は事件を鎮圧するために自ら軍を動かすに当って、長春真人に道を聴く日を卜《ぼく》して半歳先きの十月吉日と定めた。真人はそれまでの日をサマルカンドで過すことを乞い、千余騎の護衛兵と共に二十日行程の現在は戦禍《せんか》から立ち直っている美しい北方の都邑《とゆう》へと移動して行った。

成吉思汗は軍を率いて進発するや、もはや長春真人も耶律楚材もなかった。ホラズムの各都邑には回鶻人が多く住み、彼等に依る小さい叛乱《はんらん》事件は跡を絶たなかった。成吉思汗は已れに叛意を有する者は草の根を断つように根こそぎこの地上から抹殺《まっさつ》してしまわなければならなかった。ヘラトの城邑は成吉思汗麾下《きか》の武将の手に依って攻略され、城は焼かれ、住民は尽く屠殺《とさつ》された。メルヴの城邑は再度攻略され、住民で生き残った者は僅《わず》か数人を数うるのみであった。

成吉思汗がゲスニの城邑を攻略した時は夏季にはいろうとしていた。成吉思汗はヒンズークシュ山地に暑熱を避けるための新しい駐営地を求めた。この新しい帳幕に、暫《しば》らく連絡の途絶えていたジェベ、スブタイ両兵団からの使者がやって来た。

――カスピ海の南岸を迂回《うかい》した両兵団はコーカサス山脈を越え、キプチャ族、アス族、ロルゲス族の連合軍を破り、更に西進、ボラル（ブルガリア）に入らんとす。

使者はそう伝えた。丁度半歳前の遠征軍の動きを伝えたものであった。更に一カ月程すると、両兵団からはまた別の使者が来た。

――ボラル軍を各所に破り、諸城邑を滅却、転じて道をオロス（ロシア）にとらんとす。

この方の使者は比較的早くやって来ることができて、三カ月程前の部隊の行動を報じた。

成吉思汗にもこの両兵団の行動が描く軌跡は、何ものかに憑《つ》かれたような妖《あや》しい光を帯びて見えた。それは今や成吉思汗の意志でもなければ、ジェベ、スブタイ両武将の意志でもなかった。放たれた矢が地上に落ちるまで空間を切り続けなければならぬように、二つのモンゴルの狼群《ろうぐん》は、恰《あたか》もそれが民族の意志であるかの如く、敵を求めて走り続けなければならなかったのである。もはやそこには休息というものもなければ、終焉《しゅうえん》というものもなかった。あるものは息絶えるまで彼等が走り続けなければならぬということだけであった。

使者の報道によれば、両兵団の行動は曠野《こうや》を焼く火に似ていた。彼等が通過したあとには何ものも残っていなかった。抵抗した都市は尽く廃墟《はいきょ》と化し、城も、街も、人も、そして樹木までが殆《ほとん》どその形を残していなかった。イラク・アジェミが、アゼルバイジャンが、クリディスタンが、グルジアが、シリアが、アルメニアが、キプチャックが、そしてブルガリアが、狼群の通過するところとなり、それぞれの主要な都市は掠奪と殺戮の犠牲になったのであった。

成吉思汗はジェベ、スブタイ両兵団の使者に接した日、二回とももはや自分の力では彼等の行動を停《と》めることの不可能なのを感じた。自分にできることは彼等の行動を援《たす》けることだけだと思った。これに対してシル河から北方に出て行った長子ジュチからは何の報《し》らせも受けなかった。成吉思汗は、ジェベ、スブタイの両武将には戦功を称《たた》える詔を降《くだ》し、ジュチには速やかにキプチャック草原の作戦を完了し、黒海、カスピ海の北方に出、その地方の諸民族を征し、ジェベ、スブタイの軍と合せよという命令を出した。

金国平定の大事業を続けているムカリからは、きちんと何十日か置きに使者が届けられて来た。この方は目立った動きはなかったが、ムカリは金国北方の征服に明け暮れていた。その地方の城市は曾《かつ》てモンゴルの有に帰したところであり、成吉思汗の撤退後再び金国のものとなっていた。そうした諸城砦《じょうさい》の攻略を、ムカリは全く自分の手一つでやっているのであった。成吉思汗は、ムカリにはその労を犒《ねぎら》う鄭重《ていちょう》な詔を、彼からの使者に接する度に出すことを忘れなかった。

八月の終りに、長春真人はサマルカンドから成吉思汗の帳営にやって来た。併《しか》し、成吉思汗は全軍を率いて北方へ移動することに決していたので、彼を伴って北行することにした。そしてサマルカンドへの途次、前に真人から道を聴く日と決めてあった十月の吉日を迎えた。成吉思汗はこの日立派な幄《あく》を設け、女人を遠ざけ、その部屋を煌々《こうこう》たる燭光《しょっこう》で飾った。

成吉思汗は耶律楚材をその場に侍せしめたが、楚材と長春真人は黙礼したのみで、ついに二人は最後まで言葉を交わさなかった。二、三日置いて、成吉思汗は再び長春真人を招いて道を聴いた。この時も耶律楚材はその席に侍したが、二人は一言も互いに語らなかった。

——道が天を生み、地を育てたのであって、日月、星辰《せいしん》、鬼神、人畜、みな道から生まれたものである。人は天の大なることを知って、道の大なることを知らない。道が天地開闢《かいびゃく》を生じ、しかしてそのあと人を産んだ。人初めて生まれるや、神光自ら発して、飛ぶが如く歩み、食物はすべて生のまま食べた。併し、時が経《た》つにつれ、漸《ようや》く躰《からだ》は重くなり、神光は消えた。愛欲が深くなったからである。

——可汗はもとは天人である。天が可汗の手を借りて横暴な者共を討伐しようとするのである。難に克《か》ち、功成った時は、即《すなわ》ち天に昇って天人に帰らねばならぬ。世にある時は声色を減じ、嗜《し》欲《よく》を少なくし、残虐《ざんぎゃく》を慎しみ、躰を安らかに保たねばならぬ。さすれば長寿は自《おのずか》ら可汗の躰に宿る。

——神は真である。道に従ってこれを得る者は、四六時中よく思慮するものである。善を行い道を進めるならば、即ち天に昇り仙人《せんにん》となる。

行である。

——可汗の修行の法は、まさに外で陰徳を修し、内では精神を固くすることである。民を憐《あわれ》み、衆の生命を保ち、天下を太平にするのが即ち外行であり、神を保つのが内行である。

そうした言葉が、長春真人の口から次から次へと出た。成吉思汗は二回とも、終始真人の言葉を傾聴したが、二回とも真人の口から可汗という言葉が繁《しげ》く飛び出すようになると、それを打ち切った。自分のやっていることがすべて道とは背反していたからである。しかし、真人の話を聴いている時間は、成吉思汗が曾て持ったことのない静かで厳粛な時間であった。それを途中で打ち切らねばならぬような鞭《むち》の音に充《み》たされていたが、併し、それを聴いていることは必ずしも厭《いや》ではなかった。

成吉思汗はサマルカンドの付近に駐営し、サマルカンドにははいらなかった。サマルカンド一帯の地は既に戦火から完全に復興し、そこではいろいろな民族が雑居し、それぞれ平和な生活を営んでいた。住民の大部分は回鶻《ウイグル》人であり、その上に立って、漢人や契丹《きったん》人やタングート人が多勢の回鶻人たちを使っていた。官吏はトルコ人、イラン人、アラビア人等雑多な目の色をした人間たちが多く、そしてそうしたいろいろな民族たちの間を、征服者としてモンゴルの兵たちが歩き廻っていた。

モンゴルの兵たちは、身分の高い者も低い者も、なべて贅沢《ぜいたく》な生活をしていた。異民族の女たちを連れて巷《ちまた》の料亭に出入したり、郊外の果樹園を散歩したりしていた。曾てこの町にも死体が散乱し、黄色の業火《ごうか》が建物という建物を嘗《な》めたが、僅か二年程の歳月を隔てただけで、この城邑の殷盛《いんせい》さからはそうした過去の日のことは想像できなかった。

成吉思汗が攻略したホラズムの都邑の中で、サマルカンドが最も早く平和を取り戻した街であり、やがて何年かの後には、ホラズムの他のすべての都邑がこのようになる筈《はず》であった。ホラズム一国に限らず、いまジェベ、スブタイに依って征服されているカスピ海、黒海の周辺の成吉思汗自身には未知の国であるすべての国がまたこのようになる筈であった。そうした意味では、サマルカンドは将来多くの都市が持つに違いないモデルケースの一つであると言えた。

併し成吉思汗はどういうものか、復興したサマルカンドの街の中へはいる気にはならなかった。そこには彼のために用意された宏壮《こうそう》な離宮があり、贅沢を尽した館と庭園があり、若《も》し彼が欲するならば、そこに他の征服国から持って来た孔雀《くじゃく》も象も放すことができた。兵団のすべての武将たちも兵も、サマルカンドへはいることを望んでいたが、成吉思汗はそこへはいることに抵抗する気持が、常に自分の心の内部にあるのを感じた。

成吉思汗はサマルカンドへ二日行程の地点に帳幕を張り、そこで十一月までを過した。そして十一月を迎えると、再び冬季の何カ月かを過すために南方へ移動することを発表した。成吉思汗は、自分が幼時からそのような形で生活して来たように、そして自分の祖先たちが何代も何十代も常にそうした形で生きて来たように、何百かの帳幕を畳んで、大きい集団を作って季節季節の牧草を追って移動しないではいられなかった。

この年の冬を、成吉思汗はインダス河の河源に近い印度北西部山中のブヤ・ケトベルで過すことにした。新しい駐営地に来てから数日目に、血の臭《にお》いをいっぱい身につけた三子エゲデイが、長い野戦の生活で、獣のような眼の色をしたモンゴルの兵たちと、夥《おびただ》しい鹵《ろ》獲品《かくひん》と、そして己《おの》が兵団とほぼ同数の印度人の捕虜を連れてやって来た。印度人たちは頭に白い布を巻いており、ためにエゲデイの部隊は、遠くから見ると、ところどころ雪でも冠《かぶ》った部隊のように見えた。

一二二三年の正月の賀《が》筵《えん》が終ると、それを待っていたように、成吉思汗は兵団のホラズムへの帰還を発表した。成吉思汗は戦闘の中に身を置いているか、でなければ包《パオ》と共に移動しているのでなければ、心の落着きというものを持つことはできなくなっていた。

モンゴルの本営と、それに随《したが》う大兵団は再び山岳地帯と沙漠の行軍を重ね、サマルカンドを目指した。そしてサマルカンドにははいらないで、長駆シル河の上流地方に移動し、そこに帳幕を張った。この行軍の間、成吉思汗は長春真人《ちょうしゅんしんじん》から何回も道を聴いた。判《わか》ることもあれば、判らないこともあったが、長春真人の語るのを聞いているのは好きであった。

シル河畔に駐営中は、成吉思汗は狩猟に時を過すことが多かった。その狩猟の最中、成吉思汗は猛《たけ》り狂っている猪《いのしし》の群れに対して、最後の追い込みをかけている時、馬から落ちた。幸い怪我《けが》はなかったが、成吉思汗は自分が落馬したということを信ずることができない思いであった。その時、長春真人は成吉思汗に言った。

「可汗はすでに高齢である。可汗が馬から落ちたことは天の戒めであり、野猪《やちょ》が可汗を襲わなかったことは天の加護である。狩猟の数を減ずべきであろう」

成吉思汗にとっては、この落馬事件は大きい打撃であった。成吉思汗は長春真人の言に従うほか仕方がなかった。この落馬事件があってから間もなく、長春真人は成吉思汗に帰国の許可を乞《こ》うた。

「野人が海辺の郷里を去ってより既にあしかけ三年の歳月が経っている。もともと三年と限って、可汗の招聘《しょうへい》に応じたのである。天の定めた帰国の時は来た」

これまでに二回長春真人は帰国のことを願い出ていたが、成吉思汗はそれを許さなかった。併し、いま天の定めた時が来たと言われると、真人を引き留める方策はなかった。

長春真人は三月の初め、成吉思汗の帳幕から去った。成吉思汗は真人のために、阿《あ》里《り》鮮《せん》を宣差《せんさ》に任じ、蒙古帯《モングタイ》、喝刺、八海等を副使として、モンゴルの一部隊をして彼の東帰を護《まも》らしめた。

長春真人が去ると間もなく、成吉思汗は自分の心に大きい変化が生じたことに気付いた。それはブルカン嶽麓《がくろく》へ帰ろうという気持が急に烈《はげ》しく燃え上がって来たことであった。この気持を成吉思汗が一番先きに打ち明けたのは忽蘭《クラン》であった。郷里を出てから五年の歳月が経っていたが、その間、忽蘭はずっと成吉思汗に侍していた。

「可汗が若《も》しそれを欲するならば、どうしてそれに反対できようか」

忽蘭は言った。

「汝《なんじ》自身は蒙古《もうこ》高原に心惹《ひ》かれるものはないか」

成吉思汗が訊《き》くと、

「どうして、私が私自身の心を持とうか。私の心は常に可汗の心と一緒にある筈である。可汗が他の頭髪の色の異る妃たちと同じ寝台に伏している時も、私の心はいつも可汗と共にあるであろう」

忽蘭は長い異域の生活で躰をこわしていて、常に成吉思汗の傍に侍してはいたが、もう二年程成吉思汗と寝所を共にすることのない生活を送っていた。曾て輝くばかりの豊満な肉体を持っていた忽蘭も、いまは別人のように瘦《や》せ細っていた。併し、皮膚は蠟石《ろうせき》のような粘りのある艶《つや》を持ち、眼は一層冷たく冴《さ》え返り、引き緊《し》まった頰《ほお》の線には犯し難《がた》い気品が現われ、やはりその容色はいささかも衰えているとは言えなかった。

「可汗が若しそれを欲するならば、どうして私が異議を唱えよう。ただ私に勝手な希望を述べさせて戴《いただ》ければ」

忽蘭はここで言葉を切って、成吉思汗の眼を見入った。

「何であるか。望みがあると言うなら、それを言え」

成吉思汗が言うと、

「ヒマラヤの向うに、まだ未征服の大国があると聞いている。そこは暑熱の国であり、巨大な象の住む国であり、仏教の起った国であり、男は頭髪を白布で包み、女は面を白布で覆《おお》っている国である。私には可汗がどうしてそこを己《おの》が傘下《さんか》に収めたいと望まないかが不思議である。何にもまして、そこには強兵を持つ強国が、無限の富を抱いているという——」

すると、成吉思汗は、

「忽蘭の心が余に判らぬことがあろうか。忽蘭はヒマラヤの向うの国がほしいのではなくて、そこに行われる烈しい戦闘がほしいのであろう」

と言った。忽蘭はそれに対して、

「いかにも、私は苦難の中にある可汗と共に居たいのだ。王者としての可汗とも、金殿玉楼の中の宝石の椅子《いす》に坐《すわ》っている可汗とも、少しも一緒に居たいとは思わない。可汗よ、いまの可汗には難事というものはない。モンゴルの兵たちはこの世界を自由自在に駈《か》け廻《まわ》っているのだ。若し、可汗に難事があるとすれば、それはヒマラヤを越え、インダス河を渡り、地表を埋め、大地をどよもして来る象の大群と、それを御する見知らぬ兵たちと闘うことであろう」

「忽蘭よ。汝の生命がそれに耐えるであろうか。インダスの流れは大きく、ヒマラヤの峰を埋める雪は果てしなく続いている」

「可汗よ、私と可汗の間に出来たガウランを棄《す》てた河がインダス河より大きくないであろうか。ヒマラヤの雪の拡《ひろ》がりより大きくないであろうか。私はガウランまでそこへ投じたのである。私が自分の生命をそこに投ずることなどを何で怯《おそ》れよう」

成吉思汗は暫《しばら》く黙っていたが、やがて言った。

「よし、汝の希望を適《かな》えよう。汝は印度へ侵入する余と共にあれ」

長春真人とも耶律楚材《やりつそざい》とも全く異ったことを心に滲《し》み入らせて来る忽蘭の言葉を、成吉思汗は採用しようと思った。故山に帰る気持は瞬時にして成吉思汗の心から消え、替って荒々しいものが躰全体に漲《みなぎ》り渡って来た。

成吉思汗をして忽蘭の言葉に従わせたものは、忽蘭が最早《もはや》長くない己が生命を、彼の覇業《はぎよう》の途上において、棄てようと望んでいることを知ったからであった。忽蘭はブルカン嶽《だけ》を見たいとも、そこに凱旋《がいせん》しようとも望んではいないのであった。そうしたものは、ボルテや、彼女の産んだ何人かの後継者たちのものであった。忽蘭は自分の妃としての生涯《しようがい》の意味を全く別のところに置こうとしていた。

成吉思汗はそれから間もなく再び印度へ侵入する準備に取りかかった。併し、この作戦は早急には実現できないものであった。チャプタイ、エゲデイの二人は去年ブハラ付近で成吉思汗の本軍と別れて、別の作戦に従っており、その二人に至急シル河畔の帳幕に帰って来るようにという使者を派さなければならなかった。キプチャック草原に居る長子ジュチの許《もと》にも使者は派せられ、憑《つ》かれたモンゴルの狼軍《ろうぐん》の二人の指揮者ジェベ、スブタイの許にも帰還を命じる使者は派せられた。チャプタイ、スブタイエゲデイの二人は二十日程で帰陣して来たが、ジュチ、ジェベ、スブタイ、の遠隔の地の派遣軍の帰還は、それぞれある期間の余裕を見なければならなかった。成吉思汗はジュチの帰還を夏、ジェベ、スブタイの帰還を秋の終りと予定した。

成吉思汗は夏季を北方の山間部で狩猟に過した。兵の訓練のためにも、士気の保持のためにも、それは必要なことであった。そして夏の終りに再びシル河畔に移駐したが、ある日ジュチからの使者がやって来て、ジュチがキプチャック草原の獣たちを、可汗への土産として一匹残らずシル河の上流に追って来るということを報じた。

成吉思汗はジュチの贈り物が、まだそれを手にしたわけではなかったが、充分満足であった。予定された日より半月程早く、成吉思汗はジュチの贈り物を受け取るために、三十万の兵たちをシル河上流一帯の地に配した。すると、果して秋の初めに、猪、馬、牛、鹿《しか》、その他あらゆる種類の動物がシル河一帯の原野に追い詰められて来た。何百頭という野生馬の集団もあれば、地虫のように原野一帯を奇妙な泣き声で満たす野兎《のうさぎ》の大群もあった。成吉思汗はジュチの何千里に亙《わた》って獣たちを追って来た手並みにこれ程驚いたことはなかった。さすがはジュチだと思った。

狩猟は曾《かつ》てない壮大な規模で展開された。毎日のように人間と獣たちの闘争はシル河上流の河畔一帯にわたって展開された。併《しか》し、狩猟が終っても、ついにジュチも、ジュチの部隊の一人も姿を見せなかった。二人の使者がやって来て、狩猟中ジュチは発病してキプチャックの帳幕へ引き揚げたことを報じた。成吉思汗はすぐ使者を派して、たとえ病気でも帰軍するようにという命令を出した。自分は仕方がないとしても、一部隊をも帰参させないそのやり方に成吉思汗は腹を立てた。

この秋、成吉思汗は思いがけず金国派遣軍総帥《そうすい》のムカリが五十三歳で歿《ぼっ》したという通知を受けた。成吉思汗としては、自分の片腕がふいにもぎ取られてしまったような気持を覚えた。金国の平定をムカリに任せてあったればこそ、少しもその方に気持を費《つか》うことなく、自由にホラズム攻略に専心できたわけであった。成吉思汗の落胆は大きかった。

成吉思汗は全軍を営庭に整列させて、ムカリの死を伝え、一カ月の間、全将兵に喪に服することを命じた。

「余が最も信頼せる将軍ムカリは薨《こう》じた。もし彼に更に生命を藉《か》すに半歳を以《もっ》てしたら、ムカリは金国に替ってムカリ王国を樹《た》てることができたであろうに」

成吉思汗はそれ以上の言葉を口から出すことができなくて壇を降りた。ムカリの功業を称《たた》えるつもりであったが、いかなる言葉を以てしてもその功績は称えきれない気持であった。成吉思汗はその日、将軍ボオルチュとジェルメだけを自分の帳幕に招いて、ムカリの死を悼《いた》んだ。ムカリがいかに偉大であり、その人間がいかに立派であったかを知っている人間は、自分とボオルチュとジェルメしかない思いであった。

ボオルチュは成吉思汗と同年の六十一歳であり、ジェルメは六十四歳であった。ジェルメは二年前より半身が不随になっていて、言語もはっきりしていなかった。ボオルチュもこの春から病んでいた。ボオルチュは気が弱くなっていて、成吉思汗の前へ出た時は既に涙をその双眼に浮かべていた。

成吉思汗がムカリの豪《えら》さを知っている者はついに三人になり、あとはみんな物故してしまったと言うと、ジェルメはそれは違うというように盛んに手を振って何か言ったが、成吉思汗にも、ボオルチュにも、その言葉は聞きとれなかった。成吉思汗は何回も自分の耳をジェルメの口のところに持って行って、何回目かにやっとジェルメの言うことを理解することができた。

「いや、三人だけではない。ムカリの豪さは金国の者がみんな知っている」

ジェルメはそう言っていたのであった。

この年の終りに、ジェベ、スブタイからの使者が二人、その頃《ころ》サマルカンド近郊に駐営していた成吉思汗の許へやって来た。

——両兵団はオロス（ロシア）に侵入、オロスの諸侯の連合軍をカルカ河畔に撃破、南オロスを火災と鮮血の修羅場たらしめ、ドニエプル河畔に出《い》で、更に進んでアゾフ海沿岸地方を馬蹄《ばてい》にかけんとす。

使者はモンゴル兵に違いなかったが、異様な風体をしていた。両脚にぴったりとくっついた細いズボンを履き、首にはネッカチーフを巻きつけていた。馬につけた革袋には葡萄酒《ぶどうしゅ》と硝子《ガラス》製の美しい器が入れられてあり、馬の鞍《くら》には彼等の分捕品である十字架が何十となく結びつけられてあった。彼等は部隊の動静を伝えた許《ばか》りで、成吉思汗からの帰軍命令に対しては、何の返答も持っていなかった。

八　章

一二二四年の初頭、成吉思汗《チンギスカン》は全軍に印度《インド》へ侵攻する作戦を発表した。ヒンズークシュ山脈か、カラコルム山脈を越えて、印度へはいり、印度の諸城砦《じょうさい》を席捲《せっけん》して、その作戦を終るや、道を西蔵《チベット》にとって蒙古《もうこ》高原へ帰ろうとする大きな計画であった。このために何カ月かかるか、何年を要するか、成吉思汗にも、他の武将たちにも見当はつかなかった。

作戦が発表されるや、幾つかの兵団はそれぞれ大行李《だいこうり》、小行李の編成にとりかかった。雑多の民族よりなる夥《おびただ》しい捕虜たちは、一カ月の間、朝から晩まで籾《もみ》を玄米にする作業や戎衣《じゅうい》の手入れに追いまくられた。モンゴルの兵たちは高山大河の跋渉《ばっしょう》のために、森林の伐採、渡河、架橋の新しい演習を日課としなければならなかった。

春三月、モンゴル軍は幾つかの兵団に分れてシル河畔の帳幕を発した。進発に先立って、成吉思汗は自分の命令に従わないで遠く異域に行動しているジェベ、スブタイの二武将と、同じく自分の意志を無視してキプチャック草原に留まっている長子ジュチの許《もと》に急使を馳《は》せた。使者の任務は彼等に新しい作戦を報《し》らせ、本軍とは別個に、それぞれ作戦を打ち切って故国への道を取れという命令を伝えることであった。

モンゴル軍は行軍月余にして、自分たちが越えなければならぬカラコルム山脈の鋸《のこぎり》の刃のような高峰を遠く行手に見た。更に月余にして、彼等はカラコルム山脈の山中に分け入っていった。高山峻嶺《しゅんれい》は屹立《きつりつ》し、密林は繁茂していた。果てしない密林を越えると、雪を戴《いただ》いた高山があり、高山を越えると、また密林が行手を遮《さえぎ》っていた。僅《わず》かの間に人馬の消耗甚《はなは》だしいものがあった。

この行軍の途中、部隊が山間の小部落に駐営している時、愛妃忽蘭《クラン》は身罷《みまか》った。忽蘭の命数の幾許《いくばく》もないことは、シル河畔を発する時、既に成吉思汗にはよく判《わか》っていた。忽蘭の容態が革《あらた》まったという報を受けて、成吉思汗は忽蘭の包《パオ》を訪ねた。忽蘭は蠟《ろう》のように透き通った細い肢体《したい》を寝台の上に横たえていた。成吉思汗が近づいて行くと、忽蘭は恰《あたか》もこの時を待っていたように閉じていた眼を見開いた。その眼は成吉思汗には驚くほど大きいものに感じられた。包の内部には火が焚《た》かれてあったが、真冬のような寒気が立ちこめていた。忽蘭はまさに死に臨んでいた。人間の声とは思われぬ低い澄んだ声が、忽蘭の唇《くちびる》の間から洩《も》れた。

「氷の下に」

それだけ言うと、忽蘭は微《かす》かな笑いを浮かべ、手を成吉思汗の方へ差し延べようとした。が、手はその動作を半ばにして中止しなければならなかった。成吉思汗は息を呑《の》んだまま、自分が最も愛し、そしてまた他の女性が決して示さなかった形の愛情を自分に捧《ささ》げてくれた女性が、いま自分の前で息を引きとろうとしているのを見守っていた。

忽蘭の口から洩《も》れた氷の下にという言葉の意味は、自分の死体を氷の下に埋めよということであろうかと、成吉思汗は思った。成吉思汗は曾《かつ》てチャプタイに、その子の死に対する悲歎《ひたん》を禁じたように、いまは自分に忽蘭の死に対する悲歎を禁じていた。これはもう何日も何十日も前から自分に命じていたことであった。

間もなく忽蘭は息を引き取ったが、忽蘭の死が波斯《ペルシャ》人の医師に依《よ》って宣せられると、成吉思汗はその包を出た。彼は自分に悲歎を禁じていたので忽蘭の死を悲しむわけには行かなかった。成吉思汗は忽蘭の葬儀を営み、その遺骸《いがい》を氷河の下に葬《ほうむ》らねばならなかった。それが今や彼に残されている愛人のために為《な》す最後の仕事であった。成吉思汗は自ら指揮して、その夜のうちに彼女の包に祭壇を作らせ、重だった武将たちだけに忽蘭の死を伝えて、彼女の告別式に列せしめることにした。

告別式は暁方《あけがた》の凍りつきそうな寒さの中で行われた。そして夜の明けきらぬうちに柩《ひつぎ》は帳営地を離れた。三十名程の、彼女の親しかった武将たちと、柩を交替で運ぶほぼ同数の兵たちだけが葬列に加わった。葬列はその日一日丈低い灌木《かんぼく》の生い茂っている地帯を過ぎ、夕方になって、漸《ようや》くにして雪と氷で閉ざされた一木一草も見ることのできない荒涼とした渓谷《けいこく》の畔《ほと》りに辿《たど》り着いた。

その翌日、兵たちに依って、渓谷の上に何十かの氷の割目が見付けられ、それが成吉思汗の許に報じられた。成吉思汗は自らその一つ一つを点検し、忽蘭の奥津城《おくつき》として最も大きい氷の裂罅《れっか》を選んだ。忽蘭の柩は、四人の回鶻《ウイグル》の少年たちの手に依って、右に左に少しずつ傾きながら、次第に氷の厚い層の下部へ落し込まれて行った。途中で柩を吊《つ》る紐《ひも》が失《な》くなった時、少年たちはそれぞれ紐を握っている手を開いた。柩は途中で停《と》まっているのか、或《あるい》は底知れぬ深さに落ち込んでしまったのか、軋《きし》むような冷たい金属性の音を一つ残して、あとは何の音もしなかった。

柩を氷の下に納めると、一同は天候の変ることを怖《おそ》れて、直《す》ぐその墓所を後にした。帰りは半ば風に吹き飛ばされながら休みなく山を降った。

成吉思汗は忽蘭の死に対する自分の悲歎を禁じたが、併《しか》し、やはり心の受けた打撃というものはどうすることもできなかった。成吉思汗はこれからいつまで続くか判らない山岳地帯の行軍を経て、印度へ侵入することの意味がふいに判らなくなった気持だった。もともと印度へ侵入することは、忽蘭の勧めに依って企画されたことであり、成吉思汗にしてみれば忽蘭のために、その死場所をそこに求めてやろうというような気持から出発したものであった。

忽蘭が身罷った部落に、成吉思汗は愛妃の祭祀《さいし》のために一カ月部隊を駐屯《ちゅうとん》させなければならなかったが、その間に、成吉思汗は一夜不思議な夢を見た。暁方のことであるが、成吉思汗は枕許《まくらもと》に、鹿《しか》に似た一匹の動物が現われるのを見た。初め鹿かと思ったが、よく見ると鹿ではなく、尾は馬のそれに似ていて、毛色は緑色であり、頭には一角を具《そな》え、人語を能《よ》くした。その動物は成吉思汗の枕許に前脚を折って坐《すわ》ると、いきなり、〝卿等《けいら》一日も早く軍をまとめて卿等の国に帰るべし〟と言った。そして、それを言ったと思うと、また立ち上がって、その動物は包から出て行った。明らかに夢であったが、夢とは思われぬ程、その動物の立居や部屋への出入りの仕方には現実感があった。

成吉思汗は、翌日、耶律楚材《やりつそざい》を招いて、その夢の意味するものがいかなるものであるかを訊《たず》ねた。すると、楚材は、

「その動物は角端《かくたん》というもので、あらゆる言葉に通じており、紊《みだ》りに流血の惨を見る乱世に現われるのを普通としている。恐らく角端が可汗の前に現われたのは天意であろう」

と答えた。成吉思汗はいつものことであるが、耶律楚材の言葉をそのまま信じることはなかった。あらゆることに理由づけて侵略と戦闘とを成吉思汗から取り上げようとしている気に入りの若い知識人の言葉を、いつもなら黙って受取ったまま、決してそれに従わないのであったが、この時は違っていた。成吉思汗はすぐ、

「では、角端の言葉に従おう」

と言った。角端の瞳《ひとみ》の光が、成吉思汗には忽蘭の眼の輝きに似ているように思えていたからであった。忽蘭が角端という動物に姿を替えて、自分のところにわざわざ忠告しに来てくれたのではないかという気がした。

即日、軍を班《かえ》す命令は降され、二日の後にモンゴルの各兵団はペシャワールを目指した。印度侵攻が労多くして功少ない作戦であることは、すべての武将たちにも判っていたので、この作戦の変更はたれにも悦《よろこ》んで迎えられた。

成吉思汗はペシャワールを経て、カイバル峠を越え、夏季の帳幕をバクランに営んだ。そしてバクランに駐営中に、全部隊を蒙古高原へ班《かえ》す決意を固めた。このことは曾て一度成吉思汗の心の中で決定的なものとなったものであったが、それが印度作戦に依って中断されていたのであった。一二一九年の春、ブルカン嶽《だけ》の帳幕を発してから、成吉思汗は既に五年の歳月を異域に過していた。その間戦闘に明け暮れた兵たちをして故国の土を踏ませ、荒ぶれた心を慰藉《いしゃ》する必要もあった。

夏の終りに、成吉思汗はバクランを発して北方へ向かった。サマルカンドに軍を集結し、そこから本格的に故国への道を取るつもりであった。途中、バルク市付近を通過する時、その城邑《じょうゆう》の民に叛意《はんい》あるを知って、成吉思汗は一兵団を送って、そこを屠《ほふ》らしめた。部隊は何回目かのアム河を渡って、ブハラの城市にはいった。ブハラは成吉思汗がホラズム国内で一番最初に、異民族に敵対行動がいかなる結果を招くかを知らせるために徹底的に壊滅させた城邑であった。男たちの大部分は虐殺《ぎゃくさつ》され、残った者は兵に徴せられ、女の貞操は尽《ことごと》く奪われ、そして無人の城市は火をつけられて文字通り灰燼《かいじん》に帰してしまったのであった。

併し、それから四年数カ月の間に、ブハラは、サマルカンドと同じように、新しい城市を形成して繁栄していた。以前と少しも変らず城市には人々は群れ、夥しい数の男女は物をひさぎ、叫び、食い、動き廻《まわ》っていた。曾て城市を囲んでいた城壁の残骸《ざんがい》だけが、僅かに何日かの悪夢のかたみとして残されてあった。

モンゴルの大兵団は長いことかかって、その城市を南から北へと突切って行った。住民たちの顔には何の怯《おび》えの表情もなかった。と言って、モンゴル兵を歓迎する表情もなかった。その大部分の顔は無感動であった。サマルカンドに於《お》けるように、ここでもまたあらゆる民族が雑居していた。漢人、契丹《きったん》人、タングート人、トルコ人、イラン人、アラビア人、そしてそのうちに混じっている少数の駐屯部隊のモンゴル兵たち。

成吉思汗の眼には、自分の部下である筈《はず》のモンゴル兵たちまでが、雑多な異民族の中にある限り、全く同じような表情に見えた。自分たちの同胞を迎えるといった悦びの表情は見られず、彼等もまた無感動であった。従って成吉思汗は勝利感といったものは些《いささ》かも感ずることは出来なかった。そこに群がっている若者たちは被征服民ではなかった。敵でもなく、味方でもなかった。ただ彼等は自分たちの生きて行くことを脅《おび》やかす懸念《けねん》を感じた場合だけ、一瞬にして一人残らずが敵になる筈であった。成吉思汗はあの大虐殺を以《もっ》てしても、何ものをも変らせることができなかったことを知らないわけには行かなかった。徒《いたず》らに夥しい数の人間を殺し、城砦を壊《こぼ》ち、不幸と悲歎をばら撒《ま》いただけのことであった。

成吉思汗はブハラから更に五日間行軍して、サマルカンドに到着した。成吉思汗は、冬の間をサマルカンドで過し、来年の春、蒙古高原へと進発する予定を樹《た》てた。従って、これから滞在する冬季の四カ月がホラズム国に於ける最後のモンゴル軍の駐営生活になるというわけであった。サマルカンドに駐営するといっても、城内には極く僅かの部隊をしか駐屯させることはできなかった。モンゴルの兵たちがはいり込む余地がない程、住民は城邑に溢《あふ》れており、大虐殺の行われた前に何倍かする男女が、ここでもひしめき合って生活を営んでいた。

城邑に隣接した地域に、幾つかの兵団の駐営地は配された。兵は、モンゴル兵たちも、捕虜の雑多な異国の兵たちも、暇さえあれば城市へ出掛けて行ったので、ためにサマルカンドの城邑は人で溢れ混乱し蜂《はち》の巣をつついたようになった。

成吉思汗はこんどもめったにサマルカンドの城邑の中へは足を踏み入れることはなかった。酒宴を開く場合も、己《おの》が帳幕の中で開いたし、いろいろな見世物や軽業や芝居を観《み》る場合も、いつも芸人たちを帳幕の中へ招くのが常だった。成吉思汗は己が帳営地に続いて、チャプタイ、エゲデイ、ツルイ、カサル、ベルグタイ等の近親の者の帳幕を配していたが、彼はそこへ顔を出すようなことはなかった。併し、一度だけ気紛れからそこを次々に見廻ったことがあった。

成吉思汗はどこの帳幕に於《お》いても、殆《ほとん》ど自分が信ずることができないような光景を眼に収めた。彼等の住居は、形こそ帳幕であったが、内部には煉瓦《れんが》や石で築かれた固定した館が造られ、そこにはしゃれた暖炉があり、贅沢《ぜいたく》な寝台が置かれ、接待用の美しい椅子《いす》や卓が設けられてあった。美しい調度の中には、葡萄酒《ぶどうしゅ》の壜《びん》や玻璃《はり》製のグラスが並んでいる。そして館の裏には青い芝生が敷きつめられ、花の咲き乱れている花壇もあれば、何本かの水を噴き上げている泉水も造られてあった。

そして、そうした調度や設備が単なる装飾ではなく、実際に必要であるほど、客たちは絶えず出入りしているようであった。自分たち仲間同士も互いに訪問し合っており、異民族の富裕な商人たちの出入りも繁《しげ》かった。こうした風潮は幹部の武将たちの間のことだけではなく、兵たちの服装も持ち物もすっかり変っていた。奇妙な歌謡を奇妙な楽器で奏することが、兵たちの間では流行していた。

成吉思汗は、併し、そうしたことについて一言も咎《とが》め立てらしいことは言わなかった。言ってはならぬと自分に言いきかせた。成吉思汗は、こうした生活を己が一族の者に、モンゴルの総《すべ》ての男女に与えることを、自分は夢みたのではなかったかと思った。成吉思汗は自分が可汗の位に就いて、何日間かに亙《わた》ってその祝いが行われた時、自分の幕舎の前で、汚い身なりの老婆《ろうば》たちが単調な動作で、同じ歌を何十回も何百回も繰り返しながら踊っているのを、ある感慨を持って眺《なが》めたことのあったのを思い出した。その時自分はそうした哀れさや貧しさをモンゴルの民から取り上げ、もっと豊かで富んだものを与えたいと思った筈である。生きている許り《ばか》でなく、楽しく生きるということを、彼等に与えたいと思った筈であった。そして、現在そうなりつつあるではないか。こうした変化は出征している将兵ばかりではなく、恐らくブルカン嶽の帳幕に於ても同じことであろう。留守を守っている女たちや老人たちの生活も亦《また》、見違える程異ったものになっているに違いない。こうしたことをこそ、自分は求めたのではないか！

成吉思汗は近親の者たちの帳幕を見廻った夜、自分の昔ながらのモンゴル様式の暗い帳幕の中で、自分はこれが好きなのだからこのようにして住んでいるのである。これを他人に強《し》いてはいけない。自分と同じような考えを持ち、自分と同じような生活をしていないからといって決して他人を咎めてはならない。成吉思汗は真剣に自分に言い聞かせた。併し、そうは考えても、心の底では何か割り切れぬ納得しないものがあった。この夜、成吉思汗は遅くまで寝所へはいらず、亡《な》き忽蘭のことを考えていた。忽蘭が生きていないことが心を抉《えぐ》るような淋《さび》しさで感じられたのは、忽蘭が死んでからこれが最初のことであった。常に自分の労苦と共にあろうとした忽蘭、そしてまた自分がガウランを名もなき庶民の中に捨てたことに対して、みごとにそれを耐えることができた忽蘭、そうした忽蘭が、いまとなっては成吉思汗には堪《た》まらなく得難《えがた》く貴いものに思われた。

成吉思汗はまたある時、サマルカンドの城市を視察した。そこで見るモンゴルの兵たちは、よく注意してみない限り、彼等がモンゴルであるということは判らなかった。ペルシャ人の服装をしている者もあれば、イランやトルコ人の持ち物を以て身を飾っているものもあった。

その日成吉思汗は城邑の一隅《いちぐう》に設けられてある兵衣や兵具の工場を視察したが、その製靴《せいか》工場で造られているものはトルコ人の履いている長い靴《くつ》であった。成吉思汗の案内役に当っていた若い将校は、それがいかに見た眼にも美しく、行軍にも便利であり、長保《ながも》ちするものであるかということを、誇りやかに説明した。成吉思汗はこの場合も、ただ大きく頷《うなず》いて相手の話を聞いていた。併し心の中では、こんなものを履いては、もはやモンゴルの兵ではなくなるではないかと思った。ボルジギン氏族の狼《おおかみ》たちがこのような靴を履くなどということが考えられるであろうか。雪原を駈《か》け、山を越え、渓谷《けいこく》を飛ぶ狼群《ろうぐん》のひづめがこのようなもので装われていいであろうか。そのことを口に出したかったが、成吉思汗はそれに耐えていた。

この日も、また成吉思汗は己が帳幕に帰ると、亡き忽蘭のことを思った。こうした場合、必ず忽蘭のことが思い出されて来ることが不思議だった。

サマルカンドに駐留するようになってから、成吉思汗は、ジェベ、スブタイの二武将と、長子ジュチの許《もと》に何回目かの使者を送った。即刻サマルカンドへ帰還せよという命令を伝えるためであった。これまでに派した使者たちは、先方へ行き着いたのか、行き着かないのか、一人も戻《もど》って来ていなかった。いつも出発して行くだけで、そのまま消息を断っていた。

年末に殆ど一年ぶりで、ジェベ、スブタイの二将からの使者が到着した。こんどは使者ばかりでなく、やって来たのは、百名のモンゴル兵と五百名の異民族からなる一団で、夥《おびただ》しい鹵獲品《ろかくひん》を成吉思汗の許に送り届けて来たのであった。兵器もあれば、調度品も、美術品も、宗教的な彫刻もあるといった雑多な財宝の山であった。何百頭かの駱駝《らくだ》はそれぞれそれらを背に堆《うずたか》く積み上げていた。成吉思汗は直ちに二日の休養を与えた後に、その兵の一部を直ぐ彼等の部隊の許に帰らしめた。サマルカンドへの集結の命を彼等の統率者であるジェベとスブタイに伝えるためであった。そして、成吉思汗は、ジェベとスブタイからの贈り物を、すぐブルカン嶽《だけ》の麓《ふもと》の帳幕へと部隊をつけて送った。

一二二四年も押し詰まった頃《ころ》、キプチャック草原のジュチの許から、先きに成吉思汗が送った使者と共に一人の兵が使者として送られて来た。使者は、ジュチが一昨々年来病んで長途の行軍に耐え得ないので、成吉思汗と共にこんどは故国に帰還できないが、いずれ機を見て蒙古《もうこ》高原の土を踏むこともあろう。そのことを諒解《りようかい》して貰《もら》いたい。そういったジュチからの伝言を奏上した。

成吉思汗はそれに対して烈《はげ》しい怒りを感じた。何回も使者を立てているのに、それに対して何の音沙汰《おとさた》もないのみか、漸くにして返答を寄越したと思えば、まるで自分はモンゴル民族とは無縁であるかのような言い方をしている。出征軍が全軍引き揚げようという時、自分だけは居残ろうということは、いかなることであるか。成吉思汗は、この方の使者はその日のうちにサマルカンドを発《た》たせた。

――いかなる理由があろうとも、全軍即刻サマルカンドへ集合すべし。

これがジュチに与えられた命令であった。

明くれば一二二五年、成吉思汗は年頭の賀筵《がえん》で諸将と謀《はか》って故国帰還のためにサマルカンドを出発する日を四月下旬と決めた。そしてこのことは一般の将兵には四月初旬まで秘めておくことにした。

三月の初めに、突然、成吉思汗はジェベ、スブタイの両部隊がサマルカンドへ向けて急行中であるという報に接した。その最初の使者が来ると、あとは毎日のように、両部隊の動静を報ずる使者が送られて来た。彼等の報ずるところに依《よ》ると、両部隊は曾《かつ》てムハメットを追跡するためにこの城邑から進発して行った時の兵力に比して、いまはその数倍の兵力を持っているらしかった。ことにブルガリア人オロス人からなる二個兵団が、そっくりそのままモンゴル兵団の中に繰り入れられているということであった。

ジェベ、スブタイが満四年振りの遠征を打切って、サマルカンドへ帰還する日、成吉思汗は全将兵を城門の前に整列させて、彼等を迎えた。帰還軍の先鋒《せんぽう》は町の北方を流れているソグド河の流れに沿って、その最初の姿を現わし、それから長いことかかって、城邑に近づくと、予《あらかじ》め定められてある広場の一角にはいった。部隊全部が広場にはいり終るまでには、更にかなり長い時間を要した。

最初ボオルチュが二、三名の武将と共に帰還軍の方へ出向いて行ったが、やがて彼等を含めた十数名の一団が、成吉思汗の方へ近付いて来た。成吉思汗は久しく会わなかった二人の武将に会う悦びに耐えきれず自らその方へ歩いて行った。成吉思汗は向うから来る一団と広場の一隅でぶつかると、そこで足を停《と》めた。向うから来た一団も立ち停まり、その中から一人の武将がゆったりとした足取りで近寄って来た。スブタイであった。

スブタイは、成吉思汗には躰《からだ》が一廻《ひとまわ》り大きくなっているように見えた。彼は五十歳を少し出ている筈であったが、遠征の疲れは少しも見せていず、むしろ以前より若々しく精悍《せいかん》なものを身につけていた。スブタイは言葉少なに帰還の報告をした。幾つかの国の名前と、幾つかの山脈と、幾つかの河と湖の名前がスブタイの口から出たが、成吉思汗にはその大部分が最初に耳にするものであった。

成吉思汗は満足であった。成吉思汗はもう一人の人物、ジェベの出現するのを待っていた。併《しか》し、どうしたものかジェベはいつまで経《た》っても姿を見せなかった。少し離れたところに立っている一団の中にもジェベの姿はなかった。

——ジェベは？

成吉思汗はそう訊《き》こうとして、不意に自分が大きな不安の中に突き落されるのを感じた。スブタイは真直《まっす》ぐに躰を立てたまま、押し黙っていた。その押し黙り方が成吉思汗には不自然なものに感じられた。ジェベはどうしたのか。あの鏃《やじり》のような恰好《かっこう》の頭を持った武将はなぜ余の前に姿を見せないのであるか。成吉思汗は恐ろしい顔をしてスブタイの眼を見詰めていたが、ふいに躰を動かすと、そこを離れた。ジェベを自分自身の眼で捉《とら》えに行こうと思ったのである。

成吉思汗は広場をぎっしりと埋め尽している帰還軍の中へ一人で這入《はい》って行った。部隊は、成吉思汗がその前に行くと、指揮者の号令と共に次々に隊形を整えて行った。成吉思汗は部隊と部隊の間を縫って歩いた。ジェベはどうしたのか。余の黄色の戦馬の顎骨《がくこつ》を折り、余が頸脈《けいみゃく》を傷つけた往年の若者よ、ジェベよ、一本の矢よ。

成吉思汗は歩いた。見開いた双の眼をらんらんと光らせ、顔を部隊の方へ向け、成吉思汗は次々に現われる部隊の前を歩いた。ジェベ、居るなら姿を見せよ。矢よ、鏃《やじり》よ。併し、ジェベは出て来なかった。成吉思汗は今まで眼にしたことのない異民族の兵たちの部隊を、次々に眼に収めていった。ひどく白い顔の一団もあれば、黒い顔の一団もあった。号令もまちまちであり、整列の仕方も亦《また》それぞれ勝手な、成吉思汗が初めて眼にする様式で行われていた。

成吉思汗はジェベの姿を捉えることを諦《あきら》めると、スブタイが棒のように立っている

もとの位置に引き返し、スブタイの前に対《むか》い立って、

「ジェベの死は病死であるか、戦死であるか」

と咬《か》みつくような烈しい口調で訊《たず》ねた。

「ジェベは戦闘にも病いにも死ぬ男ではない。彼は命数を費《つか》い果して殪《たお》れたのである。アラル海の西南の部落で息を引き取り、いまその部落の丘陵の背に彼は眠っている」

スブタイもまた烈しい口調で答えた。そう答えるスブタイの顔からは汗があとからあとから流れ落ちていた。一本の俊敏な矢は、まさしくその命数を費い果して二つに折れたのに違いなかった。成吉思汗は大きく頷《うなず》くと、ジェベの死に対しても悲歎《ひたん》することを、自分に強く禁じた。忽蘭の死に耐えたように、ジェベの死にもまた耐えなければならぬと思った。

四月の終りに、全部隊はサマルカンドを進発した。成吉思汗は出発の日までジュチの帰還を待っていたが、ジュチの部隊はついに姿を見せなかった。成吉思汗は改めてまた何回目かの使者をキプチャック草原に派した。ナイマン領のボカ・ソキコの地を指定し、その年に来《きた》り本軍と会するように命じた。

サマルカンドを出発する前日、成吉思汗は人質として捉えてあった曾てのこの国の

主権者ムハメットの母后とその近侍の女たちを城壁の上に並ばせ、彼女らをしてホラズム国と訣別《けつべつ》せしめた。成吉思汗は彼女等を蒙古高原に拉《らっ》し去り、再びこの地に還《かえ》す気持はなかった。

春から夏、夏から秋へかけて、地表を埋める程のモンゴルの大兵団は、ゆっくりと母国へ向けて移動して行った。彼等は曾て自らの手で血を流した沢山の城市や城邑《じょうゆう》を過ぎた。あるところには何日も駐屯《ちゅうとん》し、あるところは素通りした。シル河も渡り、何本かのその支流も渡った。架橋は、四年前に彼等が知らなかった技術に依って手際《てぎわ》よく為《な》された。何本かの橋の上を、連日のように、いつ果てるとも判らぬ長い隊列は渡った。あらゆる種族の兵たちが、その移動する隊列には収められていた。

秋の初めに、モンゴル兵団はチュー河畔に到着し、部隊は暫《しばら》くそこに駐営し、再び進発した。チュー河は今まで何回も渡ったシル河、アム河とは異った水の色をしていた。シル河、アム河は西流してアラル海にはいる川であったが、チュー河は遠く北流して、その果ての判らぬ河であった。兵団は秋の半ばにアルタイを越えた。

部隊がナイマン部と回鶻《ウイグル》部の旧境に近いイミル河畔に到着した時、成吉思汗は、そこに郷里の帳幕より迎えに出向いている一千の兵団と遇《あ》った。

その歓迎兵団の中には、末子ツルイの子で、成吉思汗にとっては孫に当る十一歳のフビライと、九歳のフラグの二人の幼い顔があった。成吉思汗はその二人の皇孫のために狩猟を計画した。少年たちには初めての狩猟であったので、成吉思汗は狩猟に初めて加わる時の儀式を、自らの手で二人の孫のために行ってやった。成吉思汗の老いた大きな手は肉と脂《あぶら》を摑《つか》んで、少年たちの若芽のように柔らかい中指を摩《ま》した。*

成吉思汗は、多勢の男女にかしずかれているフビライ、フラグの様子を眺《なが》めていると、いまは名もなき庶民の子としてどこかに育っているに違いないガウランのことを思わないわけには行かなかった。一二一三年、二度目の金国侵入の時、今は亡《な》きソルカン・シラの手に依っていずくともなく棄《す》てられたガウランが、若《も》し今も健在ならば、すでに十七歳になっている筈《はず》であった。もう立派な一人前の兵であった。

成吉思汗は、併し、ガウラン一人に苛酷《かこく》な運命を与えたことを、決して後悔してはいなかった。ガウランよ、余は汝《なんじ》のために汝の中指を肉と脂で摩することはしないであろう。汝はそれを己《おの》が手で為せ。余も何人からもそうされなかったのである。汝に若し力あらば、自らの力で生きよ。余がそれをなしたように。

成吉思汗はフビライ、フラグの姿を見る時は、大きい耳と、鋭い眼と、引き緊《し》まった口許《くちもと》と、白い髭髯《しぜん》とを持っているその顔を穏やかな光で埋めた。ガウランのことを思う時は、同じその顔に烈しく厳しいものを走らせた。同じようにその心は愛情で充《み》たされていたが、その顔の表情は全く異っていた。

イミル河畔から二日行程にあるボカ・ソキコの草原に於《おい》て、成吉思汗は全将兵のために、その永年の異境に於《お》ける労苦を謝する饗宴《きょうえん》を催した。今や彼等は蒙古高原の一角に足を踏み入れていた。酒宴は盛大に、何日にも亙《わた》って行われた。チャプタイ、エゲデイ、ツルイの三子は勿論《もちろん》のこと、カサル、ベルグタイ、カチグンの弟たち、それからボオルチュ、ジェルメ、スブタイ、クビライ、チンベ、チラウンの武将たち、いずれも、毎日のように成吉思汗の帳幕に集まって、郷土の土の匂《にお》いを嗅《か》ぎながら酒盃《しゅはい》を汲《く》み交わした。ムカリ、ジェベの二将とジュチの三人が欠けていた。

成吉思汗は長子ジュチにサマルカンドを発《た》つ時、この地に参会するようにという使者を出してあったが、こんどもまたそれに対する応答はなかった。成吉思汗はジュチのこと一事を除けば、すべては至極満足であった。酒宴はそこぬけの賑《にぎ》やかさで行われた。もともと戦場の血腥《ちなまぐさ》い臭《にお》いを郷里の帳幕にまで持ち込まないために企てられた饗宴であった。荒々しいものも、殺伐なものも、すべてここで捨てられなければならなかった。

中央亜細亜《アジア》の広大な地域に散らばっている夥しい数の異民族の兵たちも、それぞれ酔い、叫び、唄《うた》い、踊った。酒宴は夜となく昼となく続いた。混血の子供たちも何十人かずつの集団を作って、彼等の母たちである部族に付属している女たちと余興を演じた。一人で何種類かの全く異った異族の混血児を持った康里《カンクリ》人の女も踊った。彼女の踊りは月光の下で行われ、モンゴルの女たちに見られぬ肥満した体が大きく小さく揺れるところは、誰《だれ》の眼にも妖《あや》しく美しく見えた。

成吉思汗は宴席で、

「余が一人蒙古高原の女たちに迎えられる資格を持っている」

と冗談を言った。成吉思汗は自分だけがモンゴルの服装をし、モンゴルの靴《くつ》を履き、モンゴルの習俗に随《したが》って生活しているのを知っていた。ボオルチュ、ジェルメの老人までが、モンゴルの戎衣《じゅうい》を棄て、今はホラズムの金糸銀糸で縫取りしてある衣服を纏《まと》っていた。

大酒宴が終ると、モンゴルの兵団はアルタイの北麓《ほくろく》地帯から、蒙古高原の内部へと徐々に移動して行った。久しぶりに眼にする故国の風物が、モンゴルの将兵の心に水のように滲《し》みわたって行った。

成吉思汗はいっきにブルカン嶽の麓の帳幕を目指さなかった。聚落《しゅうらく》聚落で盛大な歓迎を受けると、成吉思汗はそこに数日も、十数日も留まった。そしてその聚落出身の兵たちに恩賞し、動員より解除して、その家郷に留まらしめた。

そしてモンゴルの兵団が、ブルカン嶽の麓の帳幕と並んで、いまはモンゴル国に於ける政治、経済の中心地ともいうべきトウラ河の帳幕に到着したのは、冬の初めであった。昔のケレイトの聚落であったここは、曾てトオリル・カンが勢威を張っていたトウラ河畔の〝黒い森〟の地で、成吉思汗にとって忘れようとして忘れることのできないところであった。三日三晩の激戦の後トオリル・カンの部隊をこの地に破ったのは、ついこの間のことのように思われるが、算《かぞ》えてみると、いつかその時から二十余年の歳月が流れていた。

成吉思汗はここに帳営を設けて、近衛《このえ》隊を除く各兵団の将士の動員を大々的に解除して、それぞれの属する聚落に帰らしめた。成吉思汗は二十日間、この地に留まり、思い出多い黒い森の中を歩いたり、トウラ河畔で狩猟を催したりした。成吉思汗は曾ての盟友であり、敵であったトオリル・カンの墓所が作られていないことを知って、彼のために黒い森の北方の彼が一命をおとした場所に碑を建ててやった。碑面には回鶻《ウイグル》の文字で「黒い森の王者、トオリル・カンの不屈なる魂ここに眠る」と書かれた。

トオリル・カンの碑が立つと、成吉思汗は彼のために盛大な供養《くよう》を営んだ。トオリル・カンは彼のためには紛れもない恩人であった。多難なる若き日彼の援《たす》けに依《よ》って、成吉思汗はタイチュウトの迫害から逃れ、ボルジギン氏族の旗を曲りなりにも守り通すことができたのであった。そしてジャムカと盟友の約を結ばしてくれたのも彼であったし、協力して、そのジャムカを倒してくれたのも彼であった。

そして最後に成吉思汗はトオリル・カンと死闘を交え、ついに彼を倒したが、それについては、成吉思汗は少しも心痛むものを感じなかった。自分とトオリル・カンとはどうしても一度は闘わなければならぬ運命に置かれていたし、そのいずれかが敗れなければならぬことはこれまた自然の理であった。死者にもし心があるとしたら、トオリル・カンはよくそのことが判《わか》っており、いま成吉思汗の異郷からの凱旋《がいせん》を彼は誰よりも悦《よろこ》んでくれているのではないかと思った。

成吉思汗はどうしてもジャムカという人物は好きになれなかったが、精悍そのものの痩《や》せた老人は好きであった。ホラズムに於けるいかなる合戦に於ても、成吉思汗はトオリル・カンに対した時の手強《てごわ》さを敵に感じたことはなかった。

トウラ河畔の黒い森からブルカン嶽の麓のボルジギン氏族の聚落までは、どんなにゆっくり行軍しても、三、四日で行きつける短い距離であった。併し、成吉思汗はそこへ行くことを急がなかった。何人かの武将たちから、成吉思汗は一再ならず、駕《が》の東行を勧められたが、成吉思汗はそれに応じなかった。その度に、

「死ねば、余はそこに眠るであろう。生ある時、どうしてそこへ行くことを急がねばならぬであろう」

そんな風に言った。こう言われると、誰もそれ以上、そのことを成吉思汗に勧めることはできなかった。

成吉思汗は、妻ボルテとは会っていなかった。ボルテが自ら黒い森へやって来れば兎《と》も角《かく》、そうでない限り、成吉思汗は自分がブルカン嶽の帳幕に赴いて、ボルテに会う気持にはならなかった。ボルテは言うであろう。——全将兵は帰還したのに、どうしてジュチだけひとり帰還しないのであるか。

それに対して、成吉思汗は彼女を納得させるだけの言葉を自分の口から出す自信は持っていなかった。真実は真実として彼女に受取られないであろうと思われた。成吉思汗はトウラ河畔の聚落でひたすらジュチの帰還を待っていたのであった。ジュチをモンゴルの後継者に選ばなかったことも、ボルテにとっては心平らかならざるものがあるに違いなかったし、その上、ジュチだけが帰還しないとあっては、ボルテとしてはそこに当然成吉思汗とジュチの間に横たわる特殊な関係に思いを廻《めぐ》らす筈であった。

成吉思汗は今更ボルテと口論する気はなかった。できるなら、ジュチの帰還を待った上で、ボルテと顔を合わせたかった。彼女との間のいかなるわだかまりも、それを避け得るものなら避けたかった。帳幕には毎日のようにあらゆる方面からの使者がやって来た。その度に成吉思汗はそれがジュチからのものであることを期待したが、いつも裏切られていた。

併し、ジュチからの連絡を待っているにしても、それには限度があった。いつまでも、成吉思汗は己が氏族の故地へ凱旋しないでいるわけには行かなかった。トウラ河畔の駐営を打ち切ると、成吉思汗はジュチの帰還は諦《あきら》めて、初めて駕をブルカン嶽の郷里へ移すことを発表した。そしてその日が来ると、ボルジギン氏族の旌旗《せいき》は成吉思汗の包車をぎっしりと取り巻き、それに長い近衛の隊列、歩兵部隊、騎兵部隊と続き、蒼《あお》き狼《おおかみ》の裔《すえ》たる生粋《きっすい》のボルジギンの将兵たちは、トウラ河に沿って上流へ上流へと移動して行った。

三日目の午刻、成吉思汗は己が氏族の神の眠るブルカン嶽の懐《なつか》しい山容を己が視野の中へ入れた。そして、その日の午後、部隊はケルレン河の上流に出て、更にその川筋を上流へ遡《さかのぼ》って行った。部隊がボルジギンの帳幕へはいったのは西方の空が真赤に焼けただれ、空一面に壮大な夕照を見せている暮れ方であった。聚落の入口には多勢の侍女や近侍の者にかしずかれたボルテが成吉思汗を迎えに出ていた。ボルテは六十四歳であった。両の脚を動かすのも大儀なほど肥満しており、椅子《いす》に腰をおろしたままで、彼女はそこまで運ばれて来ていた。

成吉思汗は、自分がその前へ行った時、ボルテがゆっくりと椅子から立ち上がるのを見た。雪を戴《いただ》いたような真白な髪は若い頃《ころ》と同じようにそれはそれなりで光沢を持っていた。ボルテの表情は少しも動かなかった。弛緩《しかん》した顔の筋肉の持つ重さで僅《わず》かに揺れ動いているように見えた。成吉思汗はボルテの耳に大きな紅玉の耳飾りが、その首にまた大きな碧玉《へきぎょく》の首飾りが掛けられてあるのを見た。彼女の腰かけている椅子は、彼女が立ち上がった時初めて気付いたのであるが、細かい七宝がぎっしりと嵌《は》め込まれてあって、眼にも眩《まばゆ》い美しいものであった。

「可汗よ」

ボルテはこれだけ言って、荒い息遣《いきづか》いを休め、次に言葉を出すために、呼吸を調整した。

「今日は何という佳《よ》き日であろうか。可汗の凱旋の日であると共に、モンゴルの客人の消息が判った日である」

ボルテは言った。ボルテはいまもジュチのことを、モンゴルの客人と呼んで、汝の息子とは呼ばなかった。成吉思汗にはボルテが言ったジュチの消息が判ったという言葉の意味がはっきり判らなかった。併し、成吉思汗はその場はそれで聞き流し、すぐ多勢の者が群がっている聚落の中へとはいって行った。

翌日、成吉思汗は已が帳幕でボルテを中心に、チャプタイ、エゲデイ、ツルイ、そしてそれぞれの彼等の子供たちと晩餐《ばんさん》を摂《と》った。ツルイの子供のフビライ、フラグには会っていたが、それ以外にそれぞれ見違えるように成長した二十人を越す孫たちがいた。その席で、成吉思汗は、昨日耳に留めたボルテの言葉を、もう一度彼女に確かめてみた。

ボルテが息切れのために短い言葉で語ったことを総合すると、ジュチが帰還しないということは既に一年も前からこの帳幕には伝わっており、巷間《こうかん》にはそれについてのいろいろな噂《うわさ》が行われていた。ボルテはそれについてずっと心を痛めていたが、昨日ホラズムからやって来た行商人の口から、ジュチがキプチャック草原でいまなお健在で狩猟を娯《たの》しんでいるという報《し》らせを聞くことができたというのであった。

これを耳にした時、成吉思汗は自分の顔から血の気が引いて行くのを、はっきりと自分で感ずることができた。若《も》し、その噂が本当であるとしたら、ジュチの行動は許すことができないと思った。成吉思汗は年老いた妻への気遣いから、その場では怒りを顔に現わすことに耐えていたが、その夜晩餐を終えると、すぐ、近侍の者に命じて、ボルテが会ったという行商人を探させた。

二、三日して、中年の波斯《ペルシャ》人が成吉思汗の帳幕に引き立てられて来た。成吉思汗は自らその波斯人に会うと、烈《はげ》しい言葉で彼を詰問した。そして成吉思汗が知り得たことは、ジュチがキプチャック草原に於て主権者としての地位を確立し、王侯の如《ごと》き生活を営む傍《かたわ》ら、常に狩猟を催して、兵たちの訓練に当っているということであった。

成吉思汗は生まれてこれ程烈しい怒りで身を灼《や》いたことはなかった。ジュチに何回となく使者を送ったが、それを全く無視されたことの怒りも大きかったし、可汗としての命令を一顧だにされなかった怒りも大きかった。それからまた、母ボルテのことを気遣って毎日のように彼からの連絡を待っていた、そうした父としての配慮を完全に裏切られたことに対する憤《いきどお》りも大きかった。自分の命に背《そむ》くものは何人たりとも誅《ちゅう》さなければならぬ。叛心《はんしん》を示したホラズム国の諸城市が受けた運命は、またジュチのものでなければならぬ。

旬日ならずして、蒙古《もうこ》高原は再び騒然とした空気に包まれた。あらゆる聚落から兵たちはブルカン嶽の麓の帳幕へと集まった。こんどのキプチャック征討軍の指揮者にはチャプタイ、エゲデイの二人が任命され、そして三十万の兵が彼等二人の指揮下にはいった。

ジュチ征討軍が進発して行くと、成吉思汗はそれだけで自分を落着けておくことはできなかった。成吉思汗は日ならずして、更に第二の動員を行った。こんどはツルイを将とし、自分も亦《また》軍に加わることになった。併《しか》し、第二軍の進発には多少の暇がかかった。ボオルチュやジェルメたちが、成吉思汗のジュチ親征に反対したからであった。併し、諸将の反対にも拘《かかわ》らず、成吉思汗は決して自分の考えを曲げることはなかった。何人も成吉思汗の怒りを鎮《しず》めることはできなかった。再び蒙古高原はジュチのために空っぽになるわけであった。

成吉思汗はジュチに対していかなる容赦もする気はなかった。ジュチの軍勢を一人残らず殲滅《せんめつ》し、キプチャックの草原を瓦礫《がれき》と石塊の荒蕪地《こうぶち》と化してしまわなければ、到底、自分の気を鎮めることはできなかった。そうしなければ無数の異民族に対しても、自国のモンゴルの将兵に対してもしめしがつかないわけだった。成吉思汗はボルテとは顔を合わせなかった。成吉思汗はツルイと共に己が帳幕を出て、ケレイトの聚落に移った。トウラ河畔の黒い森一帯の地は既に出動する兵馬で埋まっていた。

成吉思汗がケレイトの聚落に帳幕を張ってから二、三日して、第一軍のチャプタイ、エゲディの兵団から急使が派せられて来た。使者はもう一人のキプチャックからの使者を帯同していた。二人共喪に服する者の黒い帯を腰に巻いていた。使者たちは成吉思汗の帳幕の内部へ引き入れられた。

——皇子ジュチは三年来病床にあったが、今年一二二五年八月、病状革《あらたま》り、キプチャック草原、カスピ海北方の聚落に於て薨《こう》ぜり。遺命に依《よ》り、来春二月全将兵遺骨を奉じて帰還の途につく。

キプチャックからの使者はそう報じた。成吉思汗は呆然《ぼうぜん》として使者の顔を見守り続けていた。チャプタイ、エゲデイからの使者は、キプチャックからの使者の口上に偽りがなく、ジュチが長い病床生活の果てに薨じたこと、そして一二二三年の秋の初めにキプチャックの獣たちをシル河畔に追い込んだ時、ジュチは既に病んで狩猟には加わっていなかったが、成吉思汗の案ずることを慮《おもんぱか》って、自分が病床にあることを秘めていたのであるという事実を告げた。

成吉思汗は二人の使者に休息を命ずると、すぐ自分の居室へ閉じ籠《こも》った。成吉思汗は行商人のいい加減な報告を信じた自分の愚かさが堪《た》まらなく腹立たしかった。室に籠ると、すぐ成吉思汗を烈しい慟哭《どうこく》が襲った。忽蘭《クラン》の死にも、ジェベの死にも、自分に悲歎《ひたん》することを禁じることができたが、いまジュチが実際に長く病床にあって、ついにその果てに異域に歿《ぼっ》したということを知ると、成吉思汗はその死に対する悲しみに耐えることができなかった。涙は成吉思汗の、それに対する者をすべて威圧する大きな眼から溢《あふ》れ、茶色の斑点《はんてん》がいっぱいできた土色の頬《ほお》を伝わり、そして顎《あご》を埋めている白い鬚《ひげ》を濡《ぬ》らした。成吉思汗は獣でも唸《うな》るように低い声を途切れ途切れに口から出して室内を歩き廻った。

成吉思汗は途中で慟哭を向うへ押しやると、改めて近侍の者を呼び、何人も部屋に近づくことのないように固く申し渡した。そして若し、この部屋にある自分を眼にする者があれば、たちどころに死罪に処するだろうと言った。近侍の者は恭《うやうや》しく命を奉じて去った。一人になると再び成吉思汗を慟哭が襲った。津波にでも揺られるように、モンゴルの老いた主権者は、自分を襲って来る大きい悲しみに身を任せた。

成吉思汗は今こそ知ったのであった。自分が誰よりもジュチを愛していたことを。自分と同じように掠奪《りゃくだつ》された母の胎内に生を享《う》け、自分と同じように、自分がモンゴルの蒼き狼の裔たることを身を以《もっ》て証明しなければならなかった運命を持った若者を、成吉思汗は他の誰よりも愛していたのであった。

成吉思汗は翌日皇子ジュチの死を公表する詔勅を出した。

――皇子ジュチ、キプチャック草原の一角に薨ぜり。そこはモンゴルの祖、上天の命ありて生まれたる蒼き狼と惨白《なまじろ》き牝鹿《めじか》が、その昔渡り来《きた》れるゴアイマラル・テンギス（美しく大いなる湖）の畔《ほと》りなり。その名をカスピ海と言う。皇子ジュチ性勇敢にして、幾多の戦闘に臨みて、常にモンゴル将兵の範たり。攻略せる城郭九十、城市二百、金国を席捲《せっけん》し、ホラズムを征討、アラル、カスピ、黒海の北方にキプチャック王国を建て、その第一祖となる。ジュチの裔、長くキプチャック王国を統《す》べるべし、従う将兵また草原にあって、一祖の覇業《はぎょう》を守るべし。

キプチャック王国という名称を使ったのは、成吉思汗のせめてものジュチへの恩賞であった。詔勅は耶律楚材《やりつそざい》の起草になるものであった。

それから、成吉思汗はまたボルテに彼女の子息の死を悼《いた》む詔勅を出した。

――皇后ボルテよ、余は汝《なんじ》が産み、汝が育てたる皇子ジュチの死を悼む。汝の悲歎またそのまま余の悲歎たるべし。ジュチはまことにその名の如く客人たりき。ボルジギン氏族が預かりたる上天よりの客人たりき。ジュチは今天に還《かえ》れり。

成吉思汗が悲歎より解放されたのは、何日かの後であった。彼は自分を取り戻《もど》すと、直ちに聚会を招集し、西夏攻略を諸将に謀《はか》り、それを決定した。そして動員してある全兵団に対して西夏侵入の命を降《くだ》し、既に出動してホラズムにあるチャプタイ、エゲデイの兵団には、ホラズムより直接西夏への進攻を命じた。

西夏進攻は突然決定した作戦であったが、これの決定には三つの理由があった。一つは曾《かつ》てモンゴルがホラズムに侵入せんとした時、西夏王がその赴援を断わったことがあったが、それに対する懲罰がこれまで為されていなかったこと、二つはムカリ歿後の金国の征討は、成吉思汗の果さなければならぬ仕事であったが、それには西夏の徹底的な制圧が先決問題であること、そして三つは、成吉思汗がジュチの死から受けた打撃は大作戦の遂行に依ってしか癒《いや》すことができなかったことである。西夏を撃ち、金を撃つその戦塵《せんじん》の中に、成吉思汗は己が残された生涯《しょうがい》を埋めようと思ったのである。ジュモンゴルの蒼き狼の裔たることを、彼は自らまだ立証し終えてはいなかった。ジュチチの如く、ジェベの如く、そしてまた忽蘭の如く、その生涯を、自分もまた戦闘の中に埋めなければならなかった。そうすることに於て、成吉思汗は自らを蒼き狼そのものにしなければならなかった。

モンゴルの全兵団が西夏を撃つべく、トウラ河畔の帳幕を発したのは、一二二五年の歳末であった。ジュチ薨去《こうきょ》の詔勅が出されてから、十日程しか経《た》っていなかった。

モンゴルの将兵たちは、戈壁《ゴビ》の大不毛地の中に於て、一二二六年の正月を迎えた。皇子ジュチの喪中にあったので、新年の賀は取りやめられ、将兵は東天を拝したのみで、その日も亦《また》寒風に砂塵《さじん》が混じって吹きつける中を、終日南へと進んだ。この行軍は、モンゴルの兵団が曾て持たなかった程の難行軍であった。一月の中頃から毎日飛雪に悩まされ、兵も馬も倒れ、凍傷患者が続出した。

モンゴルの兵団が漸《ようや》くにして西夏国の一部へ足を踏み入れたのは二月の中頃であっ

た。成吉思汗はチャプタイ、エゲデイの部隊の来り会するのを待った。そしてその兵団に合わせると、直ちに全国的に西夏入寇《にゆうこう》の作戦を展開した。戦闘は西夏北方の諸地方で一斉《いつせい》に開かれた。春から夏へかけて、黒水城を初めとする北方地区の諸城市は尽《ことごと》くモンゴルの手中に落ちた。

成吉思汗は全兵団を渾垂《こんすい》山脈に収めて、猛暑の時期を過し、秋になると再び作戦を開始して、忽《たちま》ちにして甘州、粛州を攻略、更に進んで涼州を降し、霊州を陥《おとし》いれた。この作戦に於ても、成吉思汗は反抗する諸城市は徹底的にこれを掃蕩《そうとう》した。ためにモンゴルの兵団が通過したあとには、無人の城砦《じようさい》と野を蔽《おお》う死体のみが残された。

翌一二二七年二月、モンゴル兵は首都寧夏《ねいか》に迫った。成吉思汗は兵団の一部を割《さ》いて首都を囲ましめ、自ら他を率いて黄河を渡った。黄河を渡ってからのモンゴル兵団の動きは、さながら魔群の集団のそれに似ていた。積石州、臨洮府《りんとうふ》、洮州《とうしゆう》、河州、西寧《せいねい》、信都府《しんとふ》と到《いた》るところに風の如くに出没して、それら諸城市を攻略し、住民を屠《ほふ》り、城を壊し、城を焼いた。＊

成吉思汗は五月、平涼府《へいりようふ》の西、竜徳に本営を設け、金国の南京《なんけい》の朝廷に使者を派してその臣属を要求した。成吉思汗は既にその首都寧夏以外の西夏全域を征討し尽していたので、いつでも金国へ侵入する態勢を持していた。成吉思汗はこの地にあって、寧夏にある西夏王李晛《リヒエン》からの降伏の使節を得た。李晛は城を開け渡すのに一カ月の猶《ゆう》予《よ》を乞《こ》うたので、成吉思汗はそれを許した。

成吉思汗は寧夏の開城を待って、金国への大々的な侵入を策していた。不幸にしてムカリが完遂できなかった金国征討の仕事を、成吉思汗は亡《な》き僚友に替って果さなければならなかった。

七月、成吉思汗はこの地に於て、金帝からの使者に会い、その貢《みつぎ》物《もの》を得た。その貢物の中で最も目立つ物は夥《おびただ》しい数の珠玉を盛った大盤であった。併し、成吉思汗の望んでいるものは珠玉ではなく、曾て自国の兵たちが馬蹄下《ばていか》に置いた金国の全領土であった。成吉思汗は珠玉を麾下《きか》の武将たちに頒《わか》ち与え、残ったものを地上に擲《なげう》った。この時、どういうものか成吉思汗には地上に擲った珠玉が何千個かに見えた。盤上にある時は数十個しかなかったものが、地上に散らばると、それは殆《ほとん》ど無数といっていいくらいの数になり、本営の中庭は寸土をも余さず珠玉で埋まってしまったように見えた。

成吉思汗は自分の手で自分の眼を覆《おお》い、暫《しばら》くしてまた手を開いた。珠玉は依然として中庭を埋めていた。成吉思汗は近侍の者を呼んで、珠玉が地面を埋めているか否《いな》かを訊《たず》ねた。近侍の者は直《す》ぐ否と答えた。成吉思汗は、自分がひどく疲れていることを感じた。これと同じような現象を成吉思汗は一カ月前に黄河河畔の草原に於て経験していた。この時は珠玉でなくて人骨であった。前年の戦闘で屠った西夏兵の白骨二、三十個が、成吉思汗の眼には一面に草原を埋める無数の人骨に見えた。

成吉思汗はその夜、幕舎にエゲデイとツルイを招き、自分の余命幾許《いくばく》もないことを伝え、若《も》し自分が他界したら、全軍が故国に帰還するまで喪を秘すべきであることを諭《さと》した。そしてその夜から成吉思汗は病床に就いた。

数日後に病は急速に革《あらたま》った。成吉思汗は急にもうろうとした意識の中で、

「ジュチ!」

と、亡き皇子の名を呼んだ。そしてジュチが故人であることに気付くと、

「忽蘭《クラン》!」

と、こんどは亡き愛人忽蘭の名を呼んだ。そして成吉思汗はいまその名を呼んだ愛妃が、これまたヒンズークシュ山脈の高峰の渓谷《けいこく》を埋める氷河の底に箱にはいったままで横たわっていることに気付くと、

「ムカリ!」

と叫んだ。それから続けて、

「ジェベ!」

と呼んだ。成吉思汗がいま会いたいと思う人物はみな故人になっていた。忽蘭以外の故人の墓所は、いずれもそれがいかなるところか成吉思汗は知らなかったので、それを眼に浮かべることはできなかった。そして最後に、

「ツルイ！」

と呼んだ。ツルイは直ぐ返事をした。成吉思汗は初めて故人でない人間の名前に突き当った思いであった。成吉思汗はツルイに言った。

「金国の精兵は潼関《とうかん》に集まっている。潼関は南は連山に拠《よ》り、北は大河を抱いている。にわかに破ることはできない。金国に侵入せんとせば、宜《よろ》しく道を宋《そう》国に取り、河南の南部なる唐州、鄧州《とうしゅう》に兵を進め、一挙に大梁《たいりょう》＊を衝くべし。潼関を去ること千里、潼関よりの赴援あることなし。ツルイよ、汝、その如く為《な》せ」

成吉思汗は金国への侵入路を遺命としてツルイに伝えると、あとは眼を瞑《つむ》った。それから一刻ほどして、こんどは誰《だれ》にともなく言った。

「西夏が若し約束の期限が来ても開城しなければ、総攻撃に移って、西夏王を殺し、寧夏の住民の尽《ことごと》くを滅却すべし」

それから半刻程して、成吉思汗は息を引き取った。

西夏王は成吉思汗との約束を破って、期限が来ても寧夏城を開城しなかった。モンゴルの将兵は大軍を以て城に迫り、城壁の四周から攀《よ》じて、城内に殺到した。李晛《リヒエン》は捉《とら》えられて斬《き》られ、住民の大部分は斬られた。それから一カ月して、モンゴルの全兵団は黄河の河畔に集結し、戦線を棄てて蒙古高原へと向かった。曾て決められてあった通りエゲデイが全軍を指揮した。成吉思汗の死は少数の幹部の武将たちが知るのみで部隊の兵たちには発表されなかった。

モンゴルの兵団は暑熱を冒して西夏の国土を斜めに横切り、戈壁《ゴビ》の大不毛地に出ると、そこを真直ぐに北方に横断し、一路オノン、ケルレン両河の源であるブルカン嶽《だけ》を目指した。この大兵団の行進は静かであった。部隊の中頃に柩《ひつぎ》は据《す》えられ、十数名の兵に依ってそれは担《にな》われていた。柩に何びとかの遺骸《いがい》が納められてあることは、全部の兵に判《わか》っていたが、たれもそれが成吉思汗の遺骸であろうとは思わなかった。

この兵団は行く先き先きで自分たちの行進を見た部落民の尽くを殺した。老幼男女を問わず、この兵団と行き逢《あ》ったものは総《すべ》て斬られた。この噂《うわさ》は次々に弘まり、ためにこの兵団の行進して行く行手には全く人影はなかった。部落を横切っても、部落には一人の人間も居なかった。

成吉思汗の遺骸を奉じた兵団がボルジギン氏族の帳幕にはいったのは九月の終りで

あった。帳幕の入口で、ツルイに依って、初めて全将兵に成吉思汗の死が発表された。その夜、兵団は分散して、付近に宿営したが、馬蹄と兵の靴音《くつおと》以外、人声一つ聞えなかった。成吉思汗の柩はボルテの帳幕内に安置され、重臣たちだけが、夜を徹してその傍《かたわら》に侍《はべ》った。無数の星をちりばめた分厚い絨毯《じゅうたん》のような夜空が架かっている下に、無数の兵たちの幕舎が散らばっている夜で、ボルジギンの帳幕は曾てこのような夥しい人間を収めたこともなく、このように静かな夜を持ったこともなかった。

ボルテの幕舎に安置された成吉思汗の柩は、その翌日はイェスイ、その翌日はイェスゲン、その翌日は金国の公主哈敦《こうしゅカトン》といった具合に、十数人の主だった皇妃たちの幕舎に次々に移され、最後に成吉思汗自身の幕舎へと安置された。

成吉思汗の死が公表されると、蒙古高原のあらゆる聚落《しゅうらく》から人々は集まって来た。二カ月も三カ月もかかってやって来る者もあった。ために成吉思汗の聚落は、長いこと弔問の老若男女で埋まった。半歳後、成吉思汗の遺骸はブルカン嶽の山中の大きな森の一隅《いちぐう》に葬《ほうむ》られた。埋葬の日、強風がブルカン嶽一帯の地を襲い、成吉思汗の墓所を取り巻く森はごうごうたる音を立てて揺れ動いた。ために葬儀は一時中止しなければならぬ程だった。

この成吉思汗を葬った森林は、二、三年のうちに樹木が生い茂り、全くの密林と化し、二、三十年を経たないうちに、成吉思汗がどこに眠っているか、その墓所を見定めることすらできなくなった。成吉思汗は享年《きようねん》六十五、その治世の第二十二年に当っていた。

注解

蒼き狼

（ページ）

五　＊草原地帯や森林地帯　モンゴル民族は草原地帯に生活する「草原の放牧者」と森林地帯を中心に「狩猟する者」との二つに大きく分けられ、それぞれ生活様式も文化水準も異なっている。

＊タタル族　隋唐《ずいとう》時代、現在のチチハルを中心に活躍した室韋《しつい》族の後身で、いわゆる「三《オト》十姓《ウヌ》タタル」の片われであろうといわれている。当時は興安嶺《こうあんれい》の麓《ふもと》から、金国の国境にまで拡《ひろ》がり、六つの部族に分れていた強力な部族集団であった。

七　＊髀石《ひせき》　鹿《しか》の距骨を磨《みが》いてつくった子どもの遊び道具。

九　＊その首領の……つけよ　当時のモンゴルでは新生児生誕のときに遭遇した事件などにちなんで命名される古い習慣があった。

一〇　＊オルクヌウト部族　モンゴルでは血縁を異にする他の氏族の女と結婚することになっており、モンゴル部族と通婚できる格式をもつ部族のうちの一つであった。

＊メルキト部族　バイカル湖の南の低地に住む半猟半牧の部族で、当時モンゴル、ケレイトを潰滅《かいめつ》させたことがあるほど強力な北方の部族であった。

＊エスガイ・バガトル　戦功をたてた騎士には、バガトルという栄誉ある称号があたえら

れた。のちには「武人」の称号として、中央アジアからイラン、インド、エジプト、ロシアにいたるまで好んで用いられ流行するに至った。

二一

＊匈奴《きょうど》　紀元前四世紀末以降、五百年のあいだにわたって蒙古《もうこ》地方に繁栄した遊牧騎馬民族で、しばしば中国をおびやかし、時には首都にまで侵攻したほどであった。万里の長城はおもにこれを防ぐために築かれたものであり、紀元四八年後漢による中国統一の年、内紛により匈奴は南北に分裂した。この機に四囲の強敵に攻撃されて二世紀半ばごろ北匈奴は西にうつり、中国史上から姿を消した。著者の短篇「宦者中行説《かんじゃちゅうこうせつ》」は、この匈奴に悩まされた中国の姿を如実《にょじつ》に描いている。

＊柔然《じゅうぜん》　匈奴についで四世紀半ばから六世紀半ばまで蒙古を支配した遊牧民族で、五五二年北魏《ほくぎ》の治下にあった突厥《とっけつ》が、アルタイ山麓《さんろく》に独立したが、北魏に攻撃されて敗退した。のち北斉に反抗したが討伐され五五四年に完全に滅びた。主食は酪、肉、穀食であったと推定され、宗教はシャーマニズムが中心で仏教も行われ、中国との交渉がすすむにつれてその官制も採用されていた。

＊突厥《とっけつ》　柔然についで六世紀の中ごろから約二世紀のあいだ蒙古高原、アルタイ地方を中心にカスピ海、チベット、北極洋にまでひろがった遊牧民族である。はじめ柔然に従っていたが、独立して強大になりトルキスタンまで支配下におさめた。八世紀半ばに内紛がおこり、七四四年回鶻《ウィグル》により滅ぼされた。

＊回鶻《ウィグル》　トルコ系の民族で隋《ずい》代から、その動きが著しくなり、突厥に反乱してのち唐に帰

服した。唐との交易、東西通商により莫大《ばくだい》な利益をおさめ、宗教はマニ教で、仏教も景教もおこなわれていた。のちにカラ・キタイに服したが十三世紀にモンゴルがおこると進んでこれに帰服し、半独立的な位置を保ってウイグル人は重用されていた。チャプタイ・カン国の成立により政権は消滅した。

＊韃靼《だったん》　八世紀から十三世紀初めまで、蒙古にいたモンゴル系の一部族である。ウイグル人を攻略していたキルギス族を、韃靼が圧迫してはじめて蒙古人による蒙古の支配を手にすることができた。成吉思汗のころには、韃靼は諸部族を配下に収めて蒙古高原の統一に成功していた。

一六　＊三日行程　一日行程は約三十里ほどとされており、三日行程でおよそ百里（四百キロ）ぐらい先のところといわれている。

一八　＊——上天より……バタチカンありき　このモンゴル族の祖先伝承ならびに発祥伝説は「元朝秘史」の冒頭をかざる文章で、著者は以下この書からの引用文はすべて那珂《なか》通世《みちよ》訳の「成吉思汗実録」をもとにしている。なおこの部分の文中にあるブルカン嶽《だけ》は、正確な地点は不明であるが、モンゴル族にとっては民族発祥の聖地である。「ブルカン」とは「仏陀《ぶつだ》」のモンゴル語化した形で「仏」とか「神」の意で、この嶽の原語のカルドンは一般に「孤峰」の意であるといわれている。

二五　＊金　女真族を中心にして北満洲のハルビン東南に、苛酷《かこく》をきわめた遼《りょう》の圧迫を受けて一一一五年に建国されたのが、金国である。以後、南下をつづけ、成吉思汗の生れた頃《ころ》には中国を南北に両分して、南宋《なんそう》と対立するほどになっていた。女真人はモンゴル人に対しては、三年に一度、人調べをしてはこれを見つけ次第「モンゴル人狩り」と呼ぶ虐殺《ぎゃくさつ》を行なっていた。

＊西夏　一〇〇〇年ごろ河西地方は吐蕃《とばん》族の支配する涼州、ウイグル族の領有する甘州、漢族に属する沙州とに分れていたが、一〇二八年李《り》元昊《げんこう》は甘州涼州を攻略し、一〇三八年皇帝を称し国号を大夏とさだめた。宋の西北に位するため宋では西夏とよんだ。この両者はだらだらと慢性的な交戦状態にあったため、宋は北辺に常置する大軍の莫大な経費に悩んでいた。遼《りょう》と金との抗争には、西夏は遼をたすけていたが、のちには金と結んで宋を攻めて版図を拡大した。一二二五年、金と共同してモンゴルに当ろうとしたのを知った成吉思汗は西夏を攻撃し、その首都を陥《おと》し、西夏王を殺して、一二二七年西夏を滅した。地理的には東西交易の要地にあった西夏は、西方と宋、遼、金との中間にあって利を占めていた。仏教文化を基調とした独自の文化が発達し、西夏文字の制定、これを使っての仏典の翻訳、仏教文化の振興など、めざましいものがあった。

三一

＊〝黒い韃靼《だったん》〟……〝白い韃靼〟　モンゴル帝国には、それ以前の蒙古高原を支配していたタタル人が多分に入りまじっていたため、宋代の中国の歴史家は、外蒙古のモンゴル部族を「黒い韃靼」、内蒙古のオングート部族（トルコ系）を「白い韃靼」といった。モンゴルに使いした南宋の使節に『黒韃備録』『黒韃事略』の著があり、後者は成吉思汗の戯曲を書いた幸田《こうだ》露《ろ》伴《はん》が、その重要さに眼をつけて刊行したことがある。

三三　＊旅行者の礼として……酒宴につらなり　モンゴルでは「食事をしている者のそばを馬で
通る者は、馬からおりて、食事をしている者の許可をえなくとも、いっしょに食事しなければならないし、食事をしている者もこれを拒んではならない」風習があり、「法令」にもなっていた。

三六　＊自分たちだけで……祀《まつ》る儀式　モンゴル人の風習では、氏族の祭祀《さいし》に参加させないことは、その社会から放逐することを意味した。

四一　＊禿黒　トク、「禿黒」また「纛」と書きあらわされ、軍団の総指揮者がもつ旗指物で、牛や馬の尾の毛で旗竿《はたざお》のさきを飾りつけた大旆《たいはい》。トクの数は王者の権力の象徴であり、絶大な権力をもつ者を「九つのトクをもつカン」などと呼んでいる。軍の守護神スルデの霊がこれに宿っていると信じられていた。

四九　＊合卜闌　カブランはチュルク語でいう「大きい豹《ひょう》」を指すものであろうとされている。これに対して次の「捕えためらわざる虎《バルス》」の虎は「小さい体軀《たいく》の豹《バールス》」であろうといわれている。

五〇　＊出喇合《チュラカ》　猛魚の一種といわれている。

＊海清《かいせい》　鷹《たか》、隼《はやぶさ》の一種。

＊巴嚕思《バルウス》　猛獣の名。あるいは思は黒の誤りで、巴嚕黒と読み、「伝説上の長毛の犬の名」であるバルク犬であろうともいわれる。

五三　＊自分の出生の秘密　モンゴルでは血縁関係の純潔をたもつ努力がなされ、素性にうたがいをもたれた者は、自分の属している氏族から除かれて、別の氏族をつくらなければならなかった。

六三　＊あらゆることに対する権利　寡婦《かふ》は息子が成長して結婚するまでは、家族の財産、夫の所領地、夫の率いていた軍隊を管理した。

七七　＊馬の悉《ことごと》くが何者かに盗み去られていることを知った　馬飼いは草原の貴族階級、羊飼いは平民階級に、当時のモンゴル人のあいだでは分れていた。貴族のあいだでも馬を掠奪《りゃくだつ》しあっていた。馬は財産、権威のシンボルであった。

九四　＊貂鼠《ちょうそ》の裘《かわごろも》「森林の民」の産する貴重な毛皮で、マルコ・ポーロによれば「毛皮は一人分の衣装としてひどく高価であり、タタル人は毛皮の王者」と呼んでいたという。

＊安達《アンダ》　父系血縁を異にする氏族の領袖《りょうしゅう》のあいだで、義兄弟の誓いをして政治的同盟を結ぶことをいい、おのおのの貴重品を交換しあった。

九八　＊鞍《くら》を置かせたり、幕舎の門を開けさせたり　隷属《れいぞく》する部族の長が、その領主たる部族の長に自己の子弟を奉公にさし出す際の誓いの言葉。

一〇五　＊帯を首にかけ、帽を手に持ち　モンゴル人は帽子や帯には個人の自由意志が宿ると考えており、帯をとき、帽子をぬぐことは相手に服従することを意味した。

一一一　＊ゴルゴナク河原　正確な位置は不明であるが、オノン河の中流あたりと推定され、モンゴル族の聖地の一つとして多くの妖精《ようせい》が宿るところとされている。

一四二　＊十三部三万　駐営するとき、部族は輪に似た形で陣を張ったが、この十三部の内訳は、二つはテムジン、クトラ・カンの子孫が二つ、カブル・カンの直系の氏族が三つ、他にキヤト氏族が中心をなす三つが主体をなしていて、キヤト氏族やクトラ・カンの子孫の勢力が、優にテムジンと拮抗《きっこう》しうる実力を備えており、テムジンの勢力は、内部的にはまだまだ不安と動揺に包まれていたことを示している。

一五一　＊その年……タタル部に攻め込んでいる　一五四ページに出てくるタタル部族のメクジン・セルウトが、金国の第六代の皇帝章宗《しょうそう》に反乱したことを指す。章宗は丞相《じょうしょう》の完顔襄《ワンヤンじょう》を派するとともに、近隣の同盟諸遊牧部族にタタル追討の命令を発した。テムジンはこの機会を利用したのである。

一五七　＊ケレイト　当時のケレイト族はキリスト教徒が多く、十一世紀のはじめ、ネストリウス派の僧侶《そうりょ》によって改宗させられていた。オロン・スムには景教の碑文がのこっている。

＊オンギラトも亦《また》……ジャムカに属していた　一二〇一年、アムール河上流のアルグン河畔で、十一部族の長たちは、ジャムカを「グル・カン」に推戴《すいたい》し、トオリル・カンとテムジンの連合軍の討伐を決議した。

一五九　＊老いたる父よ　テムジンは父エスガイとトオリル・カンが安達の盟約を結んでいたので、トオリル・カンに父として仕え、こう呼んだのである。

一六六　＊ナイマン部族　イルティシ上流域とアルタイ山脈にまたがる地方に住むきわめて高い文化をもつトルコ系の民族である。東トルキスタンの東北部に住むウイグル人の文化に影響されて、早くからキリスト教を知っていた。イスラムの商人が西方の文物文化をモンゴルへもたらす通路でもあった。

一七二　*クビライ　世に名高い世祖のクビライ・カンとは別人。テムジンの旗あげに馳《は》せ参じ、麾下《きか》の勇士とうたわれた四駿四狗のうち、ジェベ、ジェルメ、スブタイと共に四狗の一人。

一八九　*記録することのできる文字　この戦いで、のちにタヤン・カンの宰相となったウイグル族出のタタ・トンガを捕虜にした。テムジンは、部下にウイグル民族の言語、文学、法制、慣習を彼から学ばせようとした。

二〇九　*血を流すことなく殺せ　古代モンゴルの信仰にしたがって、高貴な人には血を流さずに死罪を行う習慣があった。

二一一　*九つの白い尾をつけた大旗　モンゴル人にとって、「九」は神聖な数であり、「白」は吉をあらわし、この旗には彼らの守護神スルデの霊がこもっているものとされていた。

二三一　*シャーマン教の僧テップ・テングリ　シャーマン教は巫術《ふじゅつ》による未開宗教の一つで、北アジア、ウラル、アルタイ一帯に拡《ひろ》がっており、この成吉思汗がテップ・テングリを殺した事件は、単に個人的なものでなく、教権を政権の下にひきずりおろした画期的な事件なのである。

二五五　*駅站《えきたん》　防衛上軍事上の伝達を確実迅速に行なうため成吉思汗によって創設された宿場兼関所で、この制度を站赤《ジャムチ》といい、チャオ（紙幣制度）とともに、元の国制として中国史上、最もきわだったものである。都（北京）を中心として元の全版図に放射線状の並木のある駅伝路が通じ、約十里毎《ごと》に駅站が設けられていた。一二三五年にはカラコルムから中国の境までのあいだに三五一の駅站が設けられていた。

二八三　＊耶律留哥《やりつりゅうか》　モンゴルから攻撃を受けた金朝は、満洲在住の契丹《きったん》人がこれに内応するのではないかと恐れ、契丹人の行動を極度に束縛した。契丹人である耶律留哥はこれに不安をいだき、満洲に攻めこもうとするモンゴル軍に従い、連合して金朝を討ち、一二一三年みずから立って王となり国を遼《りょう》と号したが、その翌々年、兵乱が起って、耶律留哥は追われるにいたった。

三〇八　＊耶律楚材《やりつそざい》（1190—1244）遼の東丹王の八世の孫にあたる契丹人の出身で、父は金朝に仕えた官吏である。幼より中国の学問と教養を身につけ金朝の吏となった。成吉思汗の歿《ぼっ》後《ご》はエゲデイを即位させるについて功があった。楚材は漢人的教養をもととし、その出生民族である契丹族と彼の仕えた女真族と蒙古族の三種類の異民族のまじりあった精神によって行動したといえよう。のち仏門にはいり、湛然居士従源《たんねんこじじゅうげん》の法号を得た。成吉思汗に伴っていった先々でなした詩文などを収める『湛然居士集』一巻は有名である。

三一一　＊カラ・キタイ　一一二四年から約九十年間つづいた国家。遼の太祖八世の孫、耶律大石《やりつたいせき》が西方に建国したので、中国では、西遼、イスラム教徒はカラ・キタイ（黒い契丹）と呼んだ。西遼みずからの記録は何一つ残っておらず、史実は不明である。

三一二　＊ホラズム　コラズムとも。アム河下流域の肥沃《ひよく》なデルタ地帯にあった。北方の遊牧民族とヨーロッパ、東西アジア、インド、イランなどとの文化交易の交流の拠点をなしていたが、狭小な地域がつねに外部からの政治的圧迫のもとをなしていた。この国際商業の通路の独占をめぐって、成吉思汗政権と衝突したといえる。十二世紀初めごろは学術の中心地であった。

三三八　＊ブハラ城　玄奘三蔵《げんじよう》の『大唐西域記』にも記されている古い都市で七世紀にアラブ軍によって占領され、一一四一年になるとカラ・キタイに侵されてその宗主権を認めた。一二二〇年モンゴル軍に破壊されたときも直ちに復興され、ロシアと通商関係が開かれるとブハラ出身の商人が大活躍をしたので、中央アジアから来る商人をロシアではみなブハラ人と呼んだほどである。学問の中心地であった。ブハラの大回教寺院で経典の箱を馬槽《ばそう》とし、高僧、法官を奴隷《どれい》にして悪行のかぎりを尽したモンゴルの兵士たちの行動を、今日にいたるもイスラム教徒は非難している。

三四七　＊サマルカンド　「肥沃《ひよく》の都」というトルコ語の示すとおり、富裕な美しい城邑《じようゆう》都市であった。ゼラフシャン河のいくつもの支流にかこまれていたので、西遼では「河中府」とよんだ。八世紀の半ばからは紙の製造地としても有名であり、以来いまに至るも中央アジアの大都市として、繁栄している。成吉思汗はこの城邑を全壊し、守備兵のうちとくにトルコ人は全部を殺し、ために人口は四分の一にまで減少したという。

三五〇　＊康里人《カンクリ》　十二、三世紀にシル河方面に遊牧していたトルコ系の部族で、西突厥《とつけつ》の一つである弓月《きゆうげつ》部族の後身であろうとされている。

三五二　＊ニシャプール　西アジアのイラン北東部のホラサン地方にあった町で、当時はホラズムの支配下にあった。トルコ玉の名産地である。

＊ウロゲンチ　またはウルゲンチといい、ホラズム王国の最後の王スルターン・ムハメットの首都。成吉思汗は中央アジア遠征のうちでこの都を最大の攻撃目標とした。

三五六　＊バミアン『大唐西域記』にこの地域のことは記されており、アフガニスタンのカブールから北ヒンズークシュを越えて古いバクトリアの地に至る道すじにある峡谷《きょうこく》である。仏教がさかんであったため、峡谷の北面には巨大な仏像が断崖《だんがい》にきざまれ、崖寺が無数にひらけ、この反対の南側にはのちにイスラム教徒による都城ができた。成吉思汗の侵略は、この都市を完全に破壊しつくし、廃墟《はいきょ》と化せしめた。

三五八　＊長春真人《ちょうしゅんしんじん》　宋《そう》代末から華北でもっとも尊敬されていた道士で、崑崙山《こんろんさん》で道教をおさめ、旧道教を改革して全真教をたてた。金からも宋からもモンゴルからも招かれたが、将来性をみこんで成吉思汗のもとに赴いた。彼の政治的な帰趨《きすう》は、道教には税を課せられないこととなって現われた。同行した李志常の筆録になる『長春真人西遊記』は当時の中央アジアの情勢を知るうえで貴重である。

三六〇　＊輪台《ルンタイ》　天山山脈の南麓《なんろく》のクルラとクチャの中間にあった交通の要地を占める、いわゆる天山南路のオアシス国家として栄えていた。漢代から唐代まで中国の支配下にあったが、ナイマン、西遼などの近隣の諸族に支配されていた期間の方が長かった。

三九八　＊肉と脂《あぶら》を摑《つか》んで、少年たちの……中指を摩《ま》した　モンゴルにはバタやミルクをものに塗って幸運を招く風習があって、たとえば、子供が生れたときはその口や額に塗り、婚礼のときには花嫁の持参してきた道具などに塗って、幸運の神を招き寄せた。ラシードが伝えたこの挿話《そうわ》は、その一種であり、百五ページ十一行目の「朝ごとにブルカンを祭れ」というのも、この習慣を指すものである。

四一三　＊住民を屠《ほふ》り、……城を焼いた　この野蛮な行為をやめるよう、耶律楚材は進言し、酒、塩、酢、鉄などその土地の産物に課税し、住民を有効に用いることを献策したが、この課税法が実際に効力をみたのは、次代のエゲデイ・カンの治世であった。

四一六　＊大梁《たいりょう》　汴京《べんけい》（開封）のこと。かつて魏《ぎ》（梁《りょう》）の都で大梁と称された。後になって、成吉思汗の進攻により金国が都を中都（北京）からここへ移し、南京と称した。揚子江下流の大都市南京は別。

郡司勝義

『蒼《あお》き狼《おおかみ》』の周囲

井上靖

『成吉思汗《チンギスカン》は源義経也《みなもとのよしつねなり》』という大変長たらしい題の書物が出版され、たちまちにして出版した月に十一版を重ね、ベストセラーになったのは大正十三年のことである。著者は小谷部全一郎という人である。翌年の春に、当時国史講習会で出していた「中央史壇」に、そのベストセラーに対する反論が十何人かの学者たちによって執筆された。金田一京助、大森金五郎、藤沢衛彦、三宅雪嶺《みやけせつれい》、鳥居龍蔵といった名が見えている。そしてその「中央史壇」は臨時増刊号で、表紙に「成吉思汗は義経にあらず」という文字が刷り込まれてあるところから推すと、『成吉思汗は源義経也』に対する反撃特集号であったのである。

もちろん、この頃《ころ》私は中学生で、このベストセラーも、学者の反撃も知らなかったが、金沢の高等学校時代、盛んに成吉思汗は源義経だと主張する友人があったので、この頃まだ『成吉思汗は源義経也』は、かつてベストセラーたりし貫禄《かんろく》をなお持ちこたえて、一部の青年たちに読まれていたのであろう。

私がその書物を手に入れたのは大学の時である。どんなことが書かれてあるかと思って読んでみたが、その本そのものについては私はさして面白《おもしろ》く思わなかった。しかし、私が成吉思汗という蒙古《もうこ》の英雄について、中学校で教わった以外のことを知り、その人物に関心を持ったのはこの書物と、後に手に入れた「中央史壇」によってであった。

那珂《なか》通世《みちよ》博士の名著として知られている『成吉思汗実録』を、大阪の書店で購入したのは、戦争の末期である。この書物は藍色《あいいろ》の表紙のきれいな書物であったが、終戦直後に他の書物といっしょに古本屋に手離してしまった。

そして同じ書物を神田の古本屋で見付けて、それを購入したのは二十五、六年のことである。こんどのは表紙の藍色がすっかり褪《あ》せてしまい、表紙の字は一字も読みとれないほどひどく傷《いた》んでいた。この書物は昭和十八年の筑摩書房刊、普通ならそれほど傷もうとは思われない。戦災にでもあって、危く焼け残ったものとでも思うしかない。

この『成吉思汗実録』は『元《げん》朝秘史』という原名どおり元朝に秘蔵された史料で、もとは蒙古語を回鶻《ウイグル》文字で書いたものであったが、明《みん》初に漢字に書き改められ、その際漢字を音標文字として蒙古語を音のまま記し、さらに各語の漢字に傍訓《ぼうくん》を施し、それに本文の大意を漢文で要約して付加するという今日の形を取ったものであった。

この書物はいわば蒙古民族の古事記とでも言うべきもので、史家も伝記作者も、成吉思汗のことを論じたり、その行実を云々《うんぬん》する場合は、どうしても無視することはできないものである。殊《こと》に成吉思汗の幼少時代、壮年時代のこととなると、これによる以外いかなる書物もない。

二度目に手に入れた時、私は初めてこれを読んで、蒙古民族生々発展の叙事詩風の記述と、その高い調子にすっかり魅了されてしまった。そしてその時、成吉思汗を書くというより、蒙古民族が大河の流れのように、次第に大きく強盛なものにふくれ上がって行く興隆のすがたを書くことができたら、さぞ面白いだろうと思った。更にその作品の題は「蒼き狼」でなければならないと思った。『元朝秘史』の冒頭には、蒙古民族の祖が上天の命によって、西方の大きく美しい湖を渡って来た蒼い狼となま白い雌鹿《めじか》の交配によって生まれたと記されてあったからである。私は薄い大学ノートの表紙に「蒼き狼」と書いたのを一冊作った。従って、「蒼き狼」という題は大分前にでき上がっていたわけである。

爾来《じらい》私の書棚《しょだな》には少しずつ蒙古関係の冊子や書物が集められて行った。蒙古研究所研究部編の『蒙古学報』とか、東洋協会調査部の『学術報告』、東亜経済調査局の『蒙古慣習法の研究』とか、そういった大東亜共栄圏華やかなりし頃の書物が眼につくたびに集められて行った。あとで考えてみると、あまり創作には役に立たないものが多かった。

しかし、成吉思汗のことを書く上に、どうしても眼を通さなければならぬ書物があるのを知って、それを集め出したのは、本腰に成吉思汗を書こうと決心してからである。ドーソンの『蒙古史』、ウラジミルツォフの『蒙古社会制度史』、オウエン・ラティモアの『農業支那と遊牧民族』、ボターニンの『西北蒙古の童話と伝説』等、「文藝春秋」に『蒼き狼』を書き出す一年ほど前である。

私は初め蒙古民族の興隆の相を書きたい気持に支配されていたが、それを成吉思汗という一人の人物にしぼってしまったのは、蒙古民族の興隆が全く成吉思汗という一人の英雄にその総《すべ》てを負うていることが判《わか》ったからである。成吉思汗が出現しなかったら、亜細亜《アジア》の歴史は全く違ったものになっていた筈《はず》である。ナポレオンでさえ「余の人生は成吉思汗ほど充分偉大であったとは言えない」と言っている。蒙古高原に散在して、部落間の小闘争に明け暮れていた貧しい遊牧民族を、蒼き狼の裔《すえ》たらしめたのは成吉思汗であり、成吉思汗の出現に依《よ》って初めて、蒙古民族は全く別の優秀な民族に生れ替ったのであった。

私は成吉思汗を書くにしても、一代のうちに欧亜にまたがる大国を建設した英雄の英雄物語を書く気はなかった。また古今未曾有《みぞう》の残虐な侵略者としての成吉思汗の遠征史を書く気もなかった。成吉思汗の一代を書くとなると、すべてそうしたことにも触れなければならないが、しかし、私が成吉思汗について一番書きたいと思ったことは、成吉思汗のあの底知れぬ程大きい征服欲が一体どこから来たかという秘密である。時代が全く違うので、ヒットラーが世界制覇《せいは》の野望を持っていたというような場合とは、事情は全く違うのである。蒙古高原を取り巻く四囲の国々さえも、成吉思汗にとってはその大きさも、地形も、民族の性情も全く判らない国々であった。ましてその向うにある国々に到っては、闇《やみ》を手でさぐるようなものである。

そうした状況にあって、大国金を制圧しただけで収まらず、西夏、回鶻《ウイグル》と兵を進め、ついに回教国圏内にはいり、カスピ海沿岸から、ロシアにまで軍を派したのである。それも全く彼一人の意志から出ていることである。一人の人間が性格として持って生れて来た支配欲といったようなものでは片づきそうもない問題である。こうしたことは、勿論、私にも判らない。判らないから、その判らないところを書いて行くことで埋められるかも知れないと思ったのである。

歴史上の人物で書きたい欲望を起こさせるものは、私の場合は大抵その人物の持っている理解しがたいところである。全面的に何から何まで理解しがたい場合は、もちろんその人物とは無縁であって、初めから書いてみたいというような気持は起らないが、その反対に何もかもよく判《わか》っている人物の場合もまたそれを書こうという気持にはならないものである。成吉思汗の一生を書いてみようかという気持になったのは、その人物が一応理解できながら、一点判らない納得の行かぬところがあったからである。それは彼の征服慾の根源であり、その秘密であった。

成吉思汗の伝記、あるいは創作で、一応眼を通したものは、幸田露伴《こうだろはん》の戯曲、尾崎士郎『成吉思汗』、ラルフ・フォックス『成吉思汗』、柳田泉『壮年のテムジン』、ブラブディン『成吉思汗』、ハロルド・ラム『ジンギスカン』、ブリオン『汗《カン》の話』。

これらの書物でも、壮年時代までの成吉思汗は、いずれも『元朝秘史』の成吉思汗に拠《よ》っている。私もまたこれに拠る以外仕方がなかった。しかし、はっきり言うと、この時期の成吉思汗はどのように書いても、『元朝秘史』に及ばない。『元朝秘史』

がある以上、これに加えて書くべき何ものもないといった感じである。しかし、伝記を書く以上、この期の成吉思汗を書かないわけには行かない。

恐らく多くの成吉思汗伝の作者が感じたであろうように、私もまたこの期の成吉思汗を、絶えず『元朝秘史』に圧《お》されながら小説化した。

『元朝秘史』と並んで蒙古文学の双璧《そうへき》と称せられているものに『蒙古源流』という古書がある。これは蒙古の古代説話が多く保存されている書物で、成吉思汗の裔であって、史家であり、宗教家であり、武人であり、モンゴルの一聚落《しゅうらく》の王であるサナング・チェチエンの書いたものである。モンゴル肇国《ちょうこく》の当初から十七世紀中葉までの民族の歴史を、美しい想像で綴《つづ》ったもので、原著名は『汗らの根源の実の史綱』、乾隆《けんりゅう》帝の命で、漢訳されて『蒙古源流』となったものである。

それからもう一つ『アルタン・トプチ（蒙古年代記）』というのがある。やはり蒙古の古い伝承や説話や信仰物語が保存されているという意味で、『元朝秘史』『蒙古源流』と共に並び称せられるものである。

『蒙古源流』は江実《ごうみのる》氏の訳があり、『アルタン・トプチ』は小林高四郎氏の訳がある。両方とも、史実は混乱しており、『元朝秘史』の記述と重なったり、倒錯したりしているところが多いが、ただ蒙古民族の持っていたもので、現代人が絶えずそれに触れていない限り、すぐ離れて行ってしまいそうなもやもやしたものが、この二つの書物にはいっぱい詰まっている。そうした意味で、私は『元朝秘史』と共に、この二つを座右に置いた。

成吉思汗が蒙古高原の諸聚落を統一し、その主権者となり、金国を席捲《せっけん》するまではいいが、そのあと中央亜細亜への侵略となると、西方被侵略国側の記録以外に、モンゴル侵略軍に関する記述はない。私はそうした記述をもとにして書いた名著として有名なドーソンの『蒙古史』やウラジミルツォフの『蒙古社会制度史』、それから私の『蒼き狼』の終りの方になって眼を通すことのできた同じ著者の『成吉思汗伝』などに依って、モンゴル軍の動静を知り、そこから成吉思汗その人の行動を推定して行く以外仕方なかった。

ただ成吉思汗の中央亜細亜の滞留中の動静を知るものとして、『長春真人《ちょうしゅんしんじん》西遊記』と、耶律楚材《やりつそざい》の『湛然居士集《たんねんこじ》』があることは、大変ありがたい。長春真人は成吉思汗に招かれて、長命の法を説くために、彼をヒンズークシュ山中の張幕まで訪ねて行った人物であり、耶律楚材は、成吉思汗のブレイントラストとして、常に彼の傍にあった人物で、成吉思汗の歿後《ぼつご》、その子エゲデイ汗《カン》に仕えて元朝の政治、経済、文化顧問として大を為《な》した人物である。

元史の記述以外では、この二つの書物が、成吉思汗の伝記作者にはありがたい中国側の資料である。ことに当時の高名な道士長春真人と大殺戮者《さつりくしゃ》成吉思汗の出合いは、事実としても興味深いものがあるが、『長春真人西遊記』にそのやり取りが記録されていることは、成吉思汗という人物を知る上に貴重な資料と言うべきである。

『蒼き狼』を書いて行って、一番困ったことは蒙古高原の地名である。『元朝秘史』には山の名や川の名はふんだんに出て来るが、それがどの辺であるか全く想像できない。もちろん、現在の名前とは違っているので、調べたくても調べようがなかった。成吉思汗が出生したところで、幼少時代から青年時代まで長く帳幕を張ったところはブルカン嶽《だけ》の麓《ふもと》であるが、そのブルカン嶽なる山も、それがどの山であるか、今日正確には判っていないし、成吉思汗の墓所もまた同様である。

そのくらいであるから、山や川に到《いた》っては、見当さえつかない。しかし、たまたま神田の一誠堂からフランスの宣教師たちが十人ほどで綴《つづ》った「中国の紹介」という題名を持つ四巻の古書を届けてくれた。十八世紀の初めにパリで出版された書物である。その中の〝タタル部〟にふんだんに当時の木版地図が収められてあり、小さい川の支流から、沙漠《さばく》の中の丘に到るまで、丹念に名前が書き込まれてあった。試みに『元朝秘史』の地名や山や川の名前を探してみると、その大部分をその二十枚ほどの古地図の中に発見することができた。

成吉思汗は西夏と金の国境で歿した。遺言は、金国への侵入路を指示し、そこから金へ侵入せよということと、ある期間喪を秘めよということであった。武田信玄の遺言は、明日は旗を瀬田へ立てよということと、三年間喪を秘めよということであった。英雄としても、武人としても、その規模は違うが、その遺言は武田信玄も成吉思汗も似ている。一人は上洛《じょうらく》の途上殪《たお》れ、一人は大国金の平定を目の前にしてみまかっている。

ただ日本の武将とモンゴルの大侵略者と異なるところは、信玄の歿後わずかにして武田家は亡《ほろ》びたが、成吉思汗の場合は、優秀な子供や孫たちが成吉思汗の遺志を継いで、成吉思汗の野望を、百パーセント生かし、欧亜の歴史の何ページかを書き綴ったことである。

（昭和三十五年記）

解説

亀井勝一郎

『天平《てんぴょう》の甍《いらか》』『楼蘭《ろうらん》』『敦煌《とんこう》』『蒼《あお》き狼《おおかみ》』と、井上氏の歴史小説の中でも長編であり、また代表作とみなされているものが、すべて古い中国史に取材していることを私は興味ふかく思っている。その動機について、作者自身の直接的な言葉を私は知らないが、読者のひとりとして言うならば、日本人の心の底に長いあいだ持続してきた大陸への夢の表現ではなかろうか。「東洋的ロマンチシズム」と言っていいかもしれない。

文学だけでなく、造型芸術とか書とかあらゆる面で、日本と中国との交流の歴史は深い。その歴史は日本人の芸術上の夢を育ててきたわけで、周知のとおり自国の文化のなかに吸収してしまったものも多い。こうした背景のもとに、私は井上氏のこれらの歴史小説を考えたいのである。我々の想像を絶した広大な地域、兇暴《きょうぼう》な大自然、めずらしい風習など、すべてが強烈な色彩感をもって迫ってくる。そこには異国趣味もあるかもしれないが、我々の国土と歴史からは得られない、何か息吹《いぶ》きの深く壮大なもの、或《ある》いは思いきった行動の世界や荒唐無稽《こうとうむけい》なものの充満しているような大陸が、我々の夢をそそるのである。

資料的に正確でなければならないのは当然だ。『蒼き狼』を一読すればわかるように、井上氏は克明に資料を漁《あさ》っている。しかし、同時に大切なのは復原力である。資料を通して、それらが嘗《かつ》てどのように存在したか、そのあるがままのすがたを復原するためには、厳密な調査とともに、詩人としての豊かな想像力が必要だ。併せて追体《つい》験ということも考えなければならない。日本人ではない異国の、それも古代の人々の生と死に直面して、自分がもし当事者であり、或いはその場に居あわせたならば、どうするであろうか、そういう意味での追体験が必要である。つまり資料の正確さと、復原力と、追体験と、これが歴史の表現を支える三要素と言ってよい。同時に、ほしいままな空想を警戒する必要もあるのだ。

『蒼き狼』はアジアの生んだ一代の英雄、鉄木真《テムジン》―成吉思汗（チンギスカン―モンゴルの主権者としての名称）の生涯《しょうがい》を描いたものである。彼は一一六二年、エスガイとよばれる父、ホエルンとよばれる母のあいだに生れた。遊牧民モンゴルの一部族の長として、他民族との激しい闘争をくりかえし、やがて全蒙古《もうこ》を統一してから、金国やさらに欧州にまで及ぶ大遠征をこころみる、六十五歳で歿《ぼっ》するまでの全過程が、克明に描かれている。さきに述べた三要素を緊密に組みあわせ、何よりもその構成の堅固なことが、壮大な叙事詩としてこの作品を成功させた原因であろう。

敢《あ》えて名づけるなら、『蒼き狼』は英雄流離譚《りゅうりたん》と呼んでいい作品である。おそらく世界中どこへ行っても、この種の流離譚は最も人気があるのではなかろうか。同時に作者の心をこめて描いているのは、成吉思汗の生成の秘密である。彼をしてこういう運命に赴かしめた根本のものは何か。言わばモンゴル族の夢のみなもとを、彼の生のみなもとに結合させせつつ、苦難にみちた生涯を辿《たど》らせているわけで、ここには外的事実だけでなく、成吉思汗の内心の苦悩をもつきとめようとする努力がある。

「上天より命《みこと》ありて生まれたる蒼き狼ありき。その妻なる惨白《なまじろ》き牝鹿《めじか》ありき。大いなる湖を渡りて来ぬ。オノン河の源なるブルカン嶽《だけ》に営盤《いえい》して生まれたるバタチカンありき」

これはモンゴル族の源流に関する伝承であり、祈禱《きとう》のような形で唱和される文句だが、『蒼き狼』という題名はこれに拠《よ》ったものであろう。狼の裔《すえ》として、自分こそ「狼になる」——これがモンゴルの男性の情熱の根源であった。そのためにはあらゆる逆境に耐えなければならない。成吉思汗の出発点とは、父の死とともに同族に見棄《みす》てられ、唯《ただ》ひとり一家とともに残されたその時期であった。井上氏がここに描いたのは、逆境によって鍛えられてゆく強烈な意志のすがたである。

同時に主人公の心の陰翳《いんえい》ともなっているのは出生の秘密である。なぜなら他民族との争闘のくりかえしのうちに、女の掠奪《りゃくだつ》は普通のことであり、誰《だれ》が父であるかはっきりわかっていない場合が多かったからである。母のホエルンもエスガイによって掠奪された女であった。成吉思汗の血のなかには、別の系統のものが流れていたかもしれない。その疑いと悩みは彼の生涯に及んでいる。また彼自身の妻ボルテも戦闘中に奪われ、再び奪い返されたときにジュチ（客人の意）を生んだ。この子は成吉思汗の子とされ、最後まで彼の最もよい片腕であった。

第八章で、ジュチの死を知ったとき、彼がいかに激しい涙を流すかを読者はみるであろう。父も子もその出生には、解き難《がた》い秘密をもっていたのである。絶えまない争闘と掠奪のあいだに浮沈する女の「あわれ」そのもののうちに、秘密はあると言っていいかもしれない。同時に彼の最も愛した女は、いかなる場合にも敵に貞操をゆるさなかった忽蘭《クラン》であった。

この作品には印象の深い場面がたくさんあるが、彼と忽蘭とのあいだに生れた幼児ガウランを戦場に伴って出かけ、万里の長城を越えて金国を征服しつつあるとき、この幼児を誰のものとも知らさずに人手に渡してしまう。一種の捨て子だが、私にはこの場面が印象ふかかった。つまりモンゴルの「狼」となるために、この幼児が無名のまま誰かによって育てられ、全くの自力で強くなることを期待した行為であった。

こういう点に成吉思汗の性格が端的に出ている。作品全体について言えることだが、井上氏の最も力を傾けた点は、「非情の世界」を現出するところにあったのではないかと思われる。それは性格というよりは、生育と体験と周囲の状況に迫られた行為の結果といっていいものかもしれない。くりかえされる戦争のうちに、肉親や盟友は死んでゆくし、女たちは犯され、男たちは虐殺《ぎゃくさつ》される。もはや涙すら涸《かわ》いてしまうような世界だ。一切の感傷はゆるされない。自分の盟友のうちにも敵となる可能性はある。幼少のうちから、そういう苛烈《かれつ》な経験の中で育ったのが成吉思汗なのである。

「敵」というものに対して、これほど容赦のない英雄は稀《まれ》であろう。およそ抵抗者の存するところ、人間はむろん一木一草もゆるさず、すべてを壊滅してしまう惨忍《ざんにん》冷徹な精神のもち主である。彼の体験がそのように教えたのだ。同時に「味方」となるべき人間を見出《みいだ》すときの眼のたしかさ、人物の配置や軍を動かすときの彼の頭脳の冷静で俊敏な点も見のがせない。モンゴル族の幸福のために、高度の外来文化を摂取することにも熱心である。信仰の自由もゆるした。そういう聡明《そうめい》な為政者と、徹底した虐殺者とが、この人物の中に共存していたのである。井上氏がそれを見事に描いている。「非情の世界」を形成するものは、言うまでもなく行動である。行動という言葉は平凡だが、成吉思汗の場合は、人間として可能なそれは極限と言っていいだろう。ナポレオンと対比してもいいが、彼の生涯のあいだの行動半径を地図についてみると、人間わざとはみえない。むろん長い年月をかけているが、彼には休息というものはなかった。遠征につぐ遠征であり、そのたびごとに支配圏は拡大してゆく。最後はインドまで手中に収めようとした。これは中止されたが、中国からロシアにいたる広大な地域の上に、つねに風雲をまき起してきたのである。

しかしいかなる人物にも死は訪れる。作品はその死と、葬列と埋葬で終っているが、最後になっても彼の考えていたのは、そのときの「敵」(西夏)を滅却することであった。さらに生命がつづいていても、その生涯は「敵」のあるかぎり攻撃と征服の連続であったろう。

井上氏は成吉思汗の人物、性格について、作者として特別の批評は加えていない。ただ生涯の事実に即して、行動の極限と非情に生きた人の姿を描いただけだが、そこから今まで述べたような姿がはっきり浮びあがってくるわけである。

こうした歴史を描くとき、ほしいままな空想や抒情《じょじょう》や感傷におちいりがちなものだが、井上氏はその一切を抹殺《まっさつ》しようとしている。むろん虚構の世界だが、そのことは筆致をみればあきらかだ。『天平の甍』以来そうだが、堅固な金石文字のような文章である。換言すれば彫刻的と言ってもよい。同時に、たとい新しい発見や変形作用があっても、それをそれらしくおもてにあらわさず、昔から語り伝えられてきたあたりまえの話のように描き出す、そういう方法を、井上氏はこれらの歴史小説を通して身につけてきたようである。突飛なことや誇張で、人々を驚かしたり、面白《おもしろ》がらせようとしないその節度が、作品を堅固なものにしている。

成吉思汗の生れた一一六二年と言えば、日本では、保元平治の乱が終って平家一門が全盛時代に入る時期だ。また彼の生きた六十五年間は、日本では、源平合戦から鎌倉幕府の成立、それから実朝《さねとも》の死を経て承久の変があり、親鸞《しんらん》や道元の出現した時代にあたる。やはり乱世であった。

そしてこの時代に最も人気のあった武将は、『平家物語』に描かれた義経《よしつね》であろう。周知のとおり様々の伝説を生んだ。彼は奥州平泉で死んだのではなく、北海道にのがれ、そこからシベリアに渡り、成吉思汗になったという伝説もある。むろん荒唐無稽なつくり話にすぎないが、義経物語という一種の英雄流離譚に感動した日本人の、ひとつの夢として興味ふかいことである。
　こんなことをつけ加えておくのは、成吉思汗なる人物を憧《あこが》れたり、それを受けいれる素地が、昔から日本にあることを言いたかったからだ。日本風の英雄流離譚は日本武尊《やまとたけるのみこと》以来いくつかあるが、その中で義経はいまでも人気があり、物語のひとつの型ともなっている。『蒼き狼』はむろん異質の内容だが、しかし日本人の愛好してきた物語の型をふまえていると言っていいのではなかろうか。この作品が読者に密着してゆく、大きな理由として私はあげておきたかったのである。

（昭和三十九年六月、評論家）

この作品は昭和三十五年十月文藝春秋新社より刊行された。

井上靖著

猟銃・闘牛

芥川賞受賞

ひとりの男の十三年間にわたる不倫の恋を、妻・愛人・愛人の娘の三通の手紙によって浮彫りにした「猟銃」、芥川賞の「闘牛」等、3編。

井上靖著

敦煌（とんこう）

毎日芸術賞受賞

無数の宝典をその砂中に秘した辺境の要衝の町敦煌――西域に惹かれた一人の若者のあとを追いながら、中国の秘史を綴る歴史大作。

井上靖著

あすなろ物語

あすは檜になろうと念願しながら、永遠に檜にはなれない〝あすなろ〟の木に託して、幼年期から壮年までの感受性の劇を謳った長編。

井上靖著

風林火山

知略縦横の軍師として信玄に仕える山本勘助が、秘かに慕う信玄の側室由布姫。風林火山の旗のもと、川中島の合戦は目前に迫る……。

井上靖著

氷壁

前穂高に挑んだ小坂乙彦は、切れるはずのないザイルが切れて墜死した――恋愛と男同士の友情がドラマチックにくり広げられる長編。

井上靖著

天平の甍

芸術選奨受賞

天平の昔、荒れ狂う大海を越えて唐に留学した五人の若い僧――鑒真来朝を中心に歴史の大きなうねりに巻きこまれる人間を描く名作。

井上靖著

しろばんば

野草の匂いと陽光のみなぎる、伊豆湯ヶ島の自然のなかで幼い魂はいかに成長していったか。著者自身の少年時代を描いた自伝小説。

井上靖著

楼（ろうらん）蘭

朔風吹き荒れ流砂舞う中国の辺境西域——その湖のほとりに忽然と消え去った一小国の運命を探る「楼蘭」等12編を収めた歴史小説。

井上靖著

風（ふうとう）濤

読売文学賞受賞

朝鮮半島を蹂躙してはるかに日本をうかがう強大国元の帝フビライ。その強力な膝下に隠忍する高麗の苦難の歴史を重厚な筆に描く。

井上靖著

額《ぬか》田《たの》女《おお》王《きみ》

天智、天武両帝の愛をうけ、〝紫草《むらさき》のにほへる妹〟とうたわれた万葉随一の才媛、額田女王の劇的な生涯を綴り、古代人の心を探る。

井上靖著

幼き日のこと・青春放浪

血のつながらない祖母と過した幼年時代——なつかしい昔を愛惜の念をこめて描く「幼き日のこと」他、「青春放浪」「私の自己形成史」。

井上靖著

夏《なつ》草《ぐさ》冬《ふゆ》濤《なみ》（上・下）

両親と離れて暮す洪作が友達や上級生との友情の中で明るく成長する青春の姿を体験をもとに描く、『しろばんば』につづく自伝的長編。

井上靖著　北の海（上・下）

高校受験に失敗しながら勉強もせず、柔道の稽古に明け暮れた青春の日々——若き日の自由奔放な生活を鎮魂の思いをこめて描く長編。

井上靖著　孔子
野間文芸賞受賞

戦乱の春秋末期に生きた孔子の人間像を描く。現代にも通ずる「乱世を生きる知恵」を提示した著者最後の歴史長編。野間文芸賞受賞作。

酒見賢一著　後宮小説
日本ファンタジーノベル大賞受賞

後宮入りした田舎娘の銀河。奇妙な後宮教育の後、みごと正妃となったが……。中国の架空王朝を舞台に描く奇想天外な物語。

島崎藤村著　破戒

明治時代、被差別部落出身という出生を明かした教師瀬川丑松を主人公に、周囲の理由なき偏見と人間の内面の闘いを描破する。

島崎藤村著　夜明け前
（第一部上・下、第二部上・下）

明治維新の理想に燃えた若き日から失意の中に狂死する晩年まで——著者の父をモデルに木曽・馬籠の本陣当主、青山半蔵の生涯を描く。

島崎藤村著　千曲川のスケッチ

詩から散文へ、自らの文学の対象を変えた藤村が、めぐる一年の歳月のうちに、千曲川流域の人びとと自然を描いた「写生文」の結晶。

司馬遼太郎著

国盗り物語（一〜四）

貧しい油売りから美濃国主になった斎藤道三、天才的な知略で天下統一を計った織田信長。新時代を拓く先鋒となった英雄たちの生涯。

司馬遼太郎著

燃えよ剣（上・下）

組織作りの異才によって、新選組を最強の集団へ作りあげてゆく〝バラガキのトシ〟——剣に生き剣に死んだ新選組副長土方歳三の生涯。

司馬遼太郎著

花神（上・中・下）

周防の村医から一転して官軍総司令官となり、維新の渦中で非業の死をとげた、日本近代兵制の創始者大村益次郎の波瀾の生涯を描く。

司馬遼太郎著

峠（上・中・下）

幕末の激動期に、封建制の崩壊を見通しながら、武士道に生きるため、越後長岡藩をひきいて官軍と戦った河井継之助の壮烈な生涯。

司馬遼太郎著

胡蝶の夢（一〜四）

巨大な組織・江戸幕府が崩壊してゆく——この激動期に、時代が求める〝蘭学〟という鋭いメスで身分社会を切り裂いていった男たち。

司馬遼太郎著

項羽と劉邦（上・中・下）

秦の始皇帝没後の動乱中国で覇を争う項羽と劉邦。天下を制する〝人望〟とは何かを、史上最高の典型によってきわめつくした歴史大作。

吉村昭著

大黒屋光太夫（上・下）

鎖国日本からロシア北辺の地に漂着し、帝都ペテルブルグまで漂泊した光太夫の不屈の生涯。新史料も駆使した漂流記小説の金字塔。

吉村昭著

生麦事件（上・下）

薩摩の大名行列に乱入した英国人が斬殺された――攘夷の潮流を変えた生麦事件を軸に激動の五年を圧倒的なダイナミズムで活写する。

吉村昭著

アメリカ彦蔵

破船漂流のはてに渡米、帰国後日米外交の先駆となり、日本初の新聞を創刊した男――アメリカ彦蔵の生涯と激動の幕末期を描く。

吉村昭著

天狗争乱

大佛次郎賞受賞

幕末日本を震撼させた「天狗党の乱」。水戸尊攘派の挙兵から中山道中の行軍、そして越前での非情な末路までを克明に描いた雄編。

吉村昭著

桜田門外ノ変（上・下）

幕政改革から倒幕へ――。尊王攘夷運動の一大転機となった井伊大老暗殺事件を、水戸薩摩両藩十八人の襲撃者の側から描く歴史大作。

吉村昭著

長英逃亡（上・下）

幕府の鎖国政策を批判して終身禁固となった当代一の蘭学者・高野長英は獄舎に放火させて脱獄。六年半にわたって全国を逃げのびる。

遠藤周作著

王妃 マリー・アントワネット（上・下）

苛酷な運命の中で、愛と優雅さを失うまいとする悲劇の王妃。激動のフランス革命を背景に、多彩な人物が織りなす華麗な歴史ロマン。

遠藤周作著

女の一生
一部・キクの場合

幕末から明治の長崎を舞台に、切支丹大弾圧にも屈しない信者たちと、流刑の若者に想いを寄せるキクの短くも清らかな一生を描く。

遠藤周作著

女の一生
二部・サチ子の場合

第二次大戦下の長崎、戦争の嵐は教会の幼友達サチ子と修平の愛を引き裂いていく。修平は特攻出撃。長崎は原爆にみまわれる……。

遠藤周作著

侍
野間文芸賞受賞

藩主の命を受け、海を渡った遣欧使節「侍」。政治の渦に巻きこまれ、歴史の闇に消えていった男の生を通して人生と信仰の意味を問う。

遠藤周作著

沈黙
谷崎潤一郎賞受賞

殉教を遂げるキリシタン信徒と棄教を迫られるポルトガル司祭。神の存在、背教の心理、東洋と西洋の思想的断絶等を追求した問題作。

遠藤周作著

イエスの生涯
国際ダグ・ハマーショルド賞受賞

青年大工イエスはなぜ十字架上で殺されなければならなかったのか——。あらゆる「イエス伝」をふまえて、その〈生〉の真実を刻む。

新田次郎著
孤高の人（上・下）

ヒマラヤ征服の夢を秘め、日本アルプスの山々をひとり疾風の如く踏破した〝単独行の加藤文太郎〟の劇的な生涯。山岳小説の傑作。

新田次郎著
栄光の岩壁（上・下）

凍傷で両足先の大半を失いながら、次々に岩壁に挑戦し、遂に日本人として初めてマッターホルン北壁を征服した竹井岳彦を描く長編。

新田次郎著
八甲田山死の彷徨

全行程を踏破した弘前三十一聯隊と、一九九名の死者を出した青森五聯隊――日露戦争前夜、厳寒の八甲田山中での自然と人間の闘い。

新田次郎著
銀嶺の人（上・下）

仕事を持ちながら岩壁登攀に青春を賭け、女性では世界で初めてマッターホルン北壁完登を成しとげた二人の実在人物をモデルに描く。

新田次郎著
アラスカ物語

十五歳で日本を脱出、アラスカにわたり、エスキモーの女性と結婚。飢餓から一族を救出して救世主と仰がれたフランク安田の生涯。

新田次郎著
強力伝・孤島
直木賞受賞

直木賞受賞の処女作「強力伝」ほか、「八甲田山」「凍傷」「おとし穴」「山犬物語」など、山岳小説に新風を開いた著者の初期の代表作。

蒼《あお》き狼《おおかみ》

新潮文庫　い-7-13

昭和三十九年六月二十五日　発行
平成十八年九月十五日　八十七刷改版
令和七年十月十五日　百　刷

著者　井《いの》上《うえ》靖《やすし》

発行者　佐藤隆信

発行所　株式会社　新潮社
郵便番号　一六二—八七一一
東京都新宿区矢来町七一
電話　編集部(〇三)三二六六—五四四〇
　　　読者係(〇三)三二六六—五一一一
https://www.shinchosha.co.jp

価格はカバーに表示してあります。

乱丁・落丁本は、ご面倒ですが小社読者係宛ご送付ください。送料小社負担にてお取替えいたします。

印刷・株式会社光邦　製本・株式会社大進堂

ISBN978-4-10-106313-3 C0193